中國名人懸案大破解

王長安◎主編

好讀出版

前言

站在歷史巨人的肩上

歷史總是在一盛一衰、一治一亂、一起一落中前行的。翻開中華五千年歷史畫卷，我們不難發現，每當人類歷史發生重大變革的時刻，總是有一個或幾個歷史巨人在其中擔當著極為重要的歷史責任。這些歷史巨人或是一代聖哲，在歷史上留下了自己流芳百世的光輝業績；亦或是千古罪人，其醜惡的形象讓後人永久唾棄。

人傑也好，鬼雄也罷，他們之所以能在歷史中烙印上自己的名字，是因為他們具有不同凡響的人格特質與堅定信念。當我們靠近這些歷史巨人的時候，我們可以清晰地看到人傑之所以偉大，是因為他們都有著偉大的人格與崇高的品德；鬼雄之所以醜惡，是因為他們把卑劣的人性膨脹到了極致。在當今競爭激烈的商品社會中，若想在競爭中立於不敗之地，關鍵是要具備優良的綜合素質，而讀懂名人、洞悉歷史，對培養我們完美的人格、自信的理念與堅韌的毅力是極為必要和必須的。

郁達夫先生曾說過：「沒有偉大的人物出現的民族，是世界上最可憐的生物之群；有了偉大的人物，而不知擁護、愛戴、崇仰的國家，是沒有希望的奴隸之邦。」的確，在華夏五千年的歷史中，人才輩出，風流人物無數，我們惟有在瞭解了這些歷史巨人的本來面目之後，才能有效地去學習與效仿人傑的偉大；才能有效地遠離和避免鬼雄的宵小。本書正是基於這樣的目的，誠邀了國內知名歷史學者，編纂了這部破解中華五千年風流人物歷史懸案的書籍。因爲在策劃中，我們發現在這些歷史巨人的背後，隱藏著許多鮮爲人知的趣事和至今未解的歷史懸案，也許這些歷史懸案正是他們或偉大或宵小的根源所在。可以說，這一個個歷史懸案在本書中的破解，更會使讀者在思索中獲益良多。本書還編配了與內容有關的數百幅圖畫，特別適合學生朋友閱讀，對啓發學生朋友學習歷史課程的興趣和愛好，能起到意想不到的效果。堪稱「不是教輔書的教輔書」。

當我們靠近一代聖哲的時候，我們就會有與偉人一般寬廣的胸懷與非凡的氣魄；當我們走近千古罪人的時候，我們就會有鑒別善惡的銳利目光與抉擇信念。我們相信，讀者朋友們能藉本書爲階梯，一躍而站在歷史巨人的肩上，放眼未來，睥睨四方……

第1章 遠古先秦名人懸案

第2章 秦、漢名人懸案

第4章 隋唐名人懸案

第6章 明、清、民國名人懸案大破解

第1章

遠古先秦名人懸案

當我們滿懷無比的敬意走進遠古（先秦）這段歷史時光時，我們看見了祖先黃帝高坐雲端，正用慈祥的目光撫愛著他的萬千子孫；我們看見了母親女媧儀態雍容，正用豐饒的乳汁哺育著她的心愛兒女；我們看見了聖人孔子風塵僕僕，正把儒學的博大智慧傳播於戰國七雄之間；我們還看見了先哲孫子鶴髮童顏，正以兵家玄奧的謀略指揮著沙場萬馬千軍……面對祖先，我們心中無比感恩；面對英傑，我們不由地頂禮膜拜。我們不由地會責備漫長的歲月，究竟湮沒了多少名人往事，我們會問詢久遠的時光，究竟製造了多少名人的千古懸案……祖先伏羲為何要娶胞妹為妻？聖人孔子的身世有何隱情難言？

1 女媧的性別之謎

古老的中華民族流傳著許多美麗的神話傳說。我們的祖先用自己的智慧解釋著天地起源、人類繁衍、改造世界……的一系列疑問。女媧補天的故事在華夏大地世代流傳，那麼眞有這種可能嗎？據說盤古開天闢地後，天地間僅他一人，空蕩寂寞。盤古死後，不知過多少年，人類始祖女媧氏誕生了。女媧孤獨地生活在空曠的天地間，非常寂寞，她決心造出一些人，跟她一起生活。女媧用黃泥和水依自己的模樣捏成泥人。她對著泥人吹氣，泥人竟活啦！女媧興奮之餘捏出許多泥人。他們得到始祖的氣息，全都歡跳在女媧的周圍。他們圍著女媧喊祖宗，女媧疲憊不堪，揮手讓他們離去。這些人男女組合，生產勞動，繁衍子孫，快樂地生活。

西漢時期的《女媧畫像》。

某天女媧昏睡中，被猛烈的大雨澆醒。她睜眼一看，天空搖搖欲墜，露出可怕的黑洞。狂虐的暴雨傾瀉而下，大地一片汪洋。她的子孫們，有的被洪水吞噬，有的被猛禽走獸咬斃，死亡不計其數。女媧大吼一聲，她絕不容忍自己的子孫受此荼毒！

女媧察看天空，發現支撐天空的四根天柱，日久遭朽了，所以天似乎要塌陷。她衝入海中，擒來巨龜，斬下四腿，撐住天空。她揀來石塊，燒製五色石，修補天空。女媧又殺死泛濫洪水的黑龍，堵住冒水的地縫。大地恢復了鳥語花香，人類又開始了安定的生活。

現在看來，天又不是石頭做的，以石補天，人力不及，似乎有些荒唐。東漢的王充《論衡・談天篇》評述說：天非玉石，豈石能補？女媧高不及天，如何補天？龜體巨大，天地難容，膚堅似鋼，女媧難以擒殺，砍龜足做天柱之事不可能。那麼，後人又是怎樣理解和解釋女媧煉石補天這事兒呢？明清學者解釋為：上古時，人茹毛飲血，不知用火。

女媧煉石取火，使原始人能吃熟食，夜裏能照明、取暖，實際上彌補了天力的不足，謂之補天。但這與燧人氏鑽木取火有異曲同工之效，為何不說燧人氏補天呢？有學者認為，五色石指青黃赤白黑五色，應該含有金屬礦物質。女媧識別了它們，並用火鍛造，製成堅硬的原始器物，開創了原始冶金業先河。這是了不起的功績，以人力補天力。因此，可以說「女媧補天」。

實際上，女媧這一人物本身就具有非常神秘的色彩。她是男？是女？就引起過爭論。大多數人認為她是女性。《太平御覽》引言：女媧氏，風姓。會製作犧牲祭品，有廚藝。蛇身人首。也叫女希，是女皇。而南宋鄭樵《通志・三皇紀》也記載：伏羲死後，女媧繼位，成為女皇。《春秋世譜》說，女媧是伏羲的妹妹。唐代人又說女媧是伏羲的妻子。這些意見，總體認為女媧是女性。

而清代學者趙翼考證，女媧竟是男性。他認為女媧本來是風姓，號女希氏，是上古時代賢明的帝王，位列三皇之中。當時沒有文字記載，後人因音成字。女媧是姓氏而不是性別。這種看法雖然新奇，但也有其道理。只是令後人更加困惑罷了！

既有女媧其人就應有陵墓。後人一考證，結果竟發現了五處。頭一處是山西永濟縣風陵渡。因爲史書記載女媧是風姓，故女媧陵稱風陵，也稱風陂或風陵堆。《山西通志》記此是風后之陵，風后即指女媧。第二處在陝西潼關縣。《陝西通志》記述說，上古風陵，就是女媧陵，在潼關衛城北黃河中。第三處在河南閿鄉。《河南通志》記述道：女媧陵，位於閿鄉縣黃河之濱。四處爲山西趙城縣。《平陽府志》說：媧皇陵，在趙城縣侯村裏。有東西兩座，高大威嚴。五處爲山東濟寧。《兗州府志》講：女媧陵位於濟甯州東南三十九里。統共就這麼一個人物，卻有五個地方，有根有據地指出葬處在那。但是卻也分不清誰眞誰假，卻讓我們更加困惑了。

2 黃帝會是女性嗎？

黃帝，傳說爲上古時代姬姓部落首領。號軒轅氏或有熊氏。黃帝生來神奇靈異，成年後聰明通達。他成爲部落首領後，黃帝部族日漸強盛，戰勝了炎帝部族，後炎、黃兩族結成部落聯盟，黃帝成爲部落聯盟首領。黃帝率領各部落共同開發中原，發明了文字、曆法、舟車製……爲中華民族進入文明時代做出了傑出貢獻，黃帝被尊奉爲中華民族的祖先。我們心目中的祖先，理所當然是男性。然而，近年一些學者提出黃帝本爲女性，眞是出人意料。

黃帝怎麼會是女性？

黃帝的先祖是有熊氏族，號稱有熊國。有熊國首領少典與有氏的姑娘附寶結爲夫妻。附寶受雷電感應，二十四個月後生下黃帝。黃帝生下來就神奇得很，襁褓中能言語，稍大一點兒，就通百事、斷是非。因黃帝生長在姬水蟲喬旁，居住在軒轅之丘，於是他以姬爲姓，以軒轅爲名。

黃帝修明政治，整頓軍旅，順應天時，種植五穀，安撫百姓。黃帝先後征服炎帝、打敗蚩尤，威震天下。黃帝召集各部族首領，以雲紀官，劃域治理。黃帝主管中央挾制四方。當時，人們認爲帝是萬物主宰，金、木、水、火、土爲萬物之本，稱作五德。黃帝部族崇尚土德，土爲黃色，黃帝因此得名。

傳說黃帝有二十五個兒子，得到姓氏的只有十四個。黃帝住在軒轅之丘時，娶西陵氏之女嫘祖為妻。嫘祖生育兩個孩子，後代都繼承了帝業。一子玄囂，玄囂就是帝嚳的祖父，帝堯是玄囂的重孫。一子昌意，昌意就是顓頊帝的父親。從黃帝到帝嚳，顓頊、帝堯都曾統治天下，威名遠揚，位列五帝之位。《史記》上清清楚楚地記載著黃帝一脈子孫繁衍的歷史，黃帝確實應該是男性，怎麼又有黃帝是女性的說法呢？

有學者認為黃帝的「帝」字，就已經說明了問題。王國維《觀堂集林》卷六《釋天》認為，帝者蒂也。如花之花蒂形狀。郭沫若也認為，「帝」字象徵花蒂，如花之子房孕育種子，一粒種子再繁殖千萬子孫。帝有生育之德。《禮記・郊特性》也說，「因其生育之功謂之帝」。那麼，能生育萬物，繁衍後代的「帝」，理所當然是女性了。《左傳・僖公九年》「順帝之則」注釋道：「帝，后也。」意指帝即是後。「后」字，甲骨文裏有時寫作「毓」（通生育的育），形狀頗似生育時的樣子。上古時多有「帝后」連稱的，實指一人。能夠親自生養小孩子的，只能是女性。《史記・天官書》記載：「黃帝主德，女主象也。」「德」的本義是「種植、生殖」，黃帝行使生殖之職，自然是女性氏族首領才做得到的，黃帝當是女性。《呂氏春秋》提到：「中央土，帝黃帝，神后土。」這裏的后土，說的是黃帝的神靈。后土的本義是媼神，老年女神。女神自然是女性了！

傳說中泰山有個女神叫碧霞元君，在《碧霞元君祠詩》裏說她「其義同富媼」，「其神即后土」。黃帝的神靈是后土，碧霞元君的神靈也是后土，只能說明一個問題：她們是同一個人，是女神。《碧霞元君寶誥》更直接點明眞相：「曩時現玉女身，根本即帝眞之相」。進一步指明了黃帝才是碧霞元君的眞身，確實是女性之神。

其實，上古時代，確實是母系氏族在先，父系代族在後。黃帝部族和炎帝部族被人們習慣性地稱爲黃帝、炎帝。黃帝部族的首領帶領部落成員種植、征戰，威震天下，這樣的功績，女首領也照樣有所成就。因此，黃帝也有可能是女性。

傳說是傳說，猜測歸猜測，黃帝到底是男是女呢？還有待科學的進一步考證。

3 顓頊性別之謎

顓頊，中國上古神話傳說中的「五帝」之一。高陽氏顓頊，傳說是黃帝的孫子，有大德于民，繼承帝位。帝顓頊沈靜淵深而有智謀，清明通達而知事理；生養財物以盡地利，順時行事以法天道，憑依鬼神以制義法；調理五行以教化，潔淨虔誠以祭祀。部族活動範圍北到幽陵，南到交阯，西到流沙，東到蟠木，空前廣大。在顓頊統治下，高陽氏族繁榮興旺，遠近歸附，威名遠揚。自古以來，人們一直認爲顓頊是男性，可是，近代卻有人提出他可能是女性，這話從何說起呢？

我們先來看看顓頊的身世。

傳說，黃帝的正妻嫘祖生育了兩個兒子，一個叫玄囂，一個叫昌意。昌意娶蜀山氏女兒昌仆爲妻，生子高陽，即帝顓頊。嫘祖是個勤勞能幹的女人，白天操持家務，夜晚通宵紡織。當東方發白，天上僅剩啓明星（太白金星）時，嫘祖才闔目稍做休息。傳說玄囂便是嫘祖感天而孕，他是太白金星下凡，長大後，建立少昊國。玄囂初遷封國，就有吉祥的鳳凰朝賀，玄囂於是以鳥名賜姓氏族部落，如：鳳鳥氏、玄鳥氏、錦鳥氏……玄囂還以鳥紀官，治理部族。少昊國民眾安居樂業，幸福健康，讓外族羨慕不已。玄囂的弟弟昌意便送自己的兒子到少昊學習治國之道。

顓頊年少時無意政治，卻迷戀上了少昊國的音樂，他很快成爲彈琴擊瑟的行家。顓頊讓飛龍模仿八方風聲，製作出《承雲之歌》，親自爲祖父黃帝演奏。黃帝感覺音樂有磅礴大氣，蘊含帝王之風，認爲顓頊日後必定大有作爲，於是把帝位直接傳給了顓頊。

顓頊有智有謀，制定法令，劃分臣民職責，樹立了首領的絕對權威，建立起新的統治秩序。顓頊任命重、黎專職巫卜，傳達神意，借助巫師之口，行使統治部族成員的目的。部族成員安分守己，服從命令。顓頊還不斷擴張領域，使遠近部族歸順臣服，東部族空前強大。

根據史書所載，顓頊身世很清楚，又娶妻生子，應該是男性無疑。爲什麼會認爲他是女性呢？

有人認爲顓頊就是高陽氏，是楚族的遠祖。在遠古時候，母系氏族公社時期由老祖母主持氏族大事，她們後來被尊爲本部族主婚媾之神——高禖。夏人的高禖（高祖妣）是女媧，殷族的高禖是簡狄，周族的是姜……高禖均無夫生子，確系女性。而顓頊正是楚族高祖妣高陽，所以顓頊也是女性。

《山海經・大荒西經》說：「有魚偏枯，名曰魚婦。顓頊死即復甦，風道北來，天乃大水泉，蛇乃化爲魚，是爲魚婦。」人們由此認爲顓頊即化魚婦，可以推測其活著時，應爲女性。此外，古書《大戴禮記・帝系》也說「顓頊產（伯）縣。」生產孩子，自然是女人的事兒，顓頊確實應該是女人。

龔維英在《顓頊爲女性考》中的看法，觀點顯明：在母系氏族社會裏，應有許多女性首領，後爲本族高祖妣。但體現在中國神話中，僅有女媧、西王母幾位。原因就在於父系氏族代替母系氏族後，爲維護父權的永恒性，把女神都改造轉化爲男性，讓人們接受「男性是天生的領導者」以維護男性社會的統治需要。因此，顓頊被傳說成了男性，也就不奇怪了。聞一多先生在《高唐神女傳說之分析》中，認定楚人的高禖——高唐神，是他們的始祖高陽。而高陽則本是女性。但聞一多把帝顓頊與高陽判爲兩人，他認爲顓頊之妻女祿才是楚人先妣。因爲母系氏族社會裏，男嫁女，並取女方姓氏。顓頊跟從妻子一塊兒姓高陽氏，女祿才是眞正的高陽氏，是楚族的高祖妣。通過考證顓頊的性別，我們會對中國遠古時代的母系社會和父系社會有更深刻的認識。隨著考古學的新發現，社會科學的進一步發展，相信顓頊的性別之謎一定能破譯出來。

4 商紂王眞是暴君嗎？

小說《封神演義》是一部家喻戶曉的著作，它在武王伐紂的背景下，寫了一系列正邪鬥法、神妖混戰的故事，在民間影響廣泛。書中的主要人物商紂王，是人人恨之入骨的暴君。那麼，歷史上的商紂王是不是這樣的呢？

商紂王，名叫帝辛，是商朝最後的一位君主。「紂」是「殘義損善」之意，「紂王」是後人對他的貶損評價。史書上記載的紂王的罪行有：沈溺酒色，奢靡腐化。

據說，紂王喜歡飲酒，他鑿地為池，池中注酒，酒上行船。紂王同姬妾親眾在池上划船飲酒。據說，他在宮內豎起像樹林一樣的木樁，上面掛滿熟肉，叫一些陪伴他的人光著身子在這「肉林」裏瘋打瘋鬧。餓了就吃，吃了就玩。據說，他還大興土木，造了一座鹿台。地基三里見方，高逾百丈。他把搜刮來的金銀珠寶和美女們聚集在臺上，宴飲狂歡，長達七日七夜，以至君臣姬妾都忘了日月時辰。殘忍暴虐，荼毒四海。據說，他行炮烙之刑，用炭火把中空的銅柱子燒紅，然後叫被殘殺之人在上面爬行，烙得皮焦肉糊而死。

據說，他為了觀察正在成長的胎兒，竟殘忍地讓人剖開孕婦的肚子；他想知道冬天光腳過河的農夫為什麼不怕凍，竟叫人砍掉他的雙腳，砸骨驗髓。還有像是寵幸奸臣，重用小人，不敬祖先，不信忠良等種種罪行，令人罄竹難書。後來，紂王失去士氣和民心，終於被武王打敗。他一把火把自己燒死，他的妻子妲己也被武王送上了斷頭臺。商紂王眞的是這樣殘暴嗎？

據說孔子的學生子貢就曾懷疑過。認爲是有人故意把天下的罪惡都加在他的頭上。近代一位著名的歷史學家在考察了商紂王的七十多條罪惡發生的次序之後，發現他的罪行是隨著時間的推移，越來越多。也就是說是後人編造的。眞實性和可信度大打了折扣。那麼，爲什麼要有意地醜化商紂王呢？原因之一是他的政敵的別有用心宣傳。比如奢侈腐化，暴虐荒淫，鎭壓反叛，翦除異己，這是一切帝王的共性，並非商紂王獨有。這些劣跡爲什麼表現在商紂王身上就那樣駭人聽聞，令人髮指？應該說，是他的政敵在搞醜化和宣傳。「勝者王侯敗者賊」，滅掉商紂王的帝王們、御用文人們怎樣說他都不爲過，那就根據政治需要隨便說吧。

原因之二是把罪惡之源引到女人身上。妲己本來是紂王剿滅蘇部落的戰利品，也是紂王的玩物。可是，武王伐紂後一千年的《列女傳》把劣跡都歸於妲己一人，這就是「女禍亡國論」。其實，在男尊女卑的封建社會裏，本性兇殘的帝王我行我素，獨斷專行，並不受女子所左右，怎麼一旦亡國滅身，就把女人當成替罪羔羊了呢？於是，夏桀有妹喜，商紂有妲己，周幽有褒姒，唐明皇有楊貴妃，彷彿沒有了這些女性，他們就會「天子聖明」了。因此，在商紂王的故事裏摻和著妲己，既是小說家的調味品，也是封建文人

這是商代的銅盔，不知那時什麼級別的指揮官才有資格佩戴這頂銅盔。

爲昏君開脫、愚弄人民的陰暗心理的表露。

原因之三是抹殺商紂王的歷史功績。據《史記》記載，商紂王博聞廣見，思維敏捷、身材高大、臂力過人。他的才智足以對複雜的事情迅速作出準確的判斷，他的氣力足以托樑換柱、徒手殺虎。他曾經攻克東夷，把疆土開拓到中國東南一帶，開發了長江流域。當時的東夷常向商朝發動進攻，擄去大量百姓作奴隸，對商朝是個威脅。紂王的父親帝乙就和東夷大戰一場，但沒有取得勝利。紂王登基之後，鑄造大量兵器，親率大軍出征東夷。東夷各部聯合起來進行抵抗，但擋不住紂王的攻勢。

據說，商軍如秋風掃落葉一樣，一直打到長江下游，降服了大多數東夷部落，俘虜了成千上萬的東夷人，取得大勝。從此以後，中原和東南一帶的交通得到開發，中部和東南部的關係密切了。中原地區的文化逐漸傳播到了東南地區，使當地人民利用優越的自然地理條件發展了生產。實事求是地說，這個歷史貢獻，應該記到紂王身上。那麼歷史上眞實的商紂王到底是什麼樣呢？

5 周公爲何不稱王？

周公，西周傑出的政治家和治國賢臣。他姓姬名旦，由於采邑在周，因此又稱周公。周公是周武王胞弟，輔佐武王滅商後，受武王臨終重託，扶立武王幼子姬誦即位，代行攝政。爲鞏固周王朝的統治，周公廢寢忘食，嘔心瀝血，受到歷代統治階級的交口稱頌。然而，也有傳言說武王死後，天下興亂，周公爲應付危難局面，一方面扶立武王幼子爲成王，另一方面自己執政稱王，以致引起內部爭權鬥爭。周公同胞兄弟管叔、蔡叔、霍叔不滿周公的大權獨攬而散佈謠言，紂王之子武庚乘機作亂，企圖復國。周公經過三年東征才平定叛亂，奠定了周王朝穩固的統治。那麼，歷史上是否確有其事呢？

周公本是周武王的四弟，他聰明睿智，賢能過人。武王看出他是眾多兄弟中最有才幹的，臨終時把幼子姬誦和周王朝託付給他。周公把姬誦扶爲天子——周成王，自己作塚宰負責軍國大事，代行天子之職。爲保周王朝的長治久安，周公制訂了王位繼承法，即嫡長子繼承制和餘子的分封制度。貴族內部形成了天子、諸侯、卿、大夫、士這種階梯式的等級關係。周公又對各級的服飾以及祭祀、占卜、會盟、飲宴、朝貢、婚嫁、殯葬時的儀式等也作了詳細具體的規定。有了這種尊卑有別的「周禮」，統治階級有了遵循的法則，統治秩序就穩固下來。

然而，這套統治制度卻讓武王的三弟管叔鮮和五弟蔡叔度非常不滿。如果按照「兄終弟及」的習慣，老二武王去世，老三管叔有權即位，可是，周公制訂的「嫡長子繼承法」把王位明確地留給武王嫡子姬誦，剝奪了管叔的承襲王位之權，管叔十分氣憤。武王滅紂後，管叔被封到管國、蔡叔被封到蔡國去監督紂王之子武庚，二人遠離鎬京十分不滿，心裏愈加懷疑是老四周公在搞鬼，懷疑周公陰謀篡位。他們四處傳播流言，令周成王、召公、太公不禁也起疑心。那麼，周公在攝政期間確實稱王了嗎？

一說周公的確稱王。《荀子・儒效》和《淮南子・氾論訓》都說周公「履天子之籍」。清代王念孫《讀書雜誌》認爲古人之意，即指周公履天子之位。《禮記・明堂位》亦稱「周公踐天子之位」。《尚書・大傳》指出：「周公身居位，聽天下爲政。」對《尚書・大誥》進行分析，書中的「王」稱文王爲「甯王、寧考」，這是兒子對亡父的稱謂。成王是文王之孫，是不會如此稱呼文王的。那麼，此中的「王」應是文王四子周公。再有，《尚書・康誥》中的「王」稱康叔爲弟，康叔是成王之叔，只有周公會稱他爲弟。由此推斷，周公確實身居王位，自稱爲王。

周公爲什麼要這麼做呢？武王在滅殷的第二年就因憂慮過度，心力交瘁而亡。當時天下初定，周王朝還不穩固，幼小的成王難服天下，若沒有德高望重的君王震懾四方，被征服的殷人和新歸附的部族隨時有反叛的可能，周朝將有被顛覆的危險。在這種危急關頭，周公從國家社稷出發對外稱王。他對太公、召公解釋說：「我之弗辟，我無以告我先王。」於是，「周公服天子之冕，南

周公爲何不稱王？

面而朝群臣，發號施令，常稱王命。」周公臨危踐位，「內弭父兄、外撫諸侯」，制定典章制度，建立周禮秩序，使新建的周朝得以安定下來。但周公的苦心卻被誤解，管叔、蔡叔乘機散佈謠言，周成王也對叔父產生懷疑。周成王後來翻看存放卜辭的金縢箱，發現了武王病重時，周公甘願歸天，以求武王康復的禱辭，周成王十分感動，更加信任周公了。等到周成王長大後，周公立即還政於成王。

一種說法認爲周公並未稱王。《左傳・僖公二十六年》稱周公「股肱周室，夾輔成王。」《左傳・定公四年》記載：「周公相王室以尹天下」。《史記・周本紀》也爲述道「周公乃攝行政，當國。」可見。周公僅是輔佐成王，代行攝政之事，並未稱王踐位。孟子一語概括：「周公不有天下」，周公有稱王登基的實力和條件，但卻毫無私心，忠心耿耿扶助幼主，一心想著國家社稷。周公死後，成王追憶叔父一生正大光明，忍受冤屈爲國操勞，日月可鑒。他把周公葬在文王、武王墓地，以紀念周公的不朽功績。周公若有稱王篡位之心，周成王怎會在他死後如此隆重地以天子之禮安葬他呢？

一說周公果眞篡位奪權。《荀子・儒效》稱：「周公屛成王而及武王以屬天下。」周公既是摒除成王而繼接武王之位，不是篡位又是什麼呢？《史記》記載著太公、召公產生疑問，周公進行解釋之語。如果沒有稱王之實，兩位賢人怎會妄加猜疑呢？《史記・管蔡世家》也敘述道：「管叔、蔡叔疑周公之爲不利成王」，對王室大臣們透露疑慮，後來聯合武庚起兵叛亂反周。管、蔡二人原是忠於武王的，老三管叔文武齊備。當初，武王分封諸侯時，周公用計將管叔調離鎬京，讓「兄弟相爲後」的第一繼承人遠離權力中心。後來，又藉口平叛將管叔殺掉。這樣，老四周公就順理成章地成爲王位繼承人，心安理得地稱王篡位。後來，由於周王朝眾臣的強烈反對，西岐又生變亂，周公才無奈還政成王。他拉攏召公加以平分大權。「自陝以西，召公主之；自陝以東，周公主之」。周公把長子派回封地，把次子安插周都鎬京，參與國政。可見，周公政治手腕高明圓滑，能進能退，以退爲進。

那麼，周公有沒有篡位稱王呢？他到底是嘔心瀝血扶助幼主的聖賢，還是欺世盜名的野心家？我們期待著周公本來面目眞相大白的那一天。

6 姜太公故里之謎

姜太公就是姜尙，也叫姜子牙。他的祖先曾與大禹一起治水有功，而被封於呂地。古時也可以封邑爲姓，因之也稱他呂尙。他輔佐周文王、周武王兩代明君，滅掉殷商，建立強盛的西周國家。

傳說姜尙拜師學藝，七十歲學成下山，投奔商紂，卻不得任用。他無奈曾在都城朝歌以宰牛賣肉爲生。商紂暴虐無道，塗炭生靈，民怨沖天，天下諸侯紛紛叛離。西伯侯姬昌（即以後的周文王），篤行仁政，招賢納士，把周地治理得民富國豐。姬昌求賢若渴，期望王業早成。西伯侯懂卦象，擅演天數。有一次出獵前卜卦。卦辭顯示將有輔佐他成就霸業的聖人出現。這正與西伯侯夢得飛熊吻合。西伯侯在渭水北岸的支流溪邊果然遇見一個鬚髮皆白的老翁。只見老者悠閒地唱著漁歌：「釣呀釣，大魚不要，王侯到。」西伯侯近前再看，老人的釣勾是直的，離水面足有三尺高。西伯侯猜測此人必是世外高人，急忙躬身施禮，與他攀談起來。

這個老人正是隱賢姜尙，他在溪邊也正是等候明主文王的到來。西伯侯看到姜尙熟知天文地理，博古通今，分析天下得失深刻精闢。西伯侯欣喜萬分。他不就是卦辭暗喻的賢明之人嗎？這是祖輩太公所盼望的那個治國棟樑啊！有了他的輔佐，王業必成！於是西伯侯拜姜尙爲國師。人們尊稱姜尙爲太公望，或姜太公。

姜太公輔佐西周，使西歧如虎添翼。他協助武王伐紂，牧野一役大敗商紂大軍。攻入朝歌，紂王自焚。武王散鹿台錢財給商民，遷九鼎回西歧，開創西周八百年帝業。天下人公認西周的興盛強大，是姜太公苦心輔佐的結果。

可是，姜太公這個經天緯地之才的出生地，卻讓後人好生困惑。

有說河南，有說山東。《史記・齊太公世家》說他是「東海上人」；《呂氏春秋》說他是「東夷之士」；《戰國策》說他是「齊之逐夫」，令人疑惑。漢代有人提出太公是「汲縣人」（今河南汲縣）。《水經注》記載「汲城東門北側有太公廟，廟前碑刻上說，己故會稽太守杜宣、汲縣縣令崔瑗認定太公故里在汲縣，舊居還保存著。《汲塚書》載有太公爲「魏之汲邑人」。根據《晉書・束晰傳》記載，西晉太康二年，汲郡人盜魏王墓，得竹書數車。漆書蝌蚪字記載了自黃帝到魏襄王二十年的歷史，有魏國《史記》之稱。這些竹簡書稱做《汲塚書》。《汲塚書》比《史記》成書早二百年，離周朝更近些，此書說法，太公是魏汲縣人也更可信一些。此書出土第九年（289），汲縣令盧無忌立下石碑，銘刻下：「太公乃汲縣人」的文字。後世學者大部分認同此說，即太公是河南汲縣人。

然而，元朝文學家王惲卻不同意此種看法，他覺得這是人云亦云。既然司馬遷在《史記》中寫明姜太公是東海上人，他祖居呂地，就應該是山東。清朝學者閻若璩也稱：「太公望出生地在山東東呂鄉」。《博物志・注》也認爲太公望生在海曲縣東呂鄉東呂里。然而，《州》地方誌卻從未講過這裏有太公故里。

產生分歧的原因是什麼呢？後人分析他們把太公故里與遊寓

混淆了，才把大家弄糊塗了。《戰國策·秦策五》說太公發跡前，是商朝戰敗部落的首領。他是棘津人（即河南汲縣）不得任用，只好做個無用的屠夫。聽到西歧行仁政，西伯爲明君，他才離開故鄉，到渭水垂釣，等待文王啓用。汲縣才是他的故鄉。汲縣至今還有太公廟、太公祠、太公閣和太公故里呂村。《太公廟碑》、《齊太公呂望表》碑、《重修太公廟碑》等歷史碑刻也在述說著這個事實。

《孟子·離婁》、《尚書·大傳》都認爲太公是爲了躲避商紂，才遷居東海的。當初，姜太公曾經投奔紂王，看到紂王昏庸無道，太公也進行勸諫，觸怒紂王而遭追殺。爲逃避商紂的迫害，姜太公有可能搬到山東海邊去住。本來河南、山東就接壤，距離不遠，姜太公有可能在山東住過一段時間。但是元朝學者提出的「海曲縣」卻又無從考證。

姜太公故里是否眞正在河南，他的遊寓又在哪裡？需要我們的進一步考證。

7 伯夷、叔齊餓死之謎

伯夷、叔齊是備受古代先賢盛讚、品格高尚的隱士高人。他們的高風亮節被《論語》、《孟子》、《莊子》、《呂氏春秋》等典籍高度讚揚。太史公司馬遷把他們放在列傳之首，加以褒揚。那麼，他們究竟是什麼樣的人呢？是否是恥食周粟，采薇餓死的呢？

《史記》記述：伯夷、叔齊是殷末周初孤竹國君的兩個兒子。孤竹國王生前指定小兒子叔齊繼位。他死後，叔齊卻要把王位讓給長兄伯夷。伯夷認爲君命不可違，要尊重父親的決定，因此拒絕就位，並出逃外國。叔齊則認爲伯夷賢德，治理國家最合適，也符合長幼尊卑秩序，因此也出逃國外。把王位讓給孤竹國君的二兒子。

伯夷、叔齊互相謙讓，先後出走，後來相遇。哥倆聽說西伯侯治理的西歧國富民豐，西伯侯禮賢下士，尊長愛幼，就商定投奔西歧。姬昌已死，武王不發喪，開始伐紂。大軍供奉著姬昌的神位，寓意此次主帥仍是文王，向孟津進發。伯夷、叔齊拽住馬繮繩勸說道：「父親去世卻不安葬，這是孝順嗎？當臣子的去討伐殺戮自己的君王，這是仁義嗎？商紂固然殘暴，但你以暴力去治服暴力也是不對的。」武王大軍沒

伯夷爲何甘願餓死，也不當官呢？

有理睬這兩個人，繼續進軍。

周武王率軍，殺進殷都朝歌，推翻商朝，建立周朝。伯夷、叔齊聽說現在是周朝的天下，他們都變成了周的子民。兄弟倆無法接受這種歷史的必然更替，他們認爲做弒君奪位的武王之臣民是可恥的，對商紂王是不忠不義的，因此逃到首陽山上采薇菜爲生，堅決不食周粟。伯夷、叔齊因此餓得面黃肌瘦，奄奄一息，他們就做《采薇歌》以明心志：「登上西山去采薇，以暴易暴不知悔，神農、虞夏時代遠，命運多舛勿怨誰。」伯夷、叔齊終於餓死在首陽山上。

後世人卻對這個故事產生了疑問：他們的身份確實是孤竹國王子嗎？《莊子・讓王》僅說：「昔周之興，有士二人，處於孤竹。」解釋他們的身份是孤竹國的賢士。《呂氏春秋・誠廉》中也說他們是「士」，而沒有肯定他們就是孤竹王子。

再有，伯夷、叔齊是否眞的餓死？《孟子》說他們避居北海之濱，沒提到有餓死的結局。《論語、季氏》說：「齊景公有馬千駟，死之日，民無德而稱焉。伯夷、叔齊餓於首陽之下，民到於今稱之。」指出伯夷、叔齊雖然飽受饑寒，一無所有，但他們擁有高尚氣節，所以受到人們的讚頌而流芳百世。《論語》也沒有肯定了二人是餓死的。

但《莊子》、《韓非子・奸劫爲君》、《史記》都堅決肯定二人餓死之說。這又是爲什麼呢？

有些學者認爲，把伯夷、叔齊上升到「餓死不食周粟」的高度，使他們成爲忠孝道德觀的典範，更有利於教育臣民，恪守君臣父子之道，嚴格遵守社會統治秩序，保證統治者牢牢把握政權。春秋戰國期間，各國王侯爲爭王位，爭霸權而發生的子爲父、臣爲君的流血事件，陳出不窮；如果都像伯夷、叔齊那樣謙虛讓位，與世無爭，逃離塵世，社會也就平安無事了。因此，伯夷、叔齊的結局很可能是諸子百家爲說教諸侯，減少紛爭，而加以發揮利用的素材。但《史記》作者司馬遷一向著書嚴謹，尊重史實，絕不會粉飾伯夷、叔齊的行爲。到底伯夷，叔齊是否是餓死的，仍舊是個謎。

8 孔子的「私生子」之謎

孔子是中國古代偉大的思想家、教育家，儒家學說的創始人，被尊崇敬仰為聖人。但他的出身與「私生子」這麼不光彩的稱謂連在一起，讓世人難以接受，那麼孔子出身真相又是怎樣的呢？

孔子是中國儒家學派的創始人，是中國偉大的思想家、教育家。

一般的史書都泛泛記載這樣的話：孔子名丘，字仲尼，魯國陬邑人。先世是宋國貴族，曾祖避禍來魯。父叔梁紇，晚年娶顏氏女生孔子。孔子生於西元前552年，卒於西元前479年，享年七十三歲。敘述孔子身世極其簡略，似乎迴避著什麼。後世人綜合史料所載，提出如下幾種說法：

一是「野合」說。司馬遷《史記‧孔子世家》云：「孔子生魯國昌平鄉陬邑（今山東曲阜）。先世為宋國貴族，曾祖孔防叔避禍來到魯國。祖父伯夏，父親叔梁紇。叔梁紇與顏氏女野合而生孔子。」對於「野合」，唐朝人解釋為：叔梁紇年老而顏徵在年少，兩人結合不合適，很不合禮儀，所以曰「野合」。實際上，孔子所處的春秋末期，奴隸主貴族妻妾成群的比比皆是。別管奴隸主多大歲數，挑選起年輕貌美的女子來，毫不含糊。沒有誰會感到不合禮儀，史書上也沒人謂之「野合」。看來，唐人的解釋是顧及孔聖人形象，故意曲解。

二是「夢生」說。讖緯書中說：孔子母親顏徵在夢中見黑帝，神使她有孕，因而生下不尋常的孔子來。有的書籍更詳細地敘述爲：孔子母親遊歷太塚。睡夢中，黑帝神派遣使者召她，回來後，夢中囈語黑帝的話：『你要在空桑之中餵養孩子啦。』醒來後，覺得身懷有孕，後來眞的生孔子於空桑之中。這種傳說十分荒誕，但讓尊奉孔子若神的人們，更樂於接受。試想一個聖明、高出同時代太多的睿智學者，光芒照耀後世千古，怎能是凡人所生呢？雖然「夢生說」違背科學規律，但這樣一來，孔子被更加神化，另一方面，人們對孔子的出身細節更加模糊淡化。後世人的注意力更多地轉移到孔子所取得的教育治學成就上，符合尊孔思潮。這個傳說也就歷經千年流傳下來。

三是「祈生」說。傳說孔子父母到尾丘山祈禱，求天賜子。孔子母親眞的感受到神靈恩賜，歸來有孕，生下孔子。孔子生下來，頭頂中心深凹進去，大概囟門閉合不好，他的父母盼他快快長好頭囟，頭頂能高些，因此，取名爲丘。也是感謝尾丘山賜子，孔子字仲尼。此種講法雖然毫無科學道理，但卻爲孔子的出身增添了許多神秘色彩。

四是「私生子」說。這種說法雖然動搖了孔子的聖人地位，但它有比較客觀的分析，還是有一定的可信度。有關學者對孔子思想體系的研究中發現，孔子母親顏徵在很長時間都向兒子隱瞞生父情況，可見孔子生父家庭並沒有接納他們母子，母子孤苦零仃過活。爲什麼會這樣呢？

孔子父親叔梁紇是貴族家庭，也做過魯國官吏，是當然的貴族。而顏徵在應該出身於奴隸或平民家庭，家境貧寒。年老的叔梁紇野外偶遇少女顏徵在，不知是甜言蜜語引誘，還是暴力脅迫，致使顏氏女懷孕，生下孔子。孔子曾自稱「吾少也賤」，應該是其出身的寫照。少女生子，不是私生，又是什麼呢？

雖然把聖人與私生子連在一起，看似不尊重聖人。但重要的是事實眞相，追求科學的目的就是要還事物本來面目。孔子作爲偉大的思想家、教育家，不僅在中國歷史上成爲不朽豐碑，在世界各國也受到尊重敬仰。他的出身之謎，也引起了人們的關注，總有一天會眞相大白的。

9 介子推爲何寧死不當官？

介子推是「春秋五霸」之一晉文公重耳的屬臣。他跟隨重耳流亡國外十九年，歷盡艱辛，忠心耿耿。當重耳返回晉國掌握政權後，他卻隱居深山拒受封賞，被活活燒死。介子推因何被燒死，他到底隱居在那裏呢？

晉獻公共有五個兒子：申生、重耳、夷吾、奚齊、卓子。他的愛妾驪姬設計害死太子申生，把自己的兒子奚齊立爲太子。重耳、夷吾亦遭陷害，逃往外國。晉國正直大臣狐偃、趙衰、介子推等隨重耳出逃翟國。重耳一行顛沛流離，輾轉苟安各國之間。有一次，重耳在逃亡途中斷絕糧食奄奄待斃。忠心報主的介子推竟把自己的大腿肉割下一塊，供重耳充饑活命。重耳得知後心疼得直掉眼淚。十九年後，重耳在秦穆公的幫助下終於返回晉國奪得君位，是爲晉文公。

晉文公即位後大封功臣，重賞隨他患難與共的忠耿臣僕，卻獨獨忘掉了捨身救主的介子推。介子推看透了人情冷暖、名利惡俗，他只願與重耳同苦，拒絕與之共甘，毅然攜母隱居深山。功得志滿的重耳對此毫無察覺，直至看到這樣一段話才醒悟過來：「龍饑無食，一蛇割股。龍返其淵，安其壤土。四蛇入穴，皆有處所。一蛇無穴，號於中野。」重耳十分慚愧，親自去深山尋找介子推，請他共用榮華富貴。心志高潔的介子推卻避而不見。

晉文公重耳幾次派人搜山都找不到介子推，竟聽信臣屬之意，放火燒山逼其相見。誰知介子推矢志不移，寧死也不出山，竟與母親緊緊相抱燒死在一棵枯柳下。重耳十分難過，明白介子推誓死不見自己，是對自己的忘恩負義極其失望。他命人把枯柳砍下做成木屐穿在腳下，每日望履長歎：「悲呼足下」。傳說介子推被燒死在綿山，重耳就把綿山改爲：「介山」，把介子推的故鄉定陽縣改稱「介休」。重耳還規定把介子推被燒死的這一天，定爲「寒食節」，全國不准動火，以紀念介子推。介子推被燒的日子是在清明時節，因此，清明節又叫寒食節。那麼，介子推隱居的綿山在哪裡呢？

一說在西河界休南，即今山西介休縣。據《史記・晉世家》記述：「聞其入綿上山中，於是，文公環綿上山中而封之，以爲介推田，號曰介山。」西晉學者杜預、北魏地理學家酈道元和樂史、頋祖禹都認爲「綿上之山」在西河界休南（山西介休縣）。然而，介休當時在霍山以北被狄人佔據，並非晉國土地。介子推會到異邦土地隱居嗎？重耳有權把狄人之地封給介子推嗎？這樣看來，「綿上之山」並不在介休境內。那它在哪裡呢？

一說在山西省翼城縣南。明末顧炎武據《左傳》所述「晉侯於綿上以治軍」和「趙簡子迎宋樂祁飲之酒於綿上」兩則史料推斷，樂祁自宋而來，不會繞遠走河西介休一線，趙簡子迎侯他所經之綿山絕不會在介休。而晉之都城絳（今山西翼城縣東南十五裏處）附近倒有一座綿山，俗稱小綿山，靠近曲沃，更合乎樂祁的行進路線。此處小綿山似乎應是介子推隱身之所。然而，後人認爲「小綿山」既是晉文公爲紀念介子推而命名的，就不可能是史書所指的古地名；再有，此山狹小無法屯兵駐卒，不像是晉文公治兵之所；況且，小綿山距晉都城僅幾十里地，晉文公將環山百里封田給介子推的話，豈不是將國都一併封給他了？晉文公怎麼會如此行事呢？綜上所述，翼城的綿山亦非介子推藏身之地。

還有一種說法，認爲介子推藏在山西萬榮縣西南的綿山。據史學界人士分析，樂祁從宋至晉很可能穿越太行山南端，選擇近路而行。趙簡子迎候宋國賓客也不會距晉都城很遠。「晉侯系於綿上以治兵」，說明這個綿山附近應開闊平坦，才便於訓練車馬配合作戰。晉國當時只有澮河以南一馬平川，即今天的山西稷山、萬榮、聞喜一帶。而乾隆年間的《萬泉縣誌》記載，萬泉西南確有一座綿上山，又稱綿山。據此推斷，此處綿山似乎是介子推隱居之山。還有人說山西省平定縣東也有一座綿山，山上有介子推廟。如果介子推不燒死在此山中，怎會立廟相祭？

厭惡世俗、潔身自愛的高潔隱士介子推寧死不出綿山，讓後人敬仰讚歎。可是，介子推的隱身之地，竟也像這位高人不輕易露出眞面目，眞令人捉摸不定。

10 越王勾踐「臥薪嘗膽」眞僞之謎

西元前496年，越王允常去世，其子勾踐繼位。吳王闔閭乘越國喪亂之際發兵攻越，越國軍民痛恨吳國乘人之危的行徑，奮力抵抗，大敗吳軍，吳王闔閭負傷死在歸途中。吳王夫差繼位，三年潛心備戰，西元前494年，率復仇大軍殺向越國。越國水軍幾乎全軍覆沒，越王勾踐逃到會稽山，越國向吳國屈辱求和。

按照吳國的要求，越王勾踐帶著夫人和大臣范蠡去吳國服苦役，受盡嘲笑和羞辱。爲圖復國大計，勾踐頑強地忍耐著吳國對他的折磨，對吳王夫差更加恭敬馴服。夫差生病，勾踐觀其糞便察看病情令夫差十分感動。三年苦役期滿，吳王放勾踐回國。勾踐君臣相見，抱頭痛哭，立志雪恥復仇。

勾踐回國後，時刻不忘吳國受辱的情景。他睡覺時，躺在亂柴草之上，夜夜不得安眠，睜眼便是勵精圖志，早日報仇。勾踐在自己的屋裏掛了一顆苦膽，每頓飯都要嘗嘗苦味，提醒自己時時不忘在吳國的苦難和恥辱經歷。勾踐夫妻與百姓同甘共苦，激勵了全國上下齊心努力，奮發圖強，早日滅吳雪恥。

勾踐又採用大臣文種建議，賄賂吳王，麻痹對方；收購吳國糧食，使之糧庫空虛；贈送木料，耗費吳國人力物力興建宮殿；散佈謠言使其離間吳國軍臣，殺害伍子胥；施用美人計，消磨夫差精力使其不問正事。

西元前482年，越王乘夫差去黃池會盟，偷襲吳國成功，吳國只好求和。後來越國再次起兵，滅掉吳國，夫差自殺身亡。勾

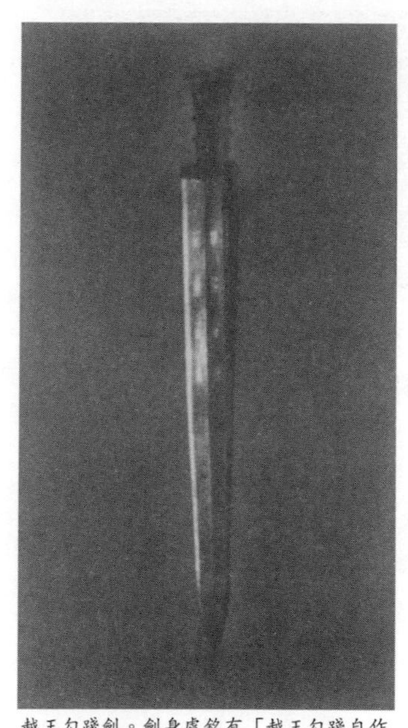
越王勾踐劍。劍身處銘有「越王勾踐自作用劍」兩行八個字。

踐臥薪嘗膽，勵精圖治，最終雪恥滅吳的故事一直在流傳，然而有人提出疑問：歷史上眞有「臥薪和嘗膽」這回事嗎？

《左傳》的「定公」「哀公」兩代君王歷史部分，大量記述了越王勾踐當政國事，但沒有提過他有臥薪嘗膽之事。《國話》中的《吳語》和《越語》記載了吳越爭鬥經過，卻也沒有勾踐臥薪嘗膽的敘述。《史記・越王勾踐世家》中，僅記載勾踐：床前懸掛苦膽，坐臥都看得到，吃飯時嘗嘗苦膽的滋味。司馬遷認定勾踐有嘗膽之事，但沒提臥薪之事。

什麼時候出現「臥薪嘗膽」這個成語呢？北宋文學家蘇軾寫過一篇《擬孫權答曹操書》。北宋的蘇軾爲三國孫權虛擬一篇書信給曹操，在信中蘇軾發揮想像，戲說孫權「臥薪嘗膽」。這個無中生有的事，與勾踐並不相關。

到南宋時期，呂祖謙在《左氏傳說》中，談到吳王夫差「坐薪嘗膽」。明朝張溥在《春秋列國論》中說，夫差繼位，爲報父仇，臥薪嘗膽要激勵自己。南宋的書籍卻屢屢提到越王勾踐臥薪嘗膽，明末梁辰魚的《浣溪沙》劇本，又極力渲染勾踐苦心志、勞筋骨，臥薪嘗膽的英雄作爲。明末作家馮夢龍在自己的歷史小說中，也多次提到勾踐臥薪嘗膽的故事。孰是孰非，莫衷一是。

《吳越春秋》中《勾踐歸國外傳》又是如此記載說：越王歸

國後，磨礪身心，日夜操勞。困極之時，「攻之以蓼」。蓼是非常苦的菜，蓼菜多了，就是蓼薪。勾踐睏極了，就用苦菜刺激眼睛鼻子，打消睡意。「嘗膽」是嘴裏體味苦滋味，「臥薪」則是「目臥則攻之以蓼薪」，不讓眼睛閉上睡覺。後人把「臥薪」說成是臥倒在柴草上，是對《吳越春秋》的誤解。

臥薪嘗膽的故事催人奮進千百年，如果說是假的，讓後世人好生尷尬。如果說是眞的，又有許多證據反駁它，總之，眞眞假假，讓人困惑不已。

11《孫子兵法》的作者是孫武嗎？

《孫子兵法》相傳是春秋末期齊國人孫武所著。該書闡明了孫武「知己知彼，百戰不殆」、「不戰而屈人之兵」、謀攻取勝、出奇制勝、審時度勢、正確決策、因勢利導、主動性與靈活性相結合的戰略思想，不僅對中國而且對世界現代軍事戰爭都有深遠的指導意義。《孫子兵法》被世界公認爲「兵學聖典」，孫武本人也被稱爲「兵聖」、「東方兵學鼻祖」。

孫武是中國春秋末期兵家的始祖。享譽中外的《孫子兵法》是孫武所撰嗎？

人們一方面對《孫子兵法》推崇備至，一方面也產生了疑問：《孫子兵法》的作者眞的是孫武嗎？《史記・孫子吳起列傳》詳細記述了孫武以兵法十三篇進謁吳王，令吳王闔閭讚嘆不已。孫武被拜爲將軍，整肅軍隊，全面迅速地提高了吳軍的戰鬥力。於是，吳國西伐強楚，北威齊、晉，南服越人，稱霸中原。千百年來，大多數人一直認同這個史實。

但是，宋朝陳振孫、葉適，清代姚際恒卻把《孫子兵法》定性爲僞書，否認兵書的成書年代及兵書的作者，原因如下：一是《左傳》成書春秋，早於漢代《史記》，然而，《左傳》記述闔閭征戰大事並未提及孫武之名，可見，春秋時未必有孫武其人。二是《史記》除記載孫武用兵，也記載了孫臏用兵事例，清楚地談到《孫子兵法》，模糊地敘述孫臏兵法理論，是否把二人兵書混為一談？也許《孫子兵法》的眞正作者是孫臏。

三是《孫子兵法》使用了春秋末期不適用的詞語或不存在的情況，因此，此兵法可能是後人偽造，假託孫武之名。例如：春秋時期，僅稱大夫為主，而兵法卻屢稱國君為主；春秋各國征戰，規模不大，大的戰役也不過兵車幾百輛，而兵法卻提到兵車千輛，軍士十萬人，描寫的應是戰國時期的戰爭規模。再有，兵書曾提及「矢弩」，而「弩」是戰國時代才發明的兵器，春秋時期，「弩」並不存在。「謁者、門者、舍人」都是戰國時的官名，春秋時都不存在，但兵書卻在用它們。因此，人們懷疑《孫子兵法》是戰國之人所作。

有學者堅持《孫子兵法》確為孫武所著，《漢書・藝文志》就把兵書作者分得十分清楚：《齊孫子》(孫臏)，《吳孫子》(孫武)。司馬遷以治史嚴謹著稱，怎麼會搞混孫武和孫臏？《左傳》偶有遺漏孫武之事，也有這種可能性。至於《孫子兵法》出現了一些後世才有的文字，極有可能是後人編錄中增加進來的。但絲毫掩蓋不住原著的思想光輝，更改變不了原著作者是孫武這個事實。

也有學者認為《孫子兵法》應為孫武及其門徒共同撰寫。孫武協助吳國，壯大軍力，成為中原霸主之後，隱退鄉下教書授徒，孫武一邊傳授自己的軍事思想，一邊總結完善《孫子兵法》。眾門徒一邊學習軍事理論、戰術方法，一邊幫助孫武整理抄錄兵書。經過幾代門徒共同努力，使《孫子兵法》內容更加充實豐富，體系更加科學完整。但是，隨著時間的推移，歷史的變遷，兵法不可避免地被增刪了一些與當時時代背景不符的文字，白璧添瑕，可這並不影響原著的精神實質，孫武博大精深的軍事思想體系沒有任何改變。

《孫子兵法》爲孫武所著的事實千眞萬確。1972年2月，考古工作者在山東銀雀山一號漢墓發掘出一批竹簡，發現了迄今爲止最早的《孫子兵法》和《孫臏兵法》。證明了孫武、孫臏兩大軍事家的軍事著作確實存在。雖然考證出了墓葬年代爲西漢初年，但不能確定《孫子兵法》成書的年代，也無法證明孫子就是孫武。

12 吳起「殺妻」之謎

吳起，戰國時期傑出的軍事家和政治改革家，他所著兵書《吳子》與《孫子兵法》齊名，通稱《孫吳兵法》，並列中國古代軍事經典名作之首。

吳起是衛國左氏人，他先學儒術，後學兵法；被魯國任爲大將，因率領兵少將弱的魯軍大敗強盛的齊軍而聲名鵲起。吳起後來又被拜爲魏國大將，他帶兵討伐秦國，遠征齊國，爲魏國「辟地四面，拓地千里。」吳起積極改革兵制，訓練出一支戰鬥力極強的精銳部隊—「魏武卒」，使敵國聞風喪膽。後來，吳起投奔楚國，擔任令尹，因變法圖強觸動了舊貴族的利益，遭到殺害。吳起卓越的軍事、政治才能光耀千古。然而，傳說他棄母不守喪，殺妻求富貴，品格鄙陋，這又是怎麼回事呢？

大約西元前440年，吳起出生於衛國左氏（今山東曹縣北）的一個富有家庭。吳起從小立志要成就大業，他散盡家財結交名士，謀求發展，卻一無所成，受到鄉鄰恥笑。吳起氣惱至極，連殺三十餘人。他亡命異鄉之前，曾向母親發誓：「不作卿相，誓不回鄉。」吳起跑到魯國，拜曾參爲師，苦學儒術。不久，他的母親去世了，按照儒家的教義應返鄉守孝三年。吳起不願荒廢三年的寶貴時光，拒絕回家守喪，被曾參逐出師門。

吳起爲何要殺妻明志呢？

吳起考慮儒術對於攻伐征掠的各諸侯國沒有實用價值，就改學兵法，以武力輔佐君王，爭取早日建功立業。西元前410年，齊國進犯魯國，弱小的魯國很難抵禦強大的齊國侵略軍。魯國相國公儀休向魯穆公推薦精通兵法的吳起，但魯穆公沒有啓用吳起。等到齊軍攻陷魯國的城邑，公儀休再次力薦吳起時，魯穆公才說出他的顧慮：「吳起之妻是齊國宗室田氏族人，他能死心塌地攻打妻子的娘家人嗎？聽說他們夫妻恩愛，他能忍心夫妻反目嗎？」吳起娶田氏女爲妻，確實希望借名門望族之力早作高官，因此，他與妻子恩愛和睦。當聽到公儀休轉達的魯穆公之話後，吳起爲表明對魯國的忠誠以早拜卿相，竟毫不猶豫地殺掉了妻子。魯穆公震驚之餘，拜吳起爲大將抗擊齊國進犯。爲追求功名利祿，吳起不擇手段，不惜殺害妻子實現政治野心。

吳起反覆權衡齊魯兩國軍事力量，採用消耗、麻痹齊軍的戰術，以出其不意、攻其不備，確保以弱勝強。吳起令魯軍堅守避戰。齊軍遠道而來禁不起持久戰爭，齊國統帥田和派人假意求和，試探魯軍虛實。吳起派老弱士兵守營，又對使者流露出懼怕齊軍的情緒，進一步麻痹田和。乘齊軍鬆懈大意之時，吳起率精兵劫營，齊軍突遭襲擊，傷亡慘重，逃出魯國。吳起立下大功，但被人讒言中傷，失去魯穆公的信任。吳起遂投奔魏國。

吳起離開魯國擺脫了殺妻的陰影，得到求賢若渴的魏文侯的賞識，被拜爲大將。吳起在魏國度過了他一生中最輝煌的二十七年。他帶兵征戰七十六次，六十四次大勝，十二次勝負未分；威名赫赫，功勳卓著。吳起總結實戰經驗，完成兵書經典——《吳子》。他精闢地指出政治與軍事的關係：政治是決定性因素，軍事是爲政治服務的；主張積極備戰，「安國之道，先戒爲寶。」吳起的軍事理論博大精深，是中華民族寶貴的軍事學遺產。

吳起能抓住機遇，脫穎而出，憑藉傑出的軍事、政治才能創立了一番大事業，與孫武、商鞅齊名。但是，他爲達目的不擇手段的人格缺陷，令後人頗有微詞。他只能算是有瑕之玉，蒙垢之星。

13 屈原的《離騷》之謎

《離騷》是中國古代第一首長篇抒情詩。它文辭優美，感情眞摯，充滿了愛國主義精神。這部偉大的作品，抒發了作者屈原強烈的正義感和追求眞理的堅強決心，具有極高的文學成就。但有的人卻提出疑問，認為屈原不是《離騷》的作者。這是怎麼回事呢？

中國的偉大詩人屈原。

屈原，姓屈名平，單字「原」，是戰國末期楚國傑出的政治家、思想家。屈原出身貴族，學識淵博，善於作詩、寫文章。又是楚王同宗親族，年紀輕輕就做了楚國左徒。研究政務、法令，接待各國使臣，深受楚王信賴。戰國中後期，七國的爭鬥更加激烈。屈原看到腐朽的楚國，向衰落走去，積極主張政治改革，變法圖強。他對外主張聯合齊、魏、趙共同抗秦。遭到守舊貴族的反對和陷害，被昏庸的楚懷王降貶為三閭大夫。屈原眼睜睜看著危難中的祖國卻無力挽救。

屈原看到老百姓窮困潦倒的生活，想到將要降臨他們頭上的亡國災難，想到楚國的宗廟將被秦人夷平，不禁憂心如焚。他空有報國之才，卻不得施展，誰能挽救可憐的楚國呀？他把自己的憂思寫進了長詩《離騷》中：「哀民生之多艱兮，長太息以掩涕。餘雖好以羈兮，謇朝誶而夕替」。意思是說：我哀歎人民生活那麼艱苦啊，禁不住掩面哭泣，熱淚長流。我雖堅持美好理想，崇高節操，希望爲國效力，可是卻像馬兒被捆住腿腳，無法行動。我早上提出的建議，晚上就被駁回，革了我的職位。屈原在痛苦悲傷中，又寫下《天問》、《九歌》、《九章》等不朽詩篇。

西元前278年，秦國派大將白起攻佔楚國郢都，楚王逃到陳城。屈原知道楚國滅亡之日近了，不禁悲痛欲絕。五月初五日，他懷抱大石頭，沈入汨羅江。偉大的愛國詩人屈原，就這樣以死殉國了。

可是，後世人卻懷疑《離騷》並非屈原的作品。清末四川人廖平在《楚辭新解》中認爲，沒有屈原這個人。他翻《楚辭》收錄的屈原作品，認爲多半是秦博士的仙眞人詩。現代又有人認爲，《離騷》是西漢淮南王劉安的作品。劉安好讀書、喜音律又擅文辭。曾受漢武帝命，作《離騷傳》。荀悅《漢記》和高誘《淮南子敘》也都肯定淮南王劉安作了《離騷賦》。從內容看，劉安的《離騷賦》，就是今本《楚辭》中的《離騷》。

大多數人，堅持認爲《離騷》確是屈原所作。首先，史書肯定此事。司馬遷在《史記‧屈原賈生列傳》中提到屈原賦《離騷》，又在《報任少卿書》中談起其事；《漢書》的《賈誼傳》也肯定了《離騷》的作者是屈原。後世史學家又對《離騷賦》

《離騷》的作者是屈原嗎？

進行分析，認定它是對《離騷》加以評價的文章。因爲《漢書·淮南王安傳》說，劉安「旦受詔，日食時上」。早晨開寫，中午就完成數千字的抒情長詩，怎麼可能呢？

隨著人的學識水準的提高，對《離騷》的研究會更精闢。一定會分析透徹《離騷》與《離騷賦》的關係，明白地告訴我們《離騷》的眞正作者是誰。

14 韓非死因之謎

韓非，中國戰國時期的思想家，散文家。他師從荀卿，與丞相李斯爲同窗學友。他繼承和發揚了荀卿的法學思想，同時，吸取了法家前輩李悝、吳起等人學說，成爲法家集大成者。韓非的封建君主專制理論，對中國兩千多年的封建統治產生了極其深遠的影響。秦王看到他的思想言論篇，急欲得到他，然而，韓非來到秦國，卻未受重用，且死於秦國。他的死因是什麼呢？

據《史記・韓非子列傳》記載，韓非出身韓國貴族世家，師從荀子，博學多才，與李斯同學。韓非見韓國衰弱，屢諫韓王變法圖強，卻不爲韓國重用。韓非發憤著書十萬多字，闡述自己的法治主張，文章鋒芒犀利，說理周密，講究邏輯，富有文采，具有較高的政治、哲學和文學寫作成就。韓非的著作傳到秦國，秦王看後擊節歎服，激動地說：「寡人得見此人與之游，死不恨矣。」李斯告訴他，作者是自己的同學韓非。秦王下令攻打韓國，索要韓非。危難之際，韓非出使秦國。韓非雖不善講話，然而思想深刻，秦王與之交談，相見恨晚。丞相李斯感到了來自韓非的威脅，他於是上奏秦王道：「韓非是韓國公子，能眞心實意爲秦吞併六國賣力嗎？如不能爲秦效力，日後歸國必爲秦患，不如尋個過錯將他除掉。」秦王命令查辦韓非，李斯派人送去自盡的毒藥。韓非想申訴，但官吏不給他機會，韓非含冤而死。秦王惜才，然而，後悔也來不及了。韓非死於李斯的嫉妒陷害。

但是，《戰國策》所述，卻是韓非咎由自取，自食其果。當時，楚、吳、燕、代四國欲聯合抗秦，姚賈出使四國，重金相賄，破壞了四國計劃。姚賈回國受到重賞。韓非就攻擊姚賈拿國家的錢，自己交朋友面對秦王，姚賈加以駁斥：以財寶賄四國，出發點是爲秦謀利，若爲「自交」朋友，何必返回秦國？雖自己出身低賤，名聲不好，但有一顆效忠明主之心。不像有些人，專挑別人毛病，挑撥是非。秦王認爲姚賈所言有理，更加信任姚賈，殺了韓非。這樣看來，韓非遭殺，是自身忌害別人，最終害己。

後世的人還認爲，殺害韓非是秦王的主意，秦王才是元兇。不管李斯、姚賈怎麼說，決定權在秦王。秦王欣賞韓非理論學說，但始終消除不了對韓公子的防備之心，害怕韓非暗中爲韓國出力，因此故不加重用。如果放回韓非，就給韓國添了個抗秦的幫手；如果殺掉韓非，他的學說照樣可用，又除掉了秦的一大心腹之患。秦王稍加思考，必會選擇後一種方式處置韓非。因此可說是秦王殺害了韓非。

後世學者還有一種看法，認爲韓非死於秦、韓政治鬥爭。野心勃勃的秦國，一心要吞併韓國，韓國使出「弱秦」之策。韓國派水利專家鄭國幫助秦國修渠，以興修水利耗費秦之國力。當然秦國農業因此受益，韓國幫助了秦國發展生產。韓國派韓非出使秦國是目的「保全韓國」。韓非考慮到這個使命，必會破壞李斯攻韓，詆毀姚賈在韓國的間諜活動。韓非與李斯、姚賈的衝突並非個人恩怨，而是秦韓政治鬥爭的反映。韓非實際上爲「存韓」而死。

韓非究竟因何而死，到底是死於李斯、姚賈、秦王還是「存韓」？還是有別的原因，就不得而知了。

15 孟子的「亞聖」之謎

孟子，師從孔子弟子門下，是戰國中期的儒學大師。孟子繼承了孔子的思想，主張維護階級等級秩序。他還提出了「仁政」學說和「性善論」等儒學思想觀點，在中國幾千年的封建統治歷史中，佔據重要地位。後世人尊稱孟子爲「亞聖」，爲什麼這麼稱呼他呢？

孟子，字子輿，鄒人。是魯孟孫氏之後。他的老師是孔子弟子子思的再傳弟子，孟子學通了孔子的學說加以傳播，但不受重用。因爲，孟子所處的戰國中期，正是各國爭相利用法家人才富國強兵，征戰吞併的戰亂時代。各國都想增加軍事實力，武力稱霸提到最高地位，而孟子主張以仁政德治來管理國家，缺乏現實作用，自然不被諸侯採納。孟子晚年退回鄒國，教授門徒，作成《孟子》一書。

孟子是中國古代著名的思想家、教育家。他爲何被後人尊稱爲「亞聖」？

孟子在書中闡述自己的主張，他是繼孔子「仁愛、禮治」之後，發展和完善儒家思想的第二個偉人，他和孔子的主張被尊稱爲「孔孟之道」，成爲歷代統治階級利用的精神武器，統治人們思想幾千年。孟子是何時被尊爲「亞聖」的呢？

許多人認爲，漢武帝「罷黜百家，獨尊儒術」的「儒術」便是孔孟之道，從那時起孟子就被尊崇。事實並非如此，漢時孔子並未被尊爲「聖」，周公才是儒教教主，孔子只是傳播周禮的傳教師罷了。唐初，周公仍稱爲是「先聖」，孔子屈居「先師」之位。在唐國立太學舉行祭祀先儒儀式時，孔子側座，至於孟子，連陪祭的資格也沒有，跟尊號搭不上關係。

唐太宗殺兄逼父登上皇位後，下令把周公廟遷出太學，把孔子升爲「先聖」，孔子大弟子顏回榮升「先師」。唐玄宗時，把顏回尊稱「亞聖」。「安史之亂」後，禮部侍郎楊綰，上疏唐代宗要求把《孟子》、《論語》、《孝經》同列爲科法考試之書。數十年後，韓愈著《原道》，述說中國「道統」自堯舜始，經夏商周，孔子傳孟軻，孟子死後就傳不下去了。由於韓愈的名人效應，人們對《孟子》引起重視。晚唐之後，孟子的地位不斷提高，到了宋朝尊孟思潮愈演愈烈。

明世家宗相張璁提出由孟子代替顏回，承襲「亞聖」的稱號。清朝建立後，大力弘揚孔孟之道。乾隆九年，孟子被封爲「亞聖」，顏回封「複聖」，曾參爲「宗聖」，子思爲「述聖」，孟子的地位被確定，孔孟思想與孔孟排名相統一。也有後世學者認爲孟子的「亞聖」稱號，最早可追至東漢。東漢學者趙岐就稱孟子爲「命世亞聖之大才者也。」元文宗時，御制聖旨碑，用蒙、漢文字刻錄著：「孟子百世師也，可加封鄒國亞聖公。」《明史》也記載，嘉靖帝命禮部與翰林研討，尊稱孟子爲「亞聖」。

孟子取代顏回，被尊爲「亞聖」的原因是什麼呢？顏回是孔子親傳的大弟子，德才兼備，頗得孔子賞識。可惜，顏回三十二歲早逝，留給世人的僅是與孔子的對話，沒有完整的思想體系，未著書立說。後人尊崇顏回，主要原因是尊崇他的老師孔子。而孟子雖處在儒家思想衰微期，卻能堅持倡導儒學，大力宣傳周孔之道，並著書傳世，爲繼承和發展孔子學說，做出巨大貢獻。《孟子》一書，五代時已列爲經書典籍，宋元以來爲科舉必考之書。《孟子》和《論語》並列齊名，因此尊孟子爲「亞聖」才是名副其實。

第2章

秦、漢名人懸案

當天下一統的強大帝國巍然矗立在東方大地上時，歷史凝重而驚喜地把秦始皇的名字刻在長卷中；當雄偉的長城挺拔於崇山峻嶺之時，孟姜女用血淚譜寫了一曲蕩氣迴腸的千古悲歌；當漢成帝的目光凝眸在燈紅酒綠的午夜歡歌中時，趙飛燕翩躚的掌中舞姿就成了漢王朝走向衰亡的音符……回首這段名人鬼雄雲集的時光，我們的心中激蕩著複雜的心潮，我們的腦海裏縈繞著迷惑的疑團：那開創大漢王朝的高祖劉邦，果真是赤帝之子在巡遊人間嗎？王莽為了坐穩江山，為何不守「虎毒不食子」的人倫？

1 秦始皇的「生父」之謎

眾所周知，秦始皇是中國歷史上一位具有雄才大略的皇帝，又被人們當做「貪狠暴虐、窮困萬民」的典型暴君遭到唾罵，這樣的人物在死後必然有褒有貶，而拿他的出生作文章的也必將大有人在，所以，有關他這方面的傳言，就被版本不同地編排出來了。

秦始皇是繼秦莊襄王（子楚）之位，以太子身份登上王位的。秦始皇之母趙姬，據說曾為呂不韋的愛姬，後獻予子楚，被封為王后。那麼，秦始皇到底是子楚的兒子，還是呂不韋的兒子，後人爭議不休。

秦始皇到底是誰的兒子，至今無人可知。

要想弄清這個謎底，還須先從呂不韋說起。據說，呂不韋本為河南濮陽的巨富，是遠近聞名的大商人。但他不滿足這種擁有萬貫家私的地位和生活，他野心勃勃，對王權垂涎三尺。他曾與其父有一段精彩的對話：他問：「種田的收益幾倍？」父答：「十倍。」又問：「販賣珠寶，收益幾倍？」又答：「百倍。」再問：「扶立一個國君，掌握一國權柄，收益幾倍？」其父笑答：「那就千倍萬倍，算不清楚了。」呂不韋意味深長地笑著說：「是呀！扶立一個國君，不只可以榮華富貴，還可以澤及子孫後代呀！」

於是，呂不韋打點行裝，到了趙國的國都邯鄲，精心策劃了一個大陰謀，將正在趙國當人質的秦王太子的兒子異人，想法子過繼給正受寵幸的華陽夫人，轉瞬之間，異人被立爲嫡嗣，更名爲子楚，當上了皇太孫。不久，國事不斷生變，秦國的秦昭王、孝文王相繼不明去世，子楚堂而皇之地登上王位。事遂人願，呂不韋被封爲丞相。不料子楚僅在位三年就神秘地死掉了，於是他的兒子嬴政就順理成章地繼承了王位，這就是後來的秦始皇。呂不韋認爲嬴政是自己的親生兒子，讓嬴政喊自己爲「仲父」。他自己則掌管全國政事，被封爲文信侯，成爲一人之下，萬人之上，權傾朝野，一手遮天的大人物。呂不韋在邯鄲的密謀實現了。

那麼，一些史書上把秦始皇說成是呂不韋的兒子，目的何在呢？據分析有四種可能：

一、如果嬴政確系呂不韋之子，那他就不是眞正的嫡傳，不是秦王室的後代。當時反秦的嬴政的弟弟長安君就「造反有理」了，認爲自己的血管裏流的才是秦王室的血脈，就會得到原來秦國的王公貴族的支援了。

二、如果嬴政確爲呂不韋之子，也可能是呂不韋有意公開自己「仲父」的眞實面目。因爲他的死對頭，太后派握有實權的長信侯勢力強大，呂不韋想除掉他，必須爭取秦始皇的支援。洩露出自己與秦始皇的父子關係，說不定念及骨肉之情，對自己大大有利。

三、如果嬴政確系呂不韋之子，那麼齊、楚、燕、韓、趙、魏六國被秦所統一，就可以變個說法，不是「秦滅六國」，而是「六國滅秦」了。因爲「六國」之人呂不韋不動千軍萬馬，只靠一條詭計，就能把自己的兒子弄上秦國的王位，奪了秦的江山。這樣，六國的亡國之憤，就可以煙消雲散了。

四、如果嬴政確定呂不韋之子？那麼，滅秦的漢代之人，似乎更是大行天道，伸張正義了，因爲不但秦的暴政弄得天怒人怨，而且秦王內宮竟這樣污穢，甚至會扯到秦始皇的祖父、父親之死有可能被人所害。秦亡之速眞是自食其果了。

後世人也有人認爲上述說法並不能成立。

其一，認爲呂不韋並未策劃過秦始皇由出生到登基的一連串陰謀。他們說，秦昭王在位時，就想方設法讓子楚（異人）當皇孫，已經夠反常的了，何況把希望寄託在尚在趙姬腹中的胎兒「太玄孫」（即嬴政）也太渺茫了。下這麼大的賭注，不是神人就是傻瓜！而呂不韋既非神人也不是傻瓜，惟一能說通的理由，就是斷無此事。說實有其事，只不過是後人據已發生過的史實刻意編排而已。

其二，有人認爲，秦始皇的妊期，值得研究。如果說趙姬是呂不韋獻給秦子楚（異人）的，但她身在宮中子楚身邊，過門之後孩子是不及期而生，甚至十二月之後過期而生，子楚怎麼能不知曉呢？可見，秦始皇的生父應該是子楚，而非呂不韋。

其三，從趙姬的出身看，也大有文章。《秦始皇本紀》記載，秦滅趙之後，秦王親臨邯鄲，把同秦王母家有仇怨的，盡行坑殺。既然趙姬出身豪門，她怎麼能先作呂不韋之姬妾，再被獻做異人之妻呢？如果趙姬是「邯鄲諸姬絕好善舞者」，一名出色的優伶，試問，她哪兒來的那麼多仇家？這樣，就不會發生存在趙姬肚子裏懷上呂不韋的孩子再嫁到異人那裏的故事了。

到底秦始皇是誰的兒子，這段個人隱私，竟成了千古之謎，至今無人可解！

2 秦始皇爲何要鑄十二銅人？

西元前221年，秦始皇「奮六世之餘烈，振長策而御宇內」，蕩平六國，建立了中國歷史上第一個統一的中央集權的封建國家。秦始皇採取了一系列鞏固統一的措施：確定皇帝稱號，建立以皇帝爲中心的封建官僚體系、實行郡縣制，統一度量衡、貨幣和文字，修築長城和馳道，防禦匈奴，統一「南越」……這些措施有利於國家的統一和社會經濟、文化的發展。秦始皇還下令收繳天下兵器，鑄成十二銅人，立於咸陽宮外。銅人每個重達千石（相當於3.75噸重），造型精巧逼真，英武威嚴，令人驚歎。我們不禁要問，秦始皇爲什麼要鑄十二銅人呢？

一說是迷信的原因。秦始皇雖暴虐淫威，我行我素，但他怕老天爺、怕死。他登基之後就去泰山封禪，祭拜天地，求上蒼佑護他的統治。秦始皇還尋覓四海，追訪仙人，欲尋長生不死之藥。秦始皇最後一次巡遊，也是因爲怕死，聽信算命術士指點出行避災，可是他沒有躲過去，死在巡行途中。

秦代的坐俑。

據《漢書・五行志》記載：「秦始皇帝二十六年，有大人長五丈，足履六尺，皆夷狄服，凡十二人，見於臨洮。天戒若曰，勿大爲夷狄之行，將受其禍。是歲始皇初並六國，反喜以爲瑞，銷天下兵器；作金人十二以象之。」秦統一中國當年，在海邊臨洮出現了身著少數民族服飾的巨人。這是上天警告秦始皇，如果恣意妄爲，殘酷暴虐，必遭禍亂報應。秦始皇卻認爲這是天兆祥瑞，銷毀天下兵器，模仿巨人體貌，做了十二個銅人鎮守咸陽。

一說認爲秦始皇此舉是誇耀武功，粉飾太平。《史記・秦始皇本紀》記載，秦統一後，秦始皇接受丞相李斯的建議，不再分封諸侯，裂地而治。秦始皇認爲：「天下共苦戰鬥不休，以有侯王。賴宗廟，天下初定，又複立國，是樹兵也，而求其寧息，豈不難哉！」於是，把天下分爲三十六郡治理。第二步就是收繳兵器，集中到咸陽銷毀，消滅征戰的萌芽。爲什麼要把融化的銅塊鑄成銅人呢？這源於秦始皇的一個夢：有一天，秦始皇夢見天象大變，昏天慘地，飛沙走石，妖魔鬼怪，興風作浪，秦始皇嚇得魂飛魄散。突然，一道白光驚現，有一白髮道長朗聲說道：「鑄造十二金人，鎮壓秦都，方保江山無礙。」

秦始皇夢醒後，於是急命工匠按夢中指示鑄造銅人。銅人重達千石，背後銘刻著李斯篆、蒙恬書：「皇帝二十六年初兼天下，改諸侯爲郡縣，一法律，同度量」字樣。銅人造型逼真，工藝精巧，威嚴高大，世所罕見。秦始皇宣佈：「大酺」，舉國歡慶，於是「車行酒、騎行炙，千人唱，萬人和，銷鋒鏑以爲金人十二，立於宮門。」秦始皇把大銅人立在咸陽宮外，意在震懾臣民，粉飾太平盛世。

另一種說法認爲秦始皇收兵器造銅人是爲了統治穩固。秦始皇統一中國後，絞盡腦汁提防臣民反抗的苗頭，挖空心思杜絕不利統治的隱患，欲使秦之江山千秋萬代永遠留傳。要使天下安定，頭一件事就是收繳民間兵器，撲滅可能發生反叛的星星之火。這時，臨洮傳來出現十二個巨人的消息，秦始皇靈機一動，假託天示祥瑞，下令收繳民間所有兵器，集中於咸陽，鑄成十二個銅人。實際上，鑄銅人是藉口，收兵器才是眞實目的。

還有一種說法認爲秦始皇毀兵器、造銅人的目的是要更換武器材料，改成鐵製兵器。郭沫若就認爲秦始皇把天下兵器收集銷毀掉，鑄成十二個大銅人，標誌著銅器時代與鐵器時代的轉折，其目的是從此不用青銅兵器打仗。

秦始皇鑄造十二銅人的眞實用意是什麼呢？是要順天行事，還是粉飾太平，或者削弱天下武力，鞏固中央集權統治？史學家們各抒己見，爭論不休。要破解這個千古之謎，還需要史學研究的進步深入，早晚有一天，我們會揭開這個謎。

3 秦始皇不是「秦兵馬俑」的主人之謎

1974年，在陝西省臨潼縣秦始皇陵東側，發掘出一處兵種齊全、威武雄壯的大型地下兵馬俑軍陣（一號坑），以後又陸續發掘出二號坑、三號坑、四號坑，其中陶俑陶馬共計八千餘件，這就是舉世聞名的秦兵馬俑。

從秦始皇陵兵馬俑坑中出土的陶馬，陶馬的大小尤如眞馬一般。

以一號俑坑爲例，六千件陶人陶馬威風凜凜、排列整齊，形成一個雄偉壯觀的長方形軍陣。整個軍陣由三部分組成：前面是二百一十個弓弩手組成的前鋒部隊，中間是六千人的鎧甲俑組成的主體部隊，後面是三十五乘駟馬戰車，戰車兩側各有一排保護馭手的側翼部隊。這些武士俑身高一百七十五至一百九十五公分，均按秦軍將士形象塑造，體格魁偉、服飾逼眞、神態生動，他們手執戈、矛、戟、鏃等各種兵器，嚴陣以待。陶馬則高一點五米、長二米，高大健碩，表情機警，栩栩如生，匹匹都如同即將奔赴疆場的駿馬。經判斷，一號坑爲「右軍」，二號坑爲「左軍」，三號坑爲「指揮部」，四號坑爲「中軍」。它們組成的軍陣，氣勢恢宏，雄偉壯觀，再現了秦始皇橫掃六合的雄風。秦兵馬俑的發現，轟動了全世界。人們把它稱作是世界上最大的地下軍事博物館，是「世界第八大奇跡」。

「秦兵馬俑」拱衛的主人是秦始皇嗎？人們認爲，只有統一全國的秦始皇，才具有組織和指揮這支鋼鐵隊伍的氣度和能力。秦始皇死後，有這麼一支駐紮在京城內外的大軍，一可顯示皇威，表彰軍功，宣揚他統一大業的豐功偉績；二來，守在皇陵一側，供其避邪壓惡，防神驅鬼。那麼，這些俑坑就應該是秦始皇的陪葬坑，這些兵馬俑就是他的殉葬品了。可是，有人經考證否定了這個結論，使這個公認的說法變成了撲朔迷離的謎團。

這些相反的見解，歸納起來有四點。

一、軍陣之謎。在一號坑和二號坑裏，共發掘出戰車一百三十多輛。其中有戰車、指揮車、佐車和駟乘車。這些戰車，和步兵、騎兵編組成陣。這個車陣攻防結合、車步協同、互相掩護，威力無比。實物顯示，車戰是這支部隊的基本作戰方式。可是，今人遍查古籍，只有秦始皇大量使用步兵、騎兵作戰的記載，對於車戰則毫無痕跡。這樣，結論只能是，它根本不是秦始皇時期的軍陣。那麼，兵馬俑也就不該屬於秦始皇了。

二、武士之謎。以一號坑中的武士俑著裝爲例，其最前端橫列三排共二百零四件，除三個將軍俑外，其餘均身穿戰袍、腿紮行膝、足登淺履、精梳著各種頭髻，沒有一個人戴攻堅作戰的頭盔，沒有著護身鎧甲。這些無盔無甲的武士，怎能抵禦敵人的刀槍箭矢呢？秦始皇能用這種無戰鬥力的軍隊征戰南北嗎？

三、武器之謎。眾所周知，秦始皇在統一六國時，確實用精良的金屬兵器武裝了將士，但一統天下後，即下令將天下兵器統統沒收，集中到咸陽，銷鑄成鐘座和十二個大銅人，以此來剝奪各國貴族反抗的武器。然而，在兵馬俑坑中竟出土了大批的步兵使用的矛、戟、鈹等具有強大殺傷力的長柄武器，還有弓弩手使用的勁弓，大批成束的銅箭頭。這都是違禁的呀！試想，秦始皇刑法嚴苛，誰敢這樣大膽，冒著殺頭的危險，用這些兵器做陪葬的物品？

四、服飾顏色之謎。秦統一六國之後，規定「衣服、旌旗、節旗皆爲尙黑」的制度，一律著黑色。據說，這是依據五行相生相剋的道理，取水剋火而來。（周尙火德，秦尙水德）可是俑坑中的武士俑們，身上穿的無論是長的戰袍還是短褐，卻五顏六色、鮮明豔麗，使人大惑不解。這既違反了秦始皇的法令，又破壞了秦始皇的風水，秦始皇能答應嗎？

這是在陝西臨潼秦始皇陵一號坑出土的將軍俑。他能夠統帥多少兵馬呢？

看來，這些疑點確實對「秦始皇是兵馬俑屬主」提出了挑戰。那麼，到底兵馬俑的主人是誰呢？

有人詳細考證了俑坑中出土的銅鉞的年代順序，細心識讀了武士俑身上的銘文，認定這些兵馬俑屬於秦昭王之母，秦宣太后。這位太后本是楚國人，生前嫁到秦國，專權四十一年。這些兵馬俑是她的儀仗隊，是護送她的亡靈回老家的。然而，又有兩個問題，使這個說法難以成立。

其一，俑坑出土的兵器比秦宣太后晚五十年。誰也不會把當代的新式兵器加到半個世紀前的死者的墳墓中去。兵器之一名爲「相邦呂不韋戈」屬於秦始皇時代的三年、四年、五年、七年之物。兵器之二名爲「寺工」長鈹。「寺工」一詞最早出現在秦始皇二年，是專鑄墓葬兵器的官署。況且這些兵器出土時，土層並沒有被挖掘過的痕跡。其二，是秦宣太后的葬地。《史記》中明確記載「宣太后死，葬芷陽驪山」。實際，芷陽在驪山南麓，而兵馬俑坑在驪山北麓，方向正好相反。一個是言之鑿鑿的史實，一個是明確無誤的實地，結論根本不同。

這令人費解的謎團，何時方能解開？

4 蒙恬發明毛筆之謎

蒙恬是秦朝出色的軍事將領，爲秦鞏固西北邊疆，立下赫赫戰功。蒙恬出身武將世家，他曾率兵攻打齊國，大獲全勝，被拜爲「內史」。秦兼併天下後，蒙恬率三十萬大軍，向北驅逐犬狄，擴大了秦疆域。蒙恬駐守西北邊境，令匈奴聞風喪膽，保證了邊疆的穩定安全。

蒙恬還奉秦始皇令，構築長城。徵調百萬民夫利用地勢，憑藉天險，設置要塞，修築了西起臨洮，東至遼東的萬里長城。這個巨大的防禦工事有效地抵禦了北方少數民族的侵襲，但浩大的工程也使服役民眾死傷無數。

蒙恬不僅軍事指揮出色，工程指揮也令人佩服，這個人非常聰明。傳說中，毛筆也是蒙恬發明的。

蒙恬曾經做獄官，掌文書，文筆也不錯。他駐守邊疆時，常要奏報軍情。當時的寫字就是刻字，用刀刻在竹簡上，又累又慢。戰場情況瞬息萬變，文書十萬火急，這種書寫方式，常會延誤軍情。蒙恬用心琢磨，把戰士的盔纓撕成小縷，綁在竹管上，蘸著顏色，書寫在白綾上卻大大加快了速度。但筆頭易走形，字跡易模糊，筆畫也粗糙。蒙恬利用北方狼、羊動物的毛針，製成均勻的筆頭，書寫起來均勻流暢，筆畫工整，字跡漂亮。這種筆就是早期的狼毫筆、羊毫筆的雛形。蒙恬因此被供奉爲製筆行業的祖師爺。

可是，現代考古發現，在蒙恬之前的時期，人們已經會使用

毛筆了。

在距今六七千年的西安半坡遺址出土了彩色陶瓷。陶器上有許多顏色諧合的圖形。如人面紋、魚紋、波浪紋，這些圖形紋路清晰，線條流暢。在陶坯上做畫，只能是軟筆描畫上去的，那麼，在原始社會時期，天然軟筆最有可能的來源，就是纖細的動物尾巴尖毛，這極有可能是原始的毛筆。在商朝殷墟出土的陶器和甲骨上，考古人員發現了一些朱、墨字跡，字畫豐腴流暢，圓潤古樸，一看便知是毛筆書寫。我們仔細琢磨甲骨文中的「聿」字形，彷彿一隻手在握筆寫字，筆桿垂直，握筆姿勢逼眞。看來，中國的祖先很早就懂得了使用軟筆（毛筆）。

考古學家還在湖南長沙古家公山，發掘了一座完整的戰國木槨墓。陪葬物品中就有一支精美的兔毫筆。此筆筆頭用精選的兔箭毛製成，用結實的細絲線把筆頭固定在筆身上，外面再塗添粘牢。該筆全長二十一釐米，直徑四毫米，比現今毛筆略細、略長。它是中國迄今爲止發現最早的毛筆。它的發現，也說明了蒙恬並非是最早發明毛筆的祖師爺。那麼，後人爲什麼要爲蒙恬戴上這頂桂冠呢？

有人分析，蒙恬雖然不是最先發明毛筆的人，但是對毛筆的改良製做和推廣使用上，有積極貢獻。他本身的名氣又大，後人很容易記住他。蒙恬採用鹿毛和羊毛兩種不同硬度的動物毛針，製成剛柔相濟的筆尖，書寫起來字跡遒勁，瀟灑流暢。這種筆的製作工藝顯然超過戰國時期的毛筆。蒙恬率幾十萬大軍在西北戍邊，要求各級軍官用毛筆寫字，大力推廣。許多人得以接觸輕便的毛筆，拋棄笨重的刀筆。這些人服役歸鄉，勢必帶回先進的書寫工具。蒙恬作爲秦朝重臣，他使用毛筆奏報軍情，在秦中央政權機關產生反響，再波及全國，人們一定牢牢地把他的名字和製筆聯在一起，自然推崇他爲製筆業的祖師爺。

蒙恬造筆的故事流傳了千年，但毛筆最初是誰發明的？蒙恬是否眞的改進毛筆的製作工藝；還是另有人改進，蒙恬加以推廣？這些事情還是個謎，等待我們去揭開。

5 趙高身世之謎

趙高，秦王朝權臣，備受秦始皇及秦二世寵信，他協助胡亥陰謀篡位，弄權誤國，加速了秦王朝滅亡。出身宦官，地位極其卑賤，他是如何投機鑽營，混入秦朝中央政權機關的呢？人們說這與他的身世有關，那又是爲什麼呢？

司馬遷在《史記》中述說趙高的身世云：「趙高者，諸趙疏遠屬也。趙高昆弟數人，皆生隱宮，其母被刑戮，世世卑賤。秦王聞高強力，通於獄法，舉以爲中車府令。」秦始皇崇尚酷律嚴刑治民，趙高精通刑法，深受賞識，始皇提拔他做中車府令。趙高大施淫威，殘害百姓，民怨載道，卻更得始皇寵信。

始皇死前，遺命長子扶蘇繼位。趙高是皇子胡亥的老師，平素陰險狡詐，兇狠殘暴。扶蘇人品正派，性格剛毅，最看不慣趙高的所作所爲。如果扶蘇爲帝，趙高的政治生涯就終結了。趙高偷改遺詔，立昏庸暴虐的胡亥爲帝，賜扶蘇、蒙恬死。秦二世上台後，趙高又唆使他殺盡兄弟姐妹，屠戮宗室大臣。秦廷之中，人人自危，趙高把中央大權一人獨攬。秦二世靠陰謀篡位，當上皇帝後，只信趙高一人之言。趙高輕易地把持了朝政大權。

趙高會弄權，但不懂治國，他只知橫徵暴斂，殘酷壓迫，終於爆發了秦末大規模農民起義，斷送了秦國的大好基業。趙高篡權誤國，是秦朝的罪人。有人卻分析，這與趙高的身世有關，這是何故？

清朝趙翼認爲，趙高志在復仇。他解釋爲趙高是趙國公子，痛恨秦滅趙國，發誓報仇。歷經磨難，打入秦統治中心，篡奪大權，殺盡秦國子孫，滅掉秦王朝，終於爲趙國報仇雪恥了。

趙高像。

另一種說法，認爲這有悖《史記》。太史公述說趙高的出身應是秦王室的本家。秦的祖先姓嬴，但先祖封在趙城，所以爲趙氏。趙高姓的趙，並不是趙國人的趙，而是趙城趙氏的趙，他是秦王族的親屬。他沒有什麼復國報仇的任務，但他對秦王族卻趕盡殺絕，這是爲什麼呢？

根據《史記》「索隱」說，趙高父親犯罪，遭受宮刑，並且牽連他母親淪爲官婢。他母親受欺凌生下孩子來，都算姓趙。這些孩子在苦難家庭中無法生存，只能被閹割入宮做太監，受盡恥笑和侮辱。

趙高心中的屈辱和仇恨，隨著年齡的增長而增長。他只有討得主子的歡心，才能改變自己悲慘的命運。趙高天生機靈，慣於見風使舵。他看到秦始皇重視酷律，他就通讀熟記各種刑法，顯露出才幹，被始皇提拔做了中車府令。趙高當官後，瘋狂地殘害百姓。他越狠越毒，秦始皇越是欣賞他，覺得他辦事有手腕，就把更多的權力交給他。

趙高以狠毒陰險害人起家，所以，他一旦大權在握，也會用同樣的手段治理國家的。趙高的父親是犯人，母親是官婢，兄弟們淪爲太監，這樣的家庭讓人恥笑。趙高打心眼兒裏恨他們，還巴不得他們死光光。

趙高遭到閹割，沒有傳續香火的可能了。他對子孫繁茂的秦朝宗室，有一種變態的仇恨。他教唆胡亥對秦宗室趕盡殺絕，滿足他心中陰暗的快慰之意。趙高這種陰暗的變態之心，報復社會的瘋狂想法，導致他給胡亥出了一個又一個的壞主意，激化了秦朝社會矛盾，反而加速了秦朝的滅亡。

6 田橫五百壯士結局之謎

田橫，秦末狄城（今山東高青東南）人，齊國貴族。他文武雙全，義氣豪爽，深受百姓擁戴。秦末陳勝、吳廣起義後，田橫與堂兄田儋共同起兵，重建齊國。楚漢戰爭中，齊王田廣中了漢軍計謀，被韓信剿滅。田橫自立爲王，結果兵敗，投奔大梁王彭越。彭越歸附劉邦後，田橫率部屬五百餘人，避禍海島。

田氏宗族強大，威信又高，田橫雖亡命天涯，仍有五百壯士誓死追隨。漢王劉邦雖平定天下，想起田橫雄踞東海自成一統，不免心驚肉跳：田橫在那天高皇帝遠的地方，若是招兵買馬，捲土重來，再平叛可就困難了。

劉邦派使者招降。田橫深知漢王用心，推辭說：當時憤怒，把漢使酈生烹煮，後悔不及。現今酈生弟弟酈商爲漢室重將，自己不敢與之同朝稱臣。請漢王允許他做個普通百姓，能平靜度過餘生。劉邦怎能放過田橫？第二次派遣使臣告知田橫，已經告誡酈氏兄弟族人不得傷害田氏；田橫入朝，大可封王，小亦封侯；如再拒絕，漢室則舉兵誅滅！

田橫無奈，攜部屬兩人隨使者來到洛陽。行至距洛陽三十里處，田橫心亂到了極點。想當初，自家也是作過一地之王的，威震一方。如今，以俘虜的身分去投降稱臣，苟且偷生，怎麼對得起田氏列祖又怎樣面對自己的齊國舊部？田橫下定決心：寧死都不取其辱！田橫從容地對部屬說；「我與漢王都曾面南稱王，現在要我面北稱臣降服於他，是對我的污辱。我不會讓齊國丟臉，更不會讓壯士們蒙羞。漢王召我的目的，是監視我，怕我謀反，我根本無意謀反。這裏距洛陽僅三十里地，我即刻自殺，讓他看到我眞的死掉了，總可以安心了。」說完後便自刎。

劉邦看到田横的首級，一塊石頭落了地，心裏很高興。表面卻流著眼淚，故作惋惜悲傷狀，稱讚田横是英雄豪傑，按王侯的禮節安葬田横。二個門客在田横墓旁挖洞，坦然赴死。劉邦聽說田横門客也殉死，心中一陣慌亂。他覺得那留在島上的五百人，是不安定因素，對田横死心塌地，豈不要以死復仇？趕快把他們騙來除掉！那麼這五百人來沒來呢？結局又是怎樣呢？有下面幾種說法：

一說「蹈海」自殺。劉邦派使臣來到海島，說田横已死，不必苦苦等候。離開海島領漢室封賞，該過安逸舒適的生活啦！五百壯士聽說心中的領袖已死，頓感萬念俱灰，集體投水自殺。他們誓死效忠田横，死後魂魄也要追隨田横左右。

二說田横墓前集體自殺。劉邦派使者誑騙壯士們：田横已在

徐悲鴻繪製的《田横五百士》。

漢朝為官，請壯士們共享富貴！等大家走到半路，得知田橫死訊，肝膽欲裂。他們拜祭田橫墓地，集體自殺。

三說壯士遠走天涯。有史書記載，田橫之弟隱居在離田橫島不遠的小鬲山，並未隨兄自殺。此處三面絕壁，是世外桃源，正可幽居避禍。既然田橫弟弟能生存下來，那麼，五百人中必定還會有人生存下來，沒有集體自殺。

再有，據史料記載，美洲大陸還有「田人墓」遺址。「田人墓」埋葬的可能是田橫門人，也許他們駕船渡過太平洋，漂落美洲去安家落戶了。那時的航海技術，是否能行駛得那麼遠，還有待考證。

田橫的五百壯士，是忠義殉主，還是避世生活，亦或天涯遠行？始終是個謎。

7 劉邦殺大蛇之謎

劉邦，西元前256年出生於江蘇沛郡的平民之家。他曾任秦朝泗水亭長，西元前209年回應秦末陳勝吳廣農民起義，在沛縣起兵。三年後，攻克秦都咸陽；四年後，打敗項羽，建立了西漢王朝。劉邦出身布衣，沒有任何靠山，他從未鑽研過治國平天下之策，卻幸運奪得天下。後世廣泛流傳劉邦是赤帝之子下凡，他斬白蛇，舉義旗，身經百戰，平定天下，成爲名垂千古的開國大帝。我們不禁要問：劉邦眞的斬殺過白蛇嗎？他眞是龍之化身，受命於天嗎？

我們得從劉邦的爲人談起，劉邦排行老三，喜歡結交各種朋友，厭惡耕田勞作。他的父親認定他將來不會有任何出息，全家人也都瞧不起他。劉邦雖然生活上放蕩不羈，卻胸懷大志。有一次，他押送伕役去咸陽時，看到秦始皇出行那威風凜凜的帝王排場令他感歎道：「唉！大丈夫能像這樣子，才不枉來世上一遭！」

提起劉邦的婚事，更是巧中添奇。劉邦的老丈人呂公是單文縣人，他與沛縣縣令私交甚厚。呂公曾到沛縣避禍，後來他請客表示答謝，來了許多豪傑捧場。蕭何爲宴會主辦，其宣佈賀禮不滿一千錢的坐在堂下，分清貴賤。劉邦雖分文未帶，卻宣稱賀儀萬錢。呂公親自出迎，看他高鼻長頸的異相，知他日後必定發

劉邦眞是「赤帝之子」嗎？

達富貴。宴後，提出願意把女兒呂雉許配給他。劉邦四十三歲仍未娶妻，如今竟有人主動把女兒嫁給他，這是做夢都想不到的美事兒，他趕緊迎娶回家。呂雉就是歷史上的呂后。

始皇末年，劉邦受命押送刑徒到酈山修皇陵，刑徒們知道不累死也得活埋，就紛紛逃亡。劉邦睜一隻眼，閉一隻眼，默許他們溜走。快到酈山時，人快跑完了。來到豐夫邑西邊的大澤里時，劉邦借酒壯膽，把剩下的刑徒都放了。刑徒們得生了，劉邦卻要亡命天涯避禍了。有十幾個刑徒深受感動，願意追隨劉邦左右。劉邦帶著他們連夜逃離大澤里。

黑夜裏奔逃，必須探路。劉邦命一人前方開道，不一會，那人驚恐萬狀地跑回來，報告劉邦說：一條水桶粗細的大白蛇擋在路上，前進不得，趕快繞路而行吧！劉邦酒壯英雄膽，拔劍而起，怒喝道：「我們是頂天立地的壯士，豈能怕蛇？我倒要看看誰敢阻我去路？」劉邦衝到前面開路，走不多久，果然一條巨蛇盤踞在道上，把小路堵得滿滿的，霧氣瀰漫，飄來一團團腥氣，令人作嘔。劉邦揮劍將白蛇斬爲二段，腥熱的汙血噴了他一身，沒走出幾里路，劉邦酒性大作，睡倒在路旁。

後面的人走到斬蛇的地方時，看見一個老婦人在嚎啕大哭。眾人問她緣故，老婦人悲哀地說：「我兒子是白帝之子，他不該下凡間閑遊呀！他睡中化蛇，哪知擋了赤帝之子的去路，被人家殺啦！」聽了老婦人的話，眾人只當是胡言亂語。可奇怪的是，大家再回頭看時，老婦人消失了，連斬殺的白蛇也不見了，眾人惶恐之中始信有其事，劉邦酒醒得知此事，也隱約相信了。

當初秦始皇多次巡行天下，其中有一個目的，剿殺推翻秦朝江山的掘墓人。他常聽人說東南有龍氣，就多次尋找，卻發現不了。而當初劉邦帶領刑徒們躲進碭山避難時，四處隱蔽，極難發現，而他的妻子呂雉輕易就找到了。劉邦問她原因，她說劉邦藏身之所的上方常有五彩雲氣繚繞，對應雲氣的位置，就是劉邦的躲藏地點。關於劉邦的傳說雖然神奇，但顯然經不起科學的推敲。說劉邦是赤帝之子，非常荒唐，不僅現代人，連古人也未必相信，那麼史書爲什麼還要加以記載，以訛傳訛呢？

後人認爲這是一種政治需要。劉邦乃一介平民，無權無勢，又沒有財力做後盾，他若起事，必須有一種強大的號召力，動員廣大民眾的支援。當初斬殺白蛇也許是有的，作爲開國之主，他有這種勇氣。但是說白蛇是白帝之子，顯然是人爲編造的。編造這種神話的目的，就是神化劉邦，攏住人心。試想，赤帝之子乃眞命天子，到人間當皇帝還不是理所當然嗎？劉邦的謀士、親屬極力傳播這個神話，使更多迷信君權神授的人們相信這種事，紛紛投奔劉邦，使起義隊伍不斷壯大，最後奪取天下。

劉邦心裏相當明白，所謂赤帝之子之說，純是權宜之計，眞正奪取江山，還要靠人去打拼。等到劉邦做了皇帝，誰還敢說他當初編造神話？統治階級憑此當法寶，正可以加強和鞏固統治，讓老百姓打心眼裏服從和擁護漢朝的統治。後世的統治階級更要利用這種說法維護自己的統治，怎會給老百姓分辨眞假的權利？若眞有人敢於直言，就一定會遭到迫害。

也許劉邦斬了一條小蛇，被吹噓成巨蛇，或許壓根沒有什麼蛇擋路，劉邦指使手下編造出來這個大謊言迷惑別人，歷史眞相到底如何，誰也說不清楚了。

8 韓信是被屈殺的嗎？

韓信是秦末楚漢戰爭中漢軍戰將，他指揮百萬大軍，攻無不克，戰無不勝爲漢王朝的建立，立下赫赫戰功。這樣一個大功臣，卻被丞相蕭何和呂后設計殺害。有人認爲他謀反，罪有應得；有人認爲他忠義不二，被誅殺是千古奇冤。那麼，韓信是否是被屈殺的？

韓信是帶兵奇才。他所指揮的暗渡陳倉，平定三秦；背水一戰，平復趙地；十面埋伏，大敗項羽等著名的戰役，是中國古代戰爭史的典範。韓信作爲百戰常勝將軍，也是非常驕傲的。有一次，劉邦問韓信：「你看我能統領多少人馬？」韓信直言無忌道：「不過十萬。」劉邦又問韓信本人可領人馬數，他竟傲慢地回答：「這個嘛！多多益善吧。」劉邦心裏不快，對韓信心生忌妒。

韓信的死是因爲功高蓋主嗎？

在楚漢戰爭期間，韓信率兵殺死田廣，攻陷齊地，請劉邦封他爲「假齊王」，鎭撫齊國，劉邦當時心中大怒，恨他封官要賞，要與自家平起平坐。多虧謀士張良、陳平暗中指點，封韓信爲眞齊王。韓信心中十分滿意，拒絕了項羽使者武涉建議，沒有擁兵自重，與劉邦、項羽三分天下。但劉邦心裏從此有了芥蒂。

楚漢戰爭一結束，韓信被奪兵權，封爲楚王。韓信在楚地，出入都擺著大將軍的威儀。他忘不掉昔日統帥百萬大軍的輝煌，所以，沒法以一顆平淡心生活。劉邦聽說後，採用陳平的調虎離山之計，出遊雲夢，聚會諸侯之時，逮捕了韓信。審來察去，無有謀反實據，赦免了他，但把他降為淮陰侯。韓信心中不平，也就拒絕上朝，與劉邦之間又增隔閡。高祖十年，陳豨叛亂，高祖親征。韓信、彭越均稱病，不隨劉邦出征，劉邦對韓信又增疑心。呂后在宮中主事，聽人舉報韓信勾結陳豨，圖謀反叛。因此，與丞相蕭何設計，誘捕韓信。

有人認為，韓信向來居功自傲，素有野心。兵權被奪，心生不滿，必然會有恨忌劉邦之心。受到打擊壓制，很容易產生反叛念頭。陳豨擁重兵，韓信有韜略，如果起事，有成功的可能。那時候，韓信可重分天下，安享尊榮。因此，呂后及時捕殺韓信，清除這個反叛因素，制止了一次叛亂，避免了二次楚漢戰爭，還是很英明的，韓信被殺不冤。

有人認為，這是陰謀，屈殺了韓信。首先，告發之人的消息來源就不可靠。告發人是韓信欲處死的罪徒的弟弟，是韓信的仇人，韓信怎會讓他知道機密大事？再有，韓信擁兵據齊時，有實力三分天下，卻沒有背叛劉邦。他被奪兵權，閒居京城倒想謀亂，這可能嗎？說他與陳勾結，高祖頭年就平定陳，說他第二年春天謀反，前後矛盾，顯然是陷害韓信。韓信死後，看劉邦的態度就能窺出其中端倪。《漢書》中說，劉邦平定陳叛亂歸來，聽說韓信已死，「亦喜且憐之」。什麼意思呢？

原來，劉邦一直視這些打天下的武將為眼中釘。這些人威信高，有軍功，一旦有二心，很容易威脅劉家天下的穩定。韓信是劉邦最害怕的人。戰爭一結束就奪了他的兵權，雲夢巡遊，沒抓住實據，無法以謀反罪殺他。劉邦已經很不開心了，早晚要尋找藉口除掉他。劉邦給韓信封個閒職淮陰侯，對韓信這樣的功臣，不斷壓制，他是對不起韓信的。越是害怕韓信，也就想儘快除掉韓信。所以，聽說呂后捏造罪名殺掉韓信，心中可高興，一塊石頭總算落了地。他心裏知道這是謀殺，韓信根本沒謀反。因此，心中有愧，從心底湧出一絲同情：韓信雖是無辜的，但只能是這種下場，挺可憐的！所以說韓信是被屈殺的。

韓信有沒有謀反的念頭呢？楚漢戰爭期間，他攻城掠地，無人能敵，劉邦要利用他，待他如兄弟，他沒有謀反的念頭。漢朝建立後，文官治理天下，武官倒有些礙事了。韓信這樣的功臣，異姓封王，嚴重威脅著劉氏天下的安全。不管韓信是否忠心，只要武力謀反的假設存在，他就逃不掉被剷除的下場。韓信明白了這個道理，產生過不謀反是死，謀反也是死，不如選擇反了的念頭。但是兵權已失，還不是空想？他已經左右不了自己的命運了，只能落進劉邦和呂后的陷阱，任其謀殺，韓信眞的與陳豨串通舉事，也是劉邦逼的，是可以理解的，對忘恩負義，陰險狡詐之人，有何忠心可講？韓信早該反了！

我們通常把韓信是否與陳豨圖謀叛亂，作爲認定他是否是被屈殺的標準。事實上，沒有這件事，他也一定會被殺。

9 司馬遷死因之謎

司馬遷，字子長，西漢左馮翊夏陽人。他是中國古代著名的史學家、文學家和思想家。他所撰寫的史學巨著——《史記》，堪稱史學領域的一座豐碑，具有極高的文史價值，後人謂之爲「史家之絕唱，無韻之《離騷》」。後世人都知道，司馬遷得罪漢武帝遭受宮刑，發憤著作《史記》。但司馬遷到底是怎麼死的呢？眾說紛紜。

我們先來看看司馬遷爲何受腐刑（宮刑）？

李陵是名將李廣的孫子，他武藝高強，深受漢武帝喜愛，授騎都尉職。西元前99年，漢武帝派李陵率五千步兵策應主帥將軍李廣利抗擊匈奴。李陵揮師南還時，遭遇三萬匈奴騎兵圍堵。李陵率部將浴血奮戰，殺死敵兵萬餘人，令匈奴單于心驚膽戰，準備退兵。不幸的是，李陵部下投降匈奴，招供出李陵孤軍無援，且已彈盡糧絕的內情。匈奴大軍瘋狂反撲，李陵拼死廝殺，五千精兵只剩十幾人。看著越圍越深的包圍，看看傷痕累累，赤手空拳的部下，李陵不由得流淚道：「全軍覆沒，還有何面目去見漢朝皇帝？只能日後見機立功吧！」說罷，下馬投降匈奴。

受過宮刑的司馬遷。

匈奴單于佩服李陵的英雄氣概，把女兒嫁給他，讓他有尊貴的地位，期望他能效忠於匈奴。漢廷上下得知李陵投降的消息，朝野震驚。漢武帝盛怒之下，竟下令殺害李陵的母親、妻子和孩子，以報復和懲罰李陵。漢武帝召集群臣廷議李陵罪行。大臣們都順著漢武帝的看法，痛斥李陵貪生怕死，投降變節的不忠行爲。只有太史令司馬遷替李陵辯解：「李將軍以五千步兵，剿滅萬餘匈奴騎兵，對得起天下人了。如果不是孤軍奮戰，彈盡糧絕，李將軍絕不會投降的。再說，李將軍未必會是眞降，或許日後會尋找機會，報答皇恩。」司馬遷的看法很客觀，但卻激怒了漢武帝。武帝大怒道：「你的意思是我派李陵出兵就錯了？對李陵親屬的處理不對啦？」漢武帝不容司馬遷分辯，直接把他打入監牢。司馬遷爲什麼會讓武帝如此忌恨呢？

作爲史官，必須有堅持眞理，客觀記述史實的精神。司馬遷沒有虛僞地替統治者歌功頌德，而是如實地記錄和評價他們的得失。對漢武帝的毛病，也是毫不客氣地指出來。漢武帝早就對司馬遷恨之入骨，而準備收拾他了，此次借李陵事件，把他下到監獄加以迫害。

司馬遷被判宮刑，這種令人備受污辱失掉尊嚴的刑罰，並未摧毀他的鋼鐵意志。他從周文王囚裏演《周易》、孔子遭困厄作《春秋》、屈原被放逐寫《離騷》，左丘明雙目失明著《國語》……這些苦難中見堅強的事例，汲取了巨大的精神力量，發憤著書。經過十多年的努力，完成了偉大的史學巨著──《太史公書》，即《史記》。

太史公嘔心瀝血完成了《史記》，此後是否安度餘生？又是何年辭世的呢？司馬遷命運多舛，受過宮刑，任中謁者令，繼續史學研究。然而，他秉性不改，又在《報任安書》中直言貶損當朝皇帝，惹下殺身之禍。他被漢武帝以大逆不道的罪名逮捕下獄，不知是嚴刑拷打，還是不堪病痛，太史公暴死獄中。後世人根據《漢書・舊儀注》中「陵降匈奴，故下遷蠶室，有怨言，下獄死」這一記載，推斷司馬遷死於前93年年底，因爲，這年十一月，司馬遷因寫《報任安書》而下獄。

也有人從《史記・孝景本記》和《史記・衛將軍驃騎列傳》中，出現「孝武皇帝、武帝」稱謂，司馬遷能以漢武帝劉徹的謚號稱呼他，必在武帝死後，那麼司馬遷應死於西元前86年，即漢昭帝即位的初年。有人依據武帝後元二年（西元前87）郭穰已任中謁者令的事實，推定司馬遷這時已被罷官或死去了。

因爲沒有具體的記載，所以後世人只能推測。太史公的死因和卒年始終是個未解之謎。

10 爲何無人敢當漢武帝的丞相？

漢武帝劉徹，是中國歷史上傑出的帝王。他具有雄才大略，遠見卓識，以儒家思想爲統治思想，改革政治，加強中央集權；重視農業，發展經濟；開疆拓土，鞏固和發展國家統一，漢武帝劉徹把西漢王朝推向鼎盛時期，開創了輝煌的「漢武中興」時代。但是，卻無人願意擔任這位大皇帝的丞相，這是爲什麼呢？

漢初丞相都是開國功臣，位高權重，總攝朝政。與國君共商國家事時，丞相的意見備受重視。丞相推薦的官員，可以直接任命到九卿郡守級別，而對於朝中群臣有過失的，丞相可以先斬後奏。丞相的人事任免權，處理朝政大事的權力，都超過了皇權。

東晉時期的「陶女侍俑」，表情十分諧謔。

這對於雄心勃勃的漢武帝來說是不可容忍的，他本是大有作爲的一代君主，需要大權獨攬，建立君主專權的統治秩序。漢武帝通過改革用人制度，削弱丞相的權力。

建元元年（西元前140），剛繼位不久的漢武帝詔舉賢良方正直言極諫之士，親自策試。聽取了董仲舒「養士求賢」的建議，興建太學，培養人才。漢武帝制定了選官用人的方案，打破了論資排輩的陋習和軍功貴族獨佔政府要職的局面。西元前122年，漢武帝打破列侯拜相的舊制，任命出身貧苦的儒生公孫弘為相，徹底摧毀了軍功貴族的特權。

公孫弘曾在海邊牧獵，四十歲時學習《春秋》雜說，七十多歲被委任為丞相。他事事順從皇帝心意，從不決策任何政事，只有詩書禮樂來歌頌漢王朝統治，深受漢武帝喜愛。

漢武帝劉徹又把朝廷機構改組為「中朝」和「外朝」。「中朝」由原少府屬下主管文書檔案的「尚書」與侍中、中書組成。中朝聚集了漢武帝賞識的大批文學賢士，他們審閱公文，謀劃國事，起草詔令，是屬於國事決策機構，而由丞相負責的「外朝」，公佈執行中朝推出的政令大事，成為國事執行機構，丞相失去了漢初的大部分的權力。九卿直接上奏皇帝，廢除了丞相這個中間環節，丞相的位置形同虛設。漢武帝順利實現了他大權獨攬的目的。

由於漢武帝時丞相許可權相對較小，而漢武帝的要求又很嚴苛，經常對丞相採取譴責、罷免、處死，導致無人願任丞相的局面，漢武帝在位五十四年，共任用了十三位丞相，除田蚡、公孫弘、石慶和田千秋四人外：其餘衛綰、許昌、薛澤被「免相」；李蔡、莊青翟和趙周畏罪自殺；竇嬰、公孫賀和劉屈都被斬殺。

司馬遷對於武帝的丞相不加細數，只是簡略地評述一句：「聊備官數而已」。丞相們在漢武帝的強權光輝之下，無法發揮作用，毫無建樹，形同虛設，卻要時時充當替罪羔羊。看到這種可悲的下場，誰還願當漢武帝的丞相呢？

11 李廣爲何不得封侯？

李廣，西漢邊關傑出戰將，他英勇善戰，威震匈奴，被匈奴人驚譽爲「飛將軍」。李廣一生與匈奴交戰七十餘起，他總是身先士卒，殺敵無數，深受士卒愛戴。然而，在漢武帝大獎軍功的年代，李廣卻沒被封侯賜爵，這是什麼原因呢？

李廣出身武將世家，他精通騎射，英勇無比，景帝時，拜李廣爲隴西都尉，後爲騎郎將、上郡太守。

西元前129年，匈奴大舉入侵，攻進上穀郡。漢武帝派衛青、公孫賀，公孫敖、李廣爲四路將軍，各率萬名騎兵分赴邊塞。李廣資歷最老，名聲最高，匈奴就調集大隊人馬，對李廣進行圍擊。李廣揮師急進，衝入匈奴包圍圈，寡不敵眾，竟被生擒。匈奴兵見李廣身受重傷，就把一張網掛在兩匹馬中間，把李廣放到網裏躺下，押回大帳。李廣清醒過來。拼命躍上一匹匈奴戰馬，把匈奴兵踢到馬下，搶走弓箭，向南飛奔。李廣會合部下殘兵，返回雁門關。李廣兵將損失慘重，罪該殺頭，他支納了贖罪金，被削職爲民。而衛青因李廣迎擊匈奴主力，乘機進軍上穀，殲敵七百餘人，被封爲關內侯。

西元前119年，漢武帝派衛青、霍去病率十萬精騎殲滅匈奴主力。李廣多次請求出征，武帝才任他爲前將軍，隨衛青出塞。李廣請求擔任大軍先鋒，衛青卻不同意，還命令李廣從荒涼偏僻的東道行軍，限期會合。衛青率軍追擊匈奴大軍，北至趙信城，捕斬一萬九千餘人而返。李廣軍隊卻因道路險惡而迷途誤期。衛青指責李廣延誤軍期，按律當斬。李廣十分悲憤，他流著眼淚對眾將士說：「我從軍以來，與匈奴交戰七十餘次，沒貪生怕死過。不想今日卻因迷途而誤了軍期，實是天道不公，心有不甘?！我活了六十多歲，死也無憾，不能再乞憐求生！」說完，李廣拔劍自刎。軍士們看到愛兵如子的李將軍竟悲壯自盡，不禁痛哭失聲。李廣一生馳騁沙場，殺敵無數，卻落得如此下場。他的英名令匈奴聞風喪膽，可是，他卻不得封侯。原因何在呢？

一種說法是李廣戰績不佳，難得封侯。宋人黃震在《史記評林》中說「李廣每戰輒北，因躓終身。」司馬光在《資治通鑒》中也認爲：「效不識，雖無功，猶不敗；效李廣，鮮不覆亡。」李廣帶兵衝鋒陷陣，只進無退，與敵浴血拼殺，難免傷亡慘重。但他並非敗軍之將，他經常受到數倍於己的敵軍圍攻，正因爲他英勇不屈，斬殺敵人有生力量，牽制了匈奴兵力，才使其他戰將得立戰功。說他常敗，無法令人信服。

第二種說法認爲李廣不是軍事全才，所以不得封侯。宋人何去非認爲，李廣領兵作戰不講「軍陣」；停宿駐留，不擊刁鬥；軍中表冊，極其簡略。李廣的治軍方式與同時代的程不識相比，的確寬鬆。他不追求表面形式，只是要求征戰時，將士們奮力殺敵，報效朝廷。李廣素來愛護士卒，他得到的賞賜都分給部下，與士兵食宿在一起。因此李廣深受愛戴，將士們心甘情願服從他的指揮。有人認爲，李廣多次失利，與他的依強恃猛有關。他習慣硬碰硬地打，少用智謀，只能算作猛將，不能算作帥才。此種看法有一定道理，但是漢武帝時期，才能不及李廣者照樣封侯，這又如何解釋呢？

第三種說法認爲漢武帝的偏見，使李廣不得封侯。由於李廣數次出師不利，漢武帝就認爲他「數奇」，也就是命不濟，運氣不好，所以，不願重用李廣。衛青、霍去病卻是給予重用，配備充足的兵力、軍需物資，讓他們放手殺敵，一旦立功，立刻封侯。漢武帝的這種偏心和成見，致使李廣不得封侯。

也有人說，李廣任隴西太守時，殺過已降的羌人八百名，有損陰德，因此，無福享得侯位，這種說法頗具迷信色彩，更難讓人信服。雖然李廣不得封侯，但他在人們的心中卻留下難以磨滅的功績。唐代王昌齡有詩感歎：「但使龍城飛將在，不教胡馬度陰山。」高適的《燕歌行》追懷：「君不見沙場征戰苦，至今猶憶李將軍」。

李廣因何不得封侯，歷史上眾說紛紜，這個謎就留給史學家吧。

12 張騫出使西域之謎

西漢著名的探險家張騫，是「絲綢之路」的開闢者。他一生中出使西域兩次，溝通並加強了漢朝與中亞各族人民的友好關係，促進了中西文化的交流。

西域在西漢時期，包括甘肅敦煌以西、天山南北、巴爾喀什以東、以南及中亞一帶地方。那裏物產豐富，風俗奇特，有大小國家十八個，和漢朝素無往來。要想到西域去，必須經過匈奴控制的河西走廊，而且要經過千里流沙，萬里石海，被人視爲畏途。有些外國探險家出於覬覦陌生地區的物產、掠奪那裏的財寶，甚至侵佔那裏的土地，奴役那裏的人民的目的才肯於冒險，那麼張騫出使西域，是出於什麼目的呢？

一是聯合西域諸國抗擊匈奴。

漢武帝時期，生活在中國北方的匈奴，依仗強大的勢力，四處出兵侵擾，並不斷發兵南下，掠奪西漢邊關人民，對漢朝造成很大的威脅。漢武帝決心聯合受匈奴壓迫的西域各國，共同抗擊匈奴，所以頒令天下，招募出使西域的使臣。

張騫以郎官的身份應募，決心爲國效命。西元前138年，張騫率領隨行人員一百多人，向西進攻。可是，他們剛走出甘肅臨洮，就被匈奴扣留，一住就是十多年。他在匈奴，被逼娶了妻子，生了孩子，但始終不忘使命，保存著朝廷給他的出使憑證使節。後來匈奴人將他們轉移囚禁於疆界西部，張騫就組織部屬乘機向大月氏國逃跑。經過數十天的長途跋涉，越過蔥嶺，到達了大宛。大宛知道漢朝富強，正想和漢朝友好往來，不但熱情接待了張騫一行人，還派嚮導和翻譯送他到康居，再由康居轉到大月氏。這時大月氏佔據了大夏的的故地，安居樂業，不想再打匈奴報仇了，並認爲漢朝離他們太遠，結成聯盟實在困難。張騫見事不成，又從大月氏到大夏，在那裏停留一年多，也沒什麼結果，只好回國。歸途中，張騫又被匈奴人捉住拘留了一年多，到西元前126年，匈奴單于死，發生內亂，他才逃出來返回長安。

張騫這次出使西域，前後經過十三年，到過許多國家和地區，瞭解沿途的風土人情、地形物產和政治軍事情況。他向漢武帝報告這萬里之行的所見所聞，都是中原地區的人聞所未聞的新鮮事。朝野之上，無不爲之驚奇和讚歎。這是中華民族歷史上，中原地區的人們第一次知道和認識西域。爲了表彰張騫的功績，漢武帝封他爲太中大夫。

二是爲了尋求和平與友誼。

敦煌壁畫《張騫出使西域辭別漢武帝圖》，持笏跪地辭行的是張騫。

西元前119年，張騫第二次出使西域，沒有帶領龐大的遠征軍，而是率領三百多人的大使團攜了絲、繒、帛、金錢、貨物等前往。在西域活動時，他更是始終貫徹漢武帝「以義屬之」的和平宗旨，講求忠誠和信譽，所以，受到西域各國的熱情歡迎和接待。西域各國都願意和強大的漢朝往來。在這以後，西域一些國家陸續派使者，帶著珍貴的禮物來到長安城。西域的葡萄、石榴、西瓜、大蒜等，先後傳入漢朝。漢朝的絲綢、玉器、銅器、瓷器、煉鋼術、造紙術以及桃、薑、茶葉、砂糖、樟腦等也陸續傳入西域，促進了中亞、南歐和北非等地經濟的發展。那時候，西漢和西域各國來往的使者和商人相望於道，絡繹不絕。遙遠的古羅馬與「富豪貴族的婦女，用中國的錦繡文綺作成衣服，光輝奪目」，歐洲人把中國稱做「絲國」，把中國的絲綢當做至寶。漢朝到中亞的商路被稱作「絲綢之路」。

後來，西域的烏孫與漢王朝建立了友好關係，成爲漢在西域最堅定的盟友，先後迎娶了漢宗室女細君和劉解憂兩位公主，並在漢宣帝時與漢軍東西夾擊，一舉摧垮了匈奴的勢力，最終實現了當初通西域的戰略目標。這時，張騫已去世五、六十年了。

13 漢文帝劉恒身世之謎

漢文帝劉恒，是中國歷史上有名的「文景之治」中的文帝，被歷代士人盛讚爲一代聖明君主。漢文帝劉恒深明治國之道，頗具治國之才，他奉行漢初以來的「休養生息」政策，輕傜薄賦，發展生產，安撫百姓，使全國上下呈現國富民豐景象。漢文帝大力推行「安撫邊疆，減少征戰，發展農業，節儉費用、廢除苛刑、教化百姓、杜絕誹謗、虛心納諫、重用廉吏」的措施，使漢王朝出現了國泰民安的中興盛世，漢文帝劉恒的清明政治爲後世人敬仰，有關他身世的傳說也讓後世人好奇萬分。

西元前204年，劉邦軍隊打垮了項羽封立的魏王豹。魏王宮中侍女都被擄到滎陽織布服役，宮女們被繁重的勞動累得直不起腰。有一次，劉邦來滎陽巡視，偶然來到織布之處，見一女子清秀沈穩，柔弱可愛，就把她帶回了後宮。這個女子姓薄，秦時，她父親與魏王宗室的魏氏女子私通，生下了她。薄氏女以爲被漢王看中，終於有出頭之日了，高高興興地來到漢王後宮。可是，漢王轉身就將她忘記了，竟從未召幸。

楚漢戰爭後期，漢軍境況好轉，劉邦心情不錯，就與管夫人、趙子兒飲酒取樂，兩個美人把當初薄氏與她們的約定「尊貴莫忘故人」之語，當成笑料說給劉邦聽，劉邦聞聽此言，覺得薄氏的確很可憐，當天晚上就召幸她，讓她沐浴一下龍恩。薄氏與管夫人、趙子兒同從魏宮被擄，三個人如同姐妹一般相處，非常要好。哪曾想如今卻是天壤之別？聽人家夜夜燕語鶯歌，喜笑歡娛，受寵顯貴，看自家冷冷清清，苦熬長夜，薄氏不免淚流滿面。

薄氏正在怨恨命運不濟，突聞漢王駕臨。薄氏戰戰兢兢迎入漢王。漢王看到薄氏瘦弱乾枯的身材，平淡無彩的面容，頓感興趣索然，轉身欲走。薄氏連忙扯住漢王，稟告昨夜曾夢蒼龍繞身，不知是何徵兆？漢王一聽，頓時大喜，他告訴薄氏是尊貴的徵兆，薄氏始得臨幸。薄氏因此「一幸」，生下了劉恒。薄姬未因生子榮耀，始終位列諸姬行列，極少被劉邦寵幸。皇子劉恒也不受父親喜愛。母子二人小心生活，謹慎萬分。

劉恒因爲處處小心，「賢智溫良」，深得朝臣愛護，被封代王。薄姬一生不受寵幸，鬱鬱寡歡，卻是不幸中的大幸，她不被呂后妒恨，母子得以保全。

西元前180年，瘋狂迫害劉氏子孫的呂后死了！太尉周勃、丞相陳平密謀抄斬呂氏滿門，還政於劉氏子孫。眾臣推選皇位繼承人。齊王劉肥之子是高祖嫡長孫，可以立爲皇帝，但他的舅舅駟鈞兇惡異常，大臣們都害怕出現第二個呂氏；淮南王劉長年齡小，姥姥家的人也很壞，所以立劉長爲帝也不合適。大家一致推舉代王劉恒，除了劉恒爲人仁孝寬厚，劉恒姥姥家根本沒任何勢力，不會出現外戚專權之事，是主要原因。劉恒因爲母親家庭的慘澹，幸運地被推上帝位。

開創了「文景之治」的漢文帝眞是「眞龍下凡」嗎？

劉恒就是漢文帝，他即位初期就賞賜功臣，安置親信，恢復劉氏宗室利益，令列侯離開京師，鞏固自己的皇權。劉恒在位二十三年，他推行的「與民休息，安定百姓」的國策不變。文帝重用馮唐、魏尚，尊重剛直敢言的執法官吏張釋之。文帝的一系列措施，開創了國泰民安的「文景之治」的興盛局面，被後人讚頌爲仁君明主。

與古代帝王相比，與開創的中興盛世相比，劉恒是否眞龍下凡，是否是神授君權，倒不重要了。關鍵是他的「仁政恤民」和「政治清明」使漢王朝呈現出繁榮興旺的盛世景象。

14 趙飛燕受寵之謎

趙飛燕，漢成帝劉驁的第二任皇后，她妖冶冷豔，舞技絕妙，與妹妹趙合德同封昭儀，受成帝專寵近十年，貴傾後宮。是何緣故使得她「集三千寵愛於一身」呢？

這得從趙飛燕的家庭談起。趙飛燕的父親趙臨是漢代宮府家奴，日子過得窮困潦倒。趙飛燕因爲家窮，很小就被賣到陽阿公主家做歌舞伎。趙飛燕天資聰穎過人，練就迷人的歌喉和高超的舞技。

明・仇英《飛燕嬌舞》。描繪了趙飛燕優美的舞姿。

漢成帝有一次微服出行，來到陽阿公主家。公主召歌伎爲成帝助興。趙飛燕勾人魂魄的眼神、清麗動人的歌喉、婀娜曼妙的舞姿，一下子傾倒了成帝。漢成帝將她帶回宮。趙飛燕使個欲擒故縱之計，一連拒絕成帝三夜召幸，激起成帝征服之心，夜夜臨幸，再也離不開她。

趙飛燕的秀麗姿容、輕盈身材和出眾舞技，都使她在後宮嬪妃中如鶴立雞群。她表演的一種舞步：手如拈花顫動，身形似風輕移，令成帝十分著迷。成帝爲她舉行的舞技表演設在漢宮太液池中瀛洲高榭上。成帝以玉環擊節拍，馮無方吹笙伴奏。趙飛燕跳起《歸風送遠曲》。一陣風起，趙飛燕險些跌入池中，多虧馮無方抓住她的雲英水裙，才有驚無險。漢成帝又命宮女手托水晶盤，令飛燕盤上歌舞助興，趙飛燕的絕妙舞技，給漢成帝全新的視覺享受，成帝對她更加迷戀。

趙飛燕不僅漂亮，心思也非常縝密，爲緊緊抓住成帝的心，她又把容貌更勝她一籌的妹妹趙合德，推薦給成帝。趙合德的美貌令成帝驚豔不已，合德的柔情更令成帝神魂顛倒。姐妹倆的話，成帝更是言聽計從。姐妹設計陷害許皇后，成帝就廢掉許后，冊立趙飛燕爲后，趙合德爲昭儀。趙氏姐妹掌握後宮生殺大權，不可一世。

趙氏姐妹雖得專寵，但從未懷孕，她們害怕別的嬪妃懷孕生子，威脅后位，就瘋狂地摧殘宮人。「生子者輒殺，墮胎無數」。當時，民間就流傳著「燕飛來，啄皇孫」的童謠。宮女曹宮生一男孩，竟被逼死，皇子也被扔出宮外。色迷心竅的漢成帝，年已不惑，膝下尤虛。爲討好趙氏姐妹，竟兩次殺子，置江山社稷於不顧，成爲「愛美人不愛江山」的古代版本。姐妹倆把成帝死死迷住，成帝精力耗盡，就服補藥滿足淫樂。爲取悅成帝，方士們爭獻丹藥。漢成帝長期服用，不斷增加劑量，結果竟洩陽而亡。

成帝死於趙合德床上，群臣聲討趙氏禍水。趙合德自知難逃罪責，自殺而亡。趙飛燕因爲幫助漢成帝的侄兒劉欣即位，新帝感恩，仍舊尊她后皇太后。六年後，哀帝逝世，大司馬王莽以趙飛燕殺害皇子之罪，迫其自盡。風光一時，權傾一時的趙飛燕就這樣香消玉殞了。

趙飛燕從一個小小的歌舞伎，爬到皇后的寶座上，與她善於抓住機會，不擇手段迎合成帝的色心，有太多的關係。爲討好成帝，她獻出妹妹合德；爲引誘成帝淫心，她使用香肌藥丸；爲鼓勵成帝縱慾，她積極搜羅春藥；她自己苦練歌舞技能，千方百計迷住成帝；又用盡心機陷害許皇后，終於得以母儀天下，三千專寵集一身。然而，沒想到了最後，竟還落了個橫死的下場。

15 漢哀帝「割袍斷袖」之謎

漢哀帝劉欣三歲即嗣立中山王，十九歲又繼承皇位，可謂尊貴無比。然而，他卻崇尚儉樸生活。哀帝繼位不久，即廢掉樂府宮，反對貴戚奢靡生活，提倡臣民生活節儉。哀帝自己僅立一帝一后，縮減後宮用度，帶頭過樸素平淡的生活。哀帝的作法，古今少有。這是爲什麼呢？

漢成帝時期，土地兼併嚴重，民不聊生。漢成帝營造昌陵，花費錢財一百億元，民怨載道。成帝年間又水災連年，大批饑民流落異鄉，賣身爲奴。貧苦農民再也生存不下去了，他們揭竿而起，掀起了農民起義浪潮。雖然這些農民起義最後被鎮壓下去了，但已暴露出漢王朝的統治已是危機四伏。哀帝即位，就面臨著王莽把持朝政，覬覦漢室天下；官僚生活腐朽，敷衍國事政務；階級矛盾尖銳，農民反抗即將爆發的三大統治危機。漢哀帝必須要緩和階級矛盾，籠絡人心來維護統治。

漢哀帝一向反對貴戚奢侈無度，紙醉金迷的生活，提倡士民生活平淡，勤儉節約。哀帝個人生活也相當儉樸。史載哀帝「雅性不好聲色」。哀帝爲定陶王時，娶立王妃；被立爲太子後，王妃改立太子妃；登基爲帝，太子妃即爲王后，哀帝沒有喜新厭舊，對原配之妻不離不棄。哀帝雖登天子位，但從未縱情聲色，僅立一昭儀。董昭儀的住處被命名爲椒風，和皇后住處椒房相呼應，不相上下。董昭儀雖是極受寵愛，但她的住處卻很簡樸，生活上也是簡單平常，不講究鋪張排場。哀帝私人生活如此淡泊，雖有他的政治用意，以號召吏民學習仿效，但也有他個人的特殊隱情，那又是什麼呢？

哀帝身弱，不能多近女色，他只好減少對女性的興趣，從男寵身上補償。哀帝的男寵叫董賢，原是他的舍人。哀帝對董賢一見鍾情，先後拜爲黃門郎、駙門都尉侍中，寵愛異常。董賢以身侍帝，同臥同起。某次午睡，哀帝衣袖被董賢身體壓住，他想起床，又怕驚醒董賢，就以刀割斷衣袖，恩寵無以復加。董氏一門升官封爵，榮耀無比。董賢妹被封昭儀，董賢父、岳父、內弟先後被封高官，董賢先爲高安侯，後任大司馬，權傾天下，傲視權貴。董賢是個繡花枕頭，胸無學識，哀帝飽讀詩書，熟諳治國之道，怎會放心把大司馬這樣的重要權位交授董賢呢？

哀帝即位之初，正是外戚王氏專權，獨攬朝綱的時候。哀帝要奪回軍政大權，必須削奪王氏權利。哀帝用自己的外戚丁氏代替王氏外戚，奪回朝權。但只使丁氏尊貴，並不交給他們實權。後來，又罷免了大司馬丁明，由董賢代之。傀儡董賢當大司馬，全部權利都掌握在哀帝手中，哀帝暫時實現了君主高度集權。他尊崇董賢，就可以壓制和調控各派朝野勢力，震懾王侯貴戚：不得與王權抗衡，否則，祇好死路一條！

漢哀帝重用董賢，看似奪回了大權，實際上，王莽勢力不久就東山再起。哀帝下詔限定田宅和奴婢數量，由於觸動大地主利益，遭到反對，流於破產。哀帝的措施已經無法挽救漢王朝的統治危機，到那時，劉氏天下已經搖搖欲墜。

16 王莽讓親生兒子自殺之謎

王莽，就是以外戚專權篡奪劉氏江山，中斷漢朝統治八年的新莽皇帝。王莽爲了他朝思夜想的皇位，曾「大義滅親」，逼迫親生兒子自殺，這是怎麼回事兒呢？

王莽在西元前8年，榮升大司馬，年僅三十八歲。當時由於漢成帝去世，哀帝繼位，新外戚傅、丁兩家登上政壇，王莽任大司馬僅得意了一年，就被迫讓位。王莽回到南陽新野都鄉封地，積極結交士大夫，準備東山再起。王莽的二兒子王獲殺死了一個奴隸，在當時社會算不得什麼大事。然而，王莽卻嚴加痛斥，讓王獲自殺償命。王莽的「大義滅親」行爲，雖是小題大作，但卻爲他贏得極好的聲譽。朝野上下一片讚美之聲，漢哀帝只好恢復王莽的官職，王莽踏著親生兒子王獲的鮮血重登大司馬權位。

王莽像。

西元前1年，漢哀帝駕崩，漢平帝繼位，王莽害怕平帝母親衛氏一族把持朝政，就先下手爲強，把平帝母親衛姬封爲中山孝王后，平帝的舅舅衛寶、衛玄爲關內侯，命他們留居中山，不得來京。大臣們敢提起迎平帝母親入京的，王莽就狠狠處治。王莽的大兒子王宇擔心平帝長大成人後，怨恨王莽的狠毒會使他骨肉分離，因而遷怒王氏一族，就琢磨一條「妙計」。

王宇找到自己的老師吳章和大舅呂寬商議良策。吳章瞭解王莽迷信鬼神，就出主意：把狗血灑在王莽的大門上，讓他畏懼。王莽如果疑惑此事，吳章就乘機進言：說天神之意是迎接帝母衛姬入京，還政衛氏。王宇認爲此法甚妙，讓呂寬乘夜黑人稀，把狗血淋抹在王莽府門上。門吏看出黑影竟是呂寬，取火一照，鮮血淋漓，腥臭撲鼻，不禁毛骨悚然。王莽得知，連夜審問呂寬，帶出了王宇。王宇以爲父親此番必定重罰自己。哪知王莽竟逼他自殺謝罪，並將吳章斬首示眾。

王莽對王宇痛揮屠刀後，又將屠刀掄向衛氏一族，殺盡衛姬除外的衛氏親族；還把王氏宗族中與自己略有不和的親屬，扣上通謀衛氏作亂的罪名，斬殺乾淨，朝中大臣被他借故殺掉幾百人。王莽的「大義滅親」爲他贏得巨大聲譽，王宇的鮮血讓他榮膺了「宰衡」稱號，得到「九錫」的待遇，榮耀顯貴，無以復加。

王莽時期的「跪坐俑」，是典型的宮廷侍女形象。

王莽踏著用兩個兒子鮮血染紅的官階，步步高升，西元8年，篡奪劉氏江山，坐上了新朝龍椅。王莽共有四個兒子，王宇、王獲被他逼死，王安又精神錯亂，只好封王臨爲皇太子。王莽連誅二子，莽妻哭瞎雙眼。王莽命王臨親侍生母。莽妻有個侍婢，叫原碧，曾與王莽私通。王臨來到後宮被她迷住，也與她偷情。事後王臨害怕醜事洩露被父親誅殺，就與妻子商議殺掉王莽篡位。王臨還未行動，王莽藉口大風吹垮王路堂之事，廢掉了王臨的皇太子之位，王臨被攆出京師。第二年，瞎眼皇后病危，王臨寫信給母親道：「皇上對子孫太苛酷，大哥、二哥三十歲均被迫自殺身亡。兒臣今年也是三十歲，不知能否保全？」王莽探視瞎妻，看到來信，頓時震怒異常。莽妻一死，王莽拷問原碧，審出王臨與之私通之事。王莽怕家醜外揚，竟把參與審問的官吏一併處決，並勒令王臨自殺。王臨與妻子被逼自殺。

爲了皇位，王莽害死了自己的三個兒子，充分暴露了他兇殘惡毒的本性。王莽一生說盡假話，幹盡沽名釣譽之事，萬民痛恨。西元23年，起義軍推翻了王莽的新朝，王莽終於被殺死。

17 王莽拜受天書「銅匱」之謎

王莽，中國歷史上著名的野心家，陰謀家，靠耍弄詭計，欺世盜名，篡奪了漢室江山。傳說。王莽登上帝位，是由於天神授書，天意使之。歷史上確有其事嗎？

相傳，漢高祖劉邦爲泗水亭長時，曾受命押送刑徒赴驪山修築秦始皇陵。途中遇到一條大蟒蛇。大蟒蛇攔住去路，告訴劉邦：「你將貴爲天子，擁有天下。不過，我要擾亂你的江山，讓你子孫不得安寧！」劉邦大怒，拔劍欲斬蟒蛇。大蟒蛇陰險地笑道：「來呀，你斬我頭，我亂你頭，你斬我尾，我鬧你尾！」劉邦將蛇一劈兩半。結果，漢朝橫空插進個「新朝」，被分成西漢和東漢兩部分。據說，王莽便是大蟒蛇轉世，他的使命就是攪亂漢室，覆滅漢朝，改朝換代。傳說固然不可信，但王莽建立了新朝卻是事實存在的。他是怎樣盜得漢室天下的呢？

王莽以外戚的身份一步步爬上黃門郎、射聲校尉、騎都尉光祿大夫侍中、大司馬、攝皇帝之位，大權獨攬，位極人臣，挾制君主。然而，王莽仍不滿足，一心要代漢自立。

梓潼縣有個無賴儒生哀章，慣於投機鑽營，參透王莽之意，製造了天書大騙局。西元8年，哀章身穿黃衣，懷抱兩個銅匱，來到劉邦祀廟，交給僕射。哀章僞造的銅匱一個上寫「天帝行璽金櫃圖」，一個上寫「赤帝

王莽時期鑄造的陶範與銅錢。

行璽某傳予皇帝金策書」。金策書中說，王莽當繼漢而立新朝，行眞命天子事。圖、書都寫著王莽八大臣僚的名字，還添加了哀章、王興、王盛的名字。王興、王盛即爲王氏興盛之意。僕射趕緊報告了王莽這件奇事。王莽喜出望外，心想：「知我者哀章也！」

王莽率領群臣來到高祖廟，拜受銅匱。他乘機穿上天子冠服，宣佈順天承運，接受赤帝劉邦之授，另立主朝。王莽來到未央宮，坐上他夢寐己求的皇帝寶座，宣佈代漢而立，正式建立新王朝。國號「新」以居攝三年（8年）12月爲始國元年正月。西元9年元旦，在未央宮前殿，舉行新朝皇帝登基大典。王莽立妻子王氏爲皇后，立四兒子王臨爲皇太子並大赦天下。王莽把自己攝政輔佐的小皇帝孺子嬰降爲「安定公」，以平原五縣百里之地，人萬戶爲封邑，立劉氏宗廟，祭祀劉氏先祖。王莽靠著所謂的天書，終於名正言順地篡奪了漢朝江山。

王莽登基後進行了一系列的改制，新莽王朝很快就危機四伏。王莽一邊加緊鎮壓各路起義軍，一邊繼續編造天命迷信，自欺欺人。靠陰謀詭計起家的王莽，雖能竊國，但不能治國；靠裝神弄鬼，倒行逆施怎能力挽狂瀾，一統江山？王莽的短命王朝苟延殘喘十七年，終於還是覆滅了。

18 劉秀「娶妻當娶陰麗華」之謎

新莽末期，天下大亂，劉秀自南陽起兵，西元25年建立後漢王朝。經過十三年的征伐平定，統一了天下。光武帝劉秀恢文治武功奪得天下後，勤於國事，廉明治政，開創了中興盛世局面。傳說劉秀生活儉樸，只設皇后一人、貴人幾名和有限的美人、宮女。劉秀對皇后陰麗華更是一往情深，無比恩愛。這是爲什麼呢？

劉秀爲何說「娶妻當娶陰麗華」？

劉秀雖爲皇族，但祖輩逐漸衰落，到了劉秀父親劉欽一輩，僅爲濟陽縣令。劉秀九歲時，父親死去，劉秀度過了他困窘的青少年時代。劉秀家住南陽蔡陽，與新野相鄰，常聽人讚美新野首富陰家小姐麗華，聰明賢慧，嬌羞豔麗，多才多藝。劉秀怦然心動，他雖家貧無助，但生得身軀英武，眉清目秀，鼻高嘴方，自有一股英雄氣概，豈能久居人下？劉秀暗下決心：「大丈夫立業必揚名天下，娶妻當娶陰麗華，方不負此生！」

西元22年，天下動蕩，南陽饑荒。劉秀與哥哥劉縯起兵，得到豪強地主的支援，很快發展到七八千人，號「舂陵軍」。陰麗華的哥哥陰識也率眾投奔了劉秀。不久，舂陵軍加入綠林軍，劉秀任太常偏將軍。王莽派軍四十二萬圍剿綠林軍，劉秀據守的昆陽只有八九千人。劉秀率輕騎十幾人星夜突圍，調來援軍。劉秀率三千精兵，突襲敵軍中堅，殺死敵將王尋。城內義軍乘勝出擊，內外夾攻，莽軍大敗。義軍以少勝多取得昆陽大捷，劉秀在此役中智勇雙全，建立奇功，威名傳揚。

劉秀功名顯揚，自認不會辱沒了陰麗華小姐，就派人去陰家提親。陰家早就對英雄豪傑劉秀敬佩無比，哪有不同意結親之理？當年6月，意氣風發的劉秀娶走了十九歲的陰麗華。走進洞房，劉秀看到陰麗華秀麗端莊、高貴典雅的姿容，不禁驚歎不已。陰麗華望見自己的丈夫英姿勃發，氣概不凡，也是一陣欣喜。夫妻兩人恩愛情長，形影不離。但三個月後，劉秀要去洛陽任司隸校尉，不得不與嬌妻分離。陰麗華被送回新野娘家。

劉秀在征程上聞聽哥哥劉縯被更始皇帝劉玄殺害，他強忍悲痛，騙過劉玄，被劉玄封爲大司馬，前往黃河以北，招撫地方部隊。劉秀一路廢除苛政，釋放犯人，義軍隊伍不斷擴大。可是，北方劉姓宗室突然擁立新帝，建立邯鄲政權，還追殺劉秀。劉秀得知擁護新政權的武裝集團是西漢眞定恭王劉揚，就派人勸說劉揚歸順。劉揚同意歸順，但要求劉秀娶她的外甥女郭聖通，一旦劉秀成大事，娘舅也好沾光。

郭聖通是眞定藁人，其父郭昌出身望族，官至郡功曹，其母是眞定恭王之女，乃豪門富族，郭聖通知書達禮，容貌姣好，人品出眾。劉秀雖然深知郭氏有權有勢，如能聯姻，對成就大事有極大幫助。但是又覺愧對陰麗華，陰氏聰慧賢德，是激勵自己建功立業的動力，與自己情投意合，怎能讓這麼優秀的女人寒心呢？劉秀前思後想後，躊躇不決。然而，舉起義旗只有前進，沒有退路。若錯失眼前機會，失去郭氏支援，恐怕要亡命天涯。那時候，結髮之妻也要跟著遭罪，就更別提讓陰麗華享受什麼榮華富貴了。劉秀想到此處，決定應允婚事，迎娶郭聖通。

劉秀與郭聖通的政治婚姻很快就發揮了巨大的威力，使劉秀如虎添翼，為奪取天下奠定了基礎。西元25年，劉秀在洛陽稱帝，改元建武。第二年，劉秀修繕洛陽宮殿，迎接陰麗華的到來。分別三年始得重逢，兩人都不勝感慨。劉秀想，陰麗華高貴莊嚴，她是自己奮進的動力源泉呀！她應該享有母儀天下的榮耀。但是，郭聖通一家卻為自己開創帝業立下重大功勳，郭聖通還為自己生下了皇子，母以子貴；郭氏如不封后，自己失去郭氏宗親的支援，對於鞏固帝業將造成重大損失。劉秀又為難了。倒是陰麗華堅決請求立郭氏為后，令劉秀十分欣慰，他也因此對陰麗華更加愛戀。此後，出征就帶著她，他們的兒子劉陽就生在行軍途中。

皇子劉陽聰慧善斷，十歲時通讀《春秋》。十二歲時，正逢劉秀核查郡縣戶口田畝。劉秀看到陳留郡的案牘後附一簡，上書「潁川弘農可問，南陽河南不可問」。劉秀不解其意，倒是劉陽一語點破：「潁川，弘農雖有富豪，但沒有後臺，只管放心核查；但河南郡是京都，頗多權臣，南陽郡是帝鄉，多是皇親國戚，誰敢核查？」劉秀對劉陽的機智聰敏非常滿意。劉陽十五歲那年，原武爆發農民起義，官軍久攻不下，劉秀萬分焦急。劉陽對父親說：「守城之軍，肯定有反悔欲逃者，如能鬆弛圍城，留一通道，遇有單身出逃的，用一亭長即可捉拿住。」劉秀採納了劉陽「圍城留之闕」的計策，果然有小股義軍出逃，渙散了軍心，原武城被攻破。劉陽的足智多謀讓劉秀更加喜愛。

西元41年，天下平安，四海安寧，河北豪族勢力對皇權已構不成威脅了。劉秀頒詔，廢掉郭皇后，改立陰麗華爲后。劉陽也就順理成章被改立爲太子。陰麗華爲后，遂了劉秀之願。在劉秀心裏，陰麗華是一盞指路明燈，是最知心的愛人。而郭聖通只是他登天的臺階，是可利用的政治工具。郭氏在劉秀安定天下之後被廢，也就不奇怪了。

19 班昭有沒有續過《漢書》？

班昭，名姬，字惠班，扶風安陵人。因其嫁於一曹姓人爲妻，故又名「曹大家」。班昭之父班彪是東漢有名的學者，其長兄班固是傑出的歷史學家，其次兄班超爲東漢名將。班昭生於仕宦之家，對儒家精典和各種史籍均耳熟能詳，並積累了大量的歷史、天文及地理方面的知識。作爲東漢時期著名的史學家，她在史學方面的貢獻和成就，是舉世公認的。但是，圍繞著班昭是否續過《漢書》，後人卻頗有爭議。

《漢書》是中國古代繼《史記》之後的第二部完整、系統、全面的斷代史。西漢司馬遷寫的《史記》只記述到漢武帝太初年間爲止，而此後的一百多年間西漢帝國的歷史，卻沒有持續寫。班昭之父班彪有志於此，歷時多年，根據廣泛的前史遺事和大量的檔案資料，寫成了《史記後傳》，即《漢書》的前身。但班彪壯志未酬便死去了。班昭之兄班固繼承父業，又費時二十餘載，終於著成了《漢書》的大部分，但是，也因竇憲事獲罪，不幸死於獄中，成爲終生之憾。

《漢書》是班昭續寫的嗎？

那麼，《漢書》是怎樣定稿，最終得以成書的呢？後人的說法有二。

一是班昭整理並最後撰成《漢書》。班固死後，和帝命班昭到「東觀藏書閣」，繼續完成《漢書》的編撰工作。她參閱了大量的古代典籍和當代的歷史記錄，將《漢書》的初稿逐篇進行整理、校對和審核，並續寫了其中的《八表》和《天文志》兩篇。據說，後來馬續又協助班昭撰述了《天文志》。

二是否認班昭續寫《漢書》。有人據《後漢書》和《史記・天官書》等史籍考證，認爲《八表》和《天文志》並非由班昭、馬續續補。他們認爲，《漢書・天文志》是沿用了《史記・天文志》的內容，工程不大，且只增補了武帝以後的一些天象變化，班固殫精竭慮二十年，根本用不著由其他人來續寫。況且，《後漢書》本傳上，找不到馬續述《天文志》的內容，故推斷班昭、馬續並未續寫《漢書》。

有人據《宋書・百官志》和《後漢書・班固傳》考證，認爲，《漢書》是一部完整的作品，是班固一手完成的。指出，《八表》中的《古今人表》和《百官公卿表》兩表，前人已指明爲班固原著。《後漢書・班固傳》也說：「固自永平中始受詔，潛精積思二十餘年，至建初中乃成。」，肯定了整部《漢書》均由班固一人完成。另外，在班固本人完成《漢書》後的總結中，曾自述爲春秋考紀、表、志、傳凡百篇……。即該書百篇之著，皆班固所作。

還有人把《漢書》中的《八表》和《天文志》兩篇風格與班昭的《女戒》相比較，認爲文筆大相徑庭。前者與《漢書》中其他各篇的文體、語法如出一爐，而且歷代注家對《漢書・八表》、《天文志》爲班固原著皆無異議。可以說，班昭等續《漢書》一說不成立。

另外，有人又從時間上推算來判斷，班固是在《漢書》初稿寫成後十年死於獄中的，即使書中部分表、志未及完成，那麼此後十年間，班固完全可能從容補作，不必由後人補續。

上述兩種說法雖爭論不休，但對班昭確實爲撰寫、修改、潤色《漢書》方面下的苦功，都無異議。據說，《漢書》完稿後，人們多不能完全理解，於是，班昭成了惟一通曉《漢書》的權威。當時的達官貴人都拜她爲師，聽她闡釋，尊稱其爲「大家」，意即有學識，品性好的女子。班昭無愧於中國古代歷史上著名女史家的稱號。

第3章

三國、兩晉、南北朝名人懸案

倥傯三百年，本是歷史時空中的一瞬，但華夏大地在這一剎那，硝煙四起，朝代更迭，二百位帝王競相登臺亮相。人傑氣宇軒昂，用血肉和生命捍衛著正義與忠良；鬼雄殺機畢現，使邪惡瀰漫了昏暗的長空……當我們今天冷靜地置身在這場正邪交爭的戰火中時，我們發現名人們背後，竟有如此多的疑團亙古未詮：才華橫溢的曹植是因暗戀皇嫂，才惹來一生噩運的嗎？諸葛亮高大挺拔，面如美玉的諸葛亮爲何娶醜女爲妻？司馬衷竟是一位白癡帝王嗎？北魏十七位皇后出家爲尼，是因爲難耐後宮寂寞嗎？還有那連殺二十六位親生兒女的石虎，眞的只是爲了滿足一下自己的淫欲嗎……

1 孔融被殺之謎

孔融，東漢末年文學家，「建安七子」之一，當世名儒。孔融是孔子的第二十世孫，他天資聰慧，才華橫溢，曾任北海太守。然而，孔融這個頗有建樹的才子卻被自詡愛惜人才、求賢若渴的曹操殺掉了，這究竟是爲了什麼呢？

有人認爲是政治原因。孔融對曹操的主張屢持反對意見，被曹操所忌恨，遭到誅殺。西元200年，曹操欲與袁紹大戰，孔融堅決反對。結果，曹操在官渡大戰贏得全勝。曹操遠征烏桓時，孔融認爲此乃草芥小患，不值得興師北伐。曹操越發討厭孔融對其政策的指手畫腳。曹操準備發兵討平劉表時，孔融又持反對意見：「天下初定，應稍微安定一段時間，再行征伐之事。」曹操認爲孔融故意與己作對，就欲除掉他。

曹操爲節約糧食，曾頒佈一道禁酒令。孔融極愛飲酒，就寫了一封親筆信給曹操，專講飲酒益處，還嘲諷曹操道：「天上有顆『酒旗』星，地下有個『酒泉』郡，人有海量稱『酒德』，帝堯千鍾稱聖人。您如果非要禁酒，就把婚姻也禁止算了。」曹操忌憚孔融的才子大名，強忍憤怒，沒有立即動手殺他。然而，孔融針對曹操的「挾天子以令諸侯」之爲，上奏曹操《宜准古王畿之制》，主張「尊崇天子，擴大君權，削弱諸侯權勢」，簡直是要曹操還政於漢獻帝。曹操對孔融這個政敵，再也忍無可忍。尋其罪狀，將其殺害。

有人認爲是性格的關係而導致孔融被殺。孔融是名門之後，譽滿清流，性格迂腐、疏狂、出言無忌，目空一切。孔融鄙視權貴，與當權人物多次鬧翻。早年時候，孔融奉謁拜賀外戚何進榮升大將軍，因何進未及時接見，孔融奪回拜謁摔在地上，惹得何進大怒。若不是有人勸阻，孔融早已喪命。後來，孔融又與袁紹結怨，袁紹對他恨之入骨。孔融這人軟硬不吃，不受籠絡，不願攀附。對於當朝權貴曹操也敢譏諷，曹操豈能容他？

當初，曹操打敗袁紹，攻下鄴城，把袁紹的兒媳甄氏嫁給了曹丕。孔融就寫了親筆信給曹操，說：「從前，武王伐紂，將紂王愛妾妲己賜給弟弟周公。此次，曹公效仿武王，將甄氏賜給世子，頗有胸襟，可喜可賀。」曹操以爲此乃美談，回到許昌就追問孔融典出何處？孫融卻慢悠悠地回答：「啊，是我想出來的。我分析武王英明仁厚必不忍心殺死美人，把妲己賜給兄弟，正可滿足憐香惜玉之心和顧念同胞親情之意，豈不是兩全其美嗎？」曹操這才明白孔融在嘲笑他們父子，心中暗暗懷恨。

孔融有個朋友，叫禰衡。此人讀書很多，狂傲無比。孔融向曹操推薦禰衡，說他德才兼備，像一隻羽毛美麗而又勇敢的魚鷹。可是，禰衡初見曹操便輕狂無禮，把文武百官稱作奴才。曹操忍住怒火，讓禰衡作帳下鼓吏。禰衡卻擊鼓罵曹，令孔融十分尷尬。後來，曹操假借黃祖之手殺掉了禰衡。但對孔融也心生怒氣，懷疑孔融舉薦禰衡的用心是侮辱自己，對孔融的怨恨更深了一層。

曹操是什麼樣的人呢？張璠在《漢紀》中說他「外雖寬容，而內不能平」。曹操歷來狡詐多疑，胸積怨毒，心不容人。曹操雖然愛才，但不愛不親附自己之才；對於恃才傲世的孔融，他無法容忍。後來，孔融又口無遮攔地發表意見，反對曹操的禁酒令及征烏桓、平劉表之舉，曹操決心讓他閉嘴。御史大夫郗慮列出孔融幾大罪狀。恰巧，東吳孫權使者也來許昌。孔融自恃曹操顧及影響不敢將他治罪，就當著吳使的面諷刺譏笑曹操，令曹操惱羞成怒。孔融被斬，其妻及兩個幼子也慘遭斬首。沒想到，孔融之才卻引來了殺身之禍。

孔融因何被誅，曹操最清楚。後世之人說不清楚他到底死於政治原因，還是性格原因。這個謎留待日後破解吧。

2 曹植暗戀其嫂之謎

曹植是魏文帝曹丕之弟，他風流倜儻，文思敏捷，言出爲論，下筆成章。是建安文壇上叱吒風雲的人物。西元223年，他寫下了一篇情采風流的《洛神賦》，賦中寫洛水之神的韻致無比嫵媚，寫他對洛神的感情至慕至愛。唐李善說，這篇賦是曹植爲感念其嫂甄后而作的，賦的原名叫《感甄賦》。

曹植愛上了他的嫂嫂了嗎？這篇《洛神賦》眞的是爲她而寫的嗎？千百年來，人們爲此爭論不休。

曹植用一腔激情，寫就了《洛神賦》。

翻開所有史籍，人們找不到曹植與甄后有什麼私情的記載。只有李善爲《洛神賦》作注時敘述的「賚枕」一事，可作旁證。他說：「（曹植）黃初中入朝，帝示植甄后玉鏤金帶枕，植見之不覺泣。時后後已爲郭后讒死，帝已尋悟，因令太子留宴飲，仍以枕賚植。」曹丕以皇帝的身分，將他妻子甄后用過的枕頭送給弟弟曹植，居心何在？是不是在這個多情男子的感情傷口上再撒上一把鹽，讓他一輩子抱著這個枕頭空悲切呢？看來，曹丕是知道他的弟弟曹植是傾心於甄后，至少是暗戀她的。李善在注中還寫道，曹植離京返回封國，途經洛水，想起了甄后，並與之相見。得甄后贈之珠，悲喜不能自勝，遂作《感甄賦》。這無疑是說，二人是「身無彩鳳雙飛翼，心有靈犀一點通」了。兩人恰似被人拆散的一對戀人。

李善的注，充滿著濃鬱的浪漫情調和幻想色彩，當然是他的想象。但是，全賦抒發的深沈的感情，描繪的鮮明的形象和景色。不能不使人感到，這確是曹植對甄后的一片深情的表白，是他的心聲。絕不是對「洛水」、「洛神」有什麼情。究竟《洛神賦》是不是感甄之作呢？歷來有兩種根本對立的說法：一是否認是感甄之作。

唐、宋、明、清的一些文人學者認爲《洛神賦》不是感甄之作。其理由是：甄后本是曹丕之妃，作爲小叔子的曹植居然動了愛慕之心，是不義不忠，是不成體統的。就兄弟之道言，是其不義；就君臣之道言，是其不忠。這是大逆不道的事，應該辨爲正本，口誅筆伐。他們的論點是：

（一）李善的注，恐是宋人誤引的。

（二）曹植愛上他的嫂嫂極不可能。他沒有那麼大的膽量寫《感甄賦》。

（三）圖謀兄妻，是「禽獸之惡行」。

（四）「賚枕」之說，不合情理，屬無稽之談。

（五）《感甄賦》的甄，並非甄后之甄，而是「鄄城」之「鄄」，「鄄」與「甄」通，遂爲「感甄」。

（六）《洛神賦》是「托辭宓妃以寄心文帝」是「長寄心於君王」。

（七）十四歲的曹植不可能求娶二十四歲的甄氏爲妻。上述幾點，雖然是推論，但至今也無確鑿材料推翻它。

二是認定是感甄之作。一些小說傳奇和一些詩人，如李商隱、蒲松齡等人，則是抱著寧可信其有，不可信其無的態度。現代學者郭沫若在《論曹植》一文裏，一反封建文人的假道學觀點，直言不諱地說：「子建（即曹植）對這位比自己大十歲的嫂嫂曾經發生過愛慕的情緒，大約是無可否認的事實吧。」「子建要思慕甄后，以甄后爲他《洛神賦》的模特兒，我看應該是情理中的事。」

郭老的話，不無道理。曹植具有早熟的天才和多愁善感的性格，十三歲時產生對美麗成熟的嫂子的愛慕之情是很有可能的。成人之後，他情竇一開，對這位他視之爲「人間仙姝」的嫂子的愛戀定然十分迫切。礙於禮教名分，曹植不可能有什麼非分之舉，但這種愛是會通過他的詩賦（如《七哀》），頑強地表現出來。而甄氏對曹植的感情不會不明了，而且從氣質上來說，她與曹植都比較高雅，都摒棄凡俗、自視清高，所以，很難說甄氏對曹植不動情。

後來，在曹植被曹操拋棄，甄氏被曹丕冷落的時候，叔嫂之間同病相憐的情感也會自然產生。在甄氏看來，這位小叔子不諳世事，放任曠達，終於落得如此下場，前途凶多吉少，她只有惋惜、擔憂和更深的愛戀之情。在曹植看來，這位嫂子僅由於心地善良、性格溫和，終至遭到丈夫拋棄，前景十分不妙，他除了同情、憐惜，就是更深切的思慕。再後來，就是甄后因小過被逼自殺，曹植也被降爲安鄉侯，受盡了曹丕的精神折磨。那麼，此時曹植寫《感甄賦》難道不是「寄託作者身不由己，好夢未圓的惆悵和憤怒」的嗎？

然而，說《洛神賦》是感甄之作，也不過是推論而已，並且也沒有直接的證據去推翻否定者的論點。也許，這場文墨官司還得繼續打下去。

3 諸葛亮故居之謎

諸葛亮畫像

諸葛亮，字孔明，琅邪陽都人。因父親早逝，隨叔父奔波遷徙，不料叔父亡故，諸葛亮落腳隆中山下。諸葛亮隱居草廬之中，關注天下大事，他勤奮讀書，胸藏韜略，靜待時機，成就大業。劉備聽說諸葛亮乃世外高人，就「三顧茅廬」拜請諸葛亮。諸葛亮平靜地提出「天下三分」的政治預見和興復漢室的宏圖大略，令劉備欽佩不已。

諸葛亮被拜爲劉備的軍師後，他運籌帷幄，決勝千里，輔助劉備建立蜀漢政權。諸葛亮擔任丞相後，不忘劉備遺命，勵精圖治，增強國力；制定法規，加強吏治；懲惡揚善，公正廉明；清正愛民，百姓擁戴。諸葛亮的一生，鞠躬盡瘁，死而後已，受到後世人的敬仰和懷念。但是，有關諸葛亮的故居——草廬現在何處，仍有紛爭。

一種意見，認爲是河南南陽。《三國志・諸葛亮傳》引其《出師表》言：「臣本布衣，躬耕於南陽，苟全性命於亂世，不求聞達于諸侯。先帝不以臣卑鄙，猥自枉屈，三顧臣於草廬之中，咨臣以當世之事，由是感激，遂許先帝以驅馳。」由此看出，劉備三請諸葛亮，必在南陽。現今的河南南陽西郊臥龍岡古跡，人們相傳就是諸葛亮的草廬故居。

明代詩人葉秉敬曾有《臥龍岡》一詩讚頌諸葛亮：「山橫黛色枕平蕪，樹影蕭疏漢月孤。地據賊臣窺九鼎，天留元老峙三都。出廬整頓千秋事，彈指髡鉗兩國奴。故自斷爲四撐極，何殊赤帝撫雄圖。」詩人顯然是認爲諸葛亮的草廬位於河南南陽的臥龍岡。唐代詩人汪遵的《南陽》一詩，寫道：「陸困泥蟠未適從，豈妨耕稼隱高蹤。若非先主垂三顧，誰識茅廬一臥龍。」汪遵所說南陽臥龍，自然也是指的河南南陽。

然而，另一種說法認爲諸葛亮的故居應是湖北襄陽城西的隆中山。據《漢晉春秋》記載：「亮家於南陽之鄧縣，在襄陽城西二十里，號曰隆中。」史學考證，南陽鄧縣故址位於襄陽境內漢水北岸十餘里處，劉表爲荊州牧，佔據著南郡、襄陽郡及南陽郡的一部分，諸葛亮跟從叔父諸葛玄投奔劉表，應該住在劉表的駐地襄陽附近。鄧縣距襄陽二十里，又有隆中山，正符合劉備「三顧茅廬」與諸葛亮的隆中對話。因此說來，諸葛亮故居應是湖北襄陽。

「南陽」在漢代是郡名，並非城名，實指南陽郡。今天的河南南陽，是漢代的宛城。那時宛城先由袁術佔據，後爲張繡、張濟佔據。建安二年，張繡向曹操投降，宛城就是曹操的勢力範圍。劉備從曹操旗下逃走後，投奔劉表，屯居新野。曹操豈能讓劉備這個仇敵隨便出入宛城三請諸葛亮？顯然，諸葛亮並不住在宛城。何況宛城距襄陽二百多里，諸葛亮隨叔父投奔劉表，怎麼會住在遠離襄陽劉表勢力的宛城呢？看來他並沒有投靠劉表，與史書相悖不符情理。因此諸葛亮不可能居住在河南南陽。

兩種說法，各有道理，河南南陽有臥龍岡，湖北襄陽有隆中山。究竟哪裡才是諸葛亮的草廬故居呢？只有等待史學研究的更加深入，科學論據的不斷增加，方可辨清眞僞。

4 諸葛亮爲何娶醜女爲妻？

諸葛亮是三國時期傑出的政治家，軍事家。他上知天文，下知地理，神機妙算，智慧超人。諸葛亮隱居隆中，便預知「天下三分」，他巧「借」東風，火燒赤壁，大敗曹軍；又擺下「八陣圖」，嚇退東吳追兵。更加神奇的是，諸葛亮「六出祁山」時，製作出「木牛流馬」，順利完成十萬大軍的糧草運送工作。諸葛亮不僅才能卓越，而且人品出眾。他身材高大挺拔，面如美玉，但卻娶了個醜妻。這是何原因呢？

《三國志・諸葛亮傳》記載，諸葛亮「逸群之才，英霸之器，身長八尺，容貌甚偉。」八尺的身材就是今日一米八的身高，「形細而粗，猶如松柏」，高大挺拔，英氣逼人，是標準的美男子。前來說媒的不在少數，可是諸葛亮卻偏偏選中「瘦黑矮小，一頭黃髮」的黃阿醜爲妻。讓世人譏笑道：「莫學孔明（諸葛亮字）擇婦，只得阿承（黃承彥）醜女」。諸葛亮選擇醜妻，是出於何意呢？

有人認爲諸葛亮既爲奇偉男子，娶妻也不會拘泥「郎才女貌」的俗套舊制。諸葛亮看重的是才學和品德。黃小姐出身名門，足智多謀，膽識過人，謙虛質樸，坦蕩正直，正是欲成就大業的諸葛亮的好搭檔。諸葛亮自然要選擇聰明的妻子，作他事業上的好助手。

關於黃阿醜的故事，後世有這樣的傳說：諸葛亮去沔南名士黃承彥家拜訪，進到第二道門時，門卻自己打開了。諸葛亮正在遲疑間，突然竄出兩隻狗向他撲來，諸葛亮欲後退時，大門卻關閉了。這時，跑來個小丫鬟，一拍狗頭，狗就停住了，再擰狗耳，狗就跑開了。諸葛亮定睛一看，分明是兩隻假狗，身披狗皮卻像眞狗一樣。進到第三道門時，兩隻猛虎撲向了諸葛亮。諸葛亮自認已看出機關奧妙所在，又是拍虎頭，又是擰虎耳，卻被老虎撲倒。多虧小丫鬟跑來踢踢虎屁股，老虎登時趴在地上。諸葛亮只好請小姑娘帶路，去見黃老先生。小丫鬟卻說自己脫不開身。諸葛亮抬眼一看，一頭木驢正在拉磨，磨好的麵粉正等人收拾呢。諸葛亮不由心中讚歎不已：「想不到黃老先生如此心靈手巧，竟製作出如此精妙的物件來。」小丫鬟笑道：「說錯啦，這是我們小姐做的。」諸葛亮萬分驚訝，女兒家竟是能工巧匠，這黃小姐實在是太了不起啦。

後來，黃小姐爲丈夫出謀劃策，使諸葛亮受益匪淺。傳說，「木牛、流馬」就是在黃小姐的啓發下製成的。後世有人認爲，諸葛亮娶醜妻是政治上的考慮。諸葛亮父親早逝，幼年便隨叔父豫章太守諸葛玄生活。十四歲時，諸葛玄被罷官，投靠劉表後死去。諸葛亮十四歲便失去依靠，流落到南陽鄉下居住。諸葛亮胸有大志，發憤讀書，苦修建業之能，治世之才。諸葛亮關注時局的變化，儒雅斯文的諸葛亮爲何會娶醜女爲妻呢？結交士大夫集團、等待時機，以實現他出將入相的抱負，如果可以與士大夫、地主集團聯姻，便可走捷徑，借助姻親勢力，及早登上政治舞臺。

諸葛亮與荊州名士結交，很快受到當地頭面人物龐德公、黃承彥的賞識，名流們也看出諸葛亮年輕有爲，前途不可限量，一方面把他舉薦給求賢若渴的英雄豪傑劉備，另一方面積極促成與諸葛氏的聯姻，以圖一榮俱榮。諸葛亮對於家族的婚姻，進行了精心的選擇。他把姐姐嫁給了襄陽地主集團頭面人物龐德公的兒子，又爲弟弟聘娶南陽名流人物林氏之女。諸葛氏依靠荊州豪門，結交當地權貴，在荊州站穩了腳跟。諸葛亮聽說「沔南名士」黃承彥欲將女兒嫁給他，相貌稍差，他權衡利弊後，爽快地應允了。

諸葛亮選擇黃阿醜，主要考慮女方家族的政治背景。一來，黃承彥乃荊州名流，在當地頗有聲望，黃老先生的一言一行都有分量。二來，黃承彥之妻與劉表後妻是姊妹關係，如果成爲了黃門女婿，也就攀上了皇親劉表，依附上了強大的政治勢力。再有，諸葛亮立志高遠，主要精力集中在建功立業上，他哪有閒暇時間陪伴在嬌妻美妾身邊？黃小姐雖容貌稍差，但才學出眾，品德端正，娶進家中，不僅會成爲他事業上的好幫手，而且不會招惹好色之徒的非分妄想，可保家庭穩定。諸葛亮的婚姻，事實上也是非常成功的。

還有人認爲諸葛亮的婚姻，遵從的是「妻賢美妾」的傳統習俗。自古以來，娶妻子就要首先考慮女方品格，是否溫柔賢惠，能否相夫教子，維護好家庭關係；至於博取丈夫歡心，以色侍夫則是參考因素，二者不可兼得，成熟深慮的諸葛亮當然選擇前者，聘娶品德端正、明曉事理的黃小姐爲妻。再說，一旦事業有成，再納美妾也是相當容易的。不論出於何種考慮，諸葛亮的婚姻都是相當成功的。他結婚後，很快嶄露頭角，輔佐明主劉備成就大事。諸葛亮在東征西伐、治理蜀漢的過程中，又得到妻子的謀略相助，受益匪淺。諸葛亮的家人奉公守法，忠心報國，勤勉謹慎，美名傳揚。這與其妻的賢德明理是分不開的。

5 貂蟬究竟是誰的女人？

貂蟬是中國古代四大美人之一，她美豔迷人，閉月羞花，周旋于董卓、呂布、曹操、關羽之間，令無數英雄為之傾倒。傳說中，貂蟬姿色超群，膽識過人。可是，歷史上關於她的記載卻是撲朔迷離，令人疑雲重重。

第一種說法認為貂蟬是王允的歌妓，東漢末年，軍閥混戰，群雄割據，奸臣當道。漢少帝劉辨被奸雄董卓廢掉，陳留王劉協被立為漢獻帝。董卓專斷朝政，飛揚跋扈，滿朝上下對他恨之入骨卻無力除掉他。司徒王允欲剷除董卓，幾次用計均不成功。王允欲施美人計，在董卓的乾兒子呂布身上打開缺口。王允費盡心機，選定自己府中的歌妓貂蟬。貂蟬自幼被賣進王府，習練歌舞，俏麗迷人，機智乖巧。王允將貂蟬收為義女，對她無微不至地關懷照顧，令貂蟬感激不盡，總想報答王司徒。一天晚上，王允故意眉頭緊皺，唉聲歎氣。貂蟬追問原因，王允把董卓塗炭生靈的惡行一一列舉，又把欲使美人計利用呂布刺殺董卓的計策透露出來，歎息著沒有恰當人選。貂蟬正想報答王允厚待之恩，就自告奮勇擔此重任，為王大人分憂。

王允按計把呂布請到家喝酒，又是奉承又是送禮，把呂布捧得暈暈乎乎。等到貂蟬翩翩來到身邊敬酒，呂布被美人深深吸引。貂蟬的眼波四顧流盼，呂布不禁神魂顛倒。王允看到呂布果然被美色所迷，就說願將義女貂蟬許配於他，呂布不禁一陣狂喜。若不是王允說好擇吉日送親上門，呂布當天就要帶走貂蟬。

過了兩天，王允又把董卓請到家中喝酒，貂蟬輕歌曼舞，嫵媚多情，令董卓垂涎欲滴，王允就把貂蟬送給太師董卓。貂蟬再看到呂布時，就淚眼婆娑地訴說思戀之苦，激起呂布對董卓的憤恨。貂蟬把呂布約到鳳儀亭，故意讓董卓看見呂布摟抱自己，令董卓妒恨不已，擲出方天畫戟刺向呂布，自此，董卓、呂布這對義父子反目爲仇。初平三年（192年）四月，王允設計把董卓誘出老巢塢回到長安，呂布一戟刺穿奸賊董卓的喉嚨，結束了董卓惡貫滿盈的一生。事成之後，以美人計立下汗馬功勞的貂蟬在花園裏爲王允祈禱拜月，恰巧一絲薄雲籠住月華，王允笑道：「貂蟬的美色讓月失色啊。」因此，後人傳說貂蟬有「閉月」之貌。

第二種說法認爲貂蟬是董卓婢女。《三國志‧呂布傳》記述道：「卓以布爲騎都尉，甚愛信之，誓爲父子……然卓性剛而褊，忿不思難，嘗小失意，拔手戟擲布。布拳捷避之，爲卓顧謝，卓意亦解。由是陰怨卓。卓常使布守中門，布與卓侍婢私通，恐事發覺，心不自安。」呂布原是刺史丁原的騎都尉，他受董卓誘惑殺死丁原後投靠董卓，深受董卓賞識，結拜父子。董卓是軍閥出身，氣量狹小，反覆無常，曾因爲一點兒小事不合心意，就擲戟向呂布。幸虧呂布身手輕捷躲過此難，但呂布心裏暗懷憤怒。後來，董卓派呂布守宮府小門，呂布卻趁機與董卓侍婢偷情，呂布害怕隱情暴露被殺，心裏常常忐忑不安。由於與董卓侍婢有私情，呂布無時不處於緊張之中，王允乘機勸他殺掉喜怒無常的董卓，呂布下定決心刺殺了董卓。那位讓呂布不顧一切與之私通的侍婢是誰呢？她就是令人意亂神迷的貂蟬。

第三種說法則認爲貂蟬是呂布部將秦宜祿之妻。據《三國志‧關羽傳》注引《蜀記》記述：「曹公與劉備圍布於下邳，雲長爲公：『布使秦宜祿行求救，乞娶其妻。公許之，臨破，又屢求於公，公疑其有異色，先遣迎看，因自留之。雲長心自不安。」圍攻呂布時，關羽就與曹操說好，攻破下邳城，他要娶秦宜祿的妻子爲妻。因關羽屢次催問，曹操懷疑秦妻容貌絕色，就派人將秦妻接到自己營帳相看，果然如花似玉，柔媚迷人，曹操就把美人據爲己有。關羽自然心中憤憤不平，忌恨曹操。讓關羽晝思夜想的秦宜祿之妻是誰呢？是大美人貂蟬。元代雜劇《關公月下斬貂蟬》的故事中寫道：曹操想收買關羽，就令貂蟬用美色迷惑他。貂蟬使出萬種風情挑逗關羽，關羽毫不動心，憤而殺掉貂蟬，表明不受誘惑，不受收買之心。關羽心中原是渴慕貂蟬的，由於曹操染指，還由於貂蟬甘做誘餌勾引自己，令心性高傲的關羽十分氣憤，進而厭惡貂蟬，以至痛下殺手，殺了貂蟬。

第四種說法認爲貂蟬是呂布之妻。呂布十分愛戀嬌妻，東征西殺也要把她帶在身邊。後來曹操、劉備討伐呂布，將下邳城緊緊包圍。呂布幕僚陳宮建議呂布去城外屯紮，截斷曹操糧道，高順守城，裏外呼應擊退曹兵。呂布認爲此計不錯，然而，呂布的妻子卻堅決反對，害怕陳宮、高順不齊心守城，害怕自己有危險，不許呂布出城。嬌妻的眼淚讓呂布心亂如麻，他只好死守城中，每天守著嬌妻飲酒度日。誰會讓呂布如此消沈，束手待斃呢？是美女貂蟬。下邳城破後，呂布向曹軍投降，在白門樓被斬首。《斬貂》故事接續道：呂布嬌妻貂蟬被張飛抓獲，送給了關羽。關羽對貂蟬的美色驚歎不已，但想到古今豪傑往往因迷戀美色而不思進取，或者因爭搶美色而血濺宮城，美色成了禍水。關羽痛下決心，令貂蟬自刎，斷絕紅顏禍亂。

貂蟬因美麗而下場可悲。如果她是王允歌妓，爲翦除董卓而捨身甘當連環計中的美人，假使董卓死後，她能不爲亂兵所殺擄，幸運地回到王允府中，所有的人都會提防她笑裏藏刀的柔媚手段，誰敢娶她，誰敢信任她？王允死後，誰還能收留她？她只能隱姓埋名，苦度餘生。如果她是董卓侍婢，被董卓發現私情，能留下全屍就算不錯了。如果她是秦宜祿之妻，被曹操霸佔後引誘關羽，死在關羽的手上。如果她是呂布之妻，被張飛送給關羽，最後還是被關羽逼死。貂蟬的命運正應了紅顏薄命之說，她的美麗就是她不幸的根源。

6 關羽成神之謎

在中國歷史上，死後建廟並能享受奉祀的眾多人物中，最爲榮耀的，是文聖人孔子和武聖人關羽。

關羽是三國時蜀漢的大將，字雲長，河東解縣人。比起同時代的曹操、諸葛亮和孫權來，他的聲望、地位和業績都差得多了。但是，爲何關羽死後，「官運」越來越亨通？對他的崇拜越來越升級？在全國各地爲他建的廟宇不僅在數量上可與孔廟齊觀，就是在規模上也敢和孔夫子比肩。人們不禁要問，本是一介武夫的關羽，論德，不能「德配天地」；論能，只會打打殺殺；論績，只限蜀漢小國；論才，是被殺了頭的敗將。他是怎樣變成神的？他又怎能被神化到了如此程度？

一是封建專制主義的需要。歷代封建統治者都強調愚忠思想，很需要眾臣子們樹立一個忠君奉主，守節盡忠的學習榜樣，而關羽不受利誘，不怕威逼，節烈剛毅，始終奉一的品質，正好符合這一要求。南北朝時期，由於當時戰爭頻繁，殺伐劇烈，各個小朝定都得鼓勵將軍們建功立業，於是關羽就被推崇起來，並出現了他

圖爲明人繪製的《關羽擒將圖》。

在當陽「獻山建寺」的顯聖之事，於是就爲他修了廟，開始確立了被奉祀的地位。此後，爲他建廟築殿蔚成風氣。當陽成了他由人變神的策源地。

二是強化封建威懾力量的需要。封建統治者爲了對付來自各方的反抗勢力，在武力鎮壓的同時，還要搞強大的精神威懾。關羽顯靈之後，有了「伏魔」「降怪」的外衣，正好可以用來唬人。而且隨著關帝廟的增加，到處都可以讓關老爺顯靈，關羽這個「武聖人」就當然地成了統治階級的無形助手。如宋哲宗時，大臣張商英在元豐四年寫的《重建關將軍廟記》就說：有大力神與其眷屬怙恃憑據，屢屢爲害，弄得四方皆不安寧。關羽禁不住見義勇爲，他披掛整齊，鼓髯而出道：「我乃關羽，生於漢末……」這位關老爺一到家門，大力神聞之肝膽俱裂，嚇得抱頭鼠竄，很快平息了這一禍害，從此海內回絕，遂居其一。以是神亦廟食千里，內外祠供之……」可見關羽的威力無處不在，無時不有，無事不用。

三是補充完善封建文化的需要。作爲封建文化核心的「仁、義、禮、智、信，」過去是文臣儒士的說教，是文聖人孔子的一套，如果把「武聖人」關羽拉來加盟，勢必增加封建文化的說服力量，基於此，歷代帝王不斷地宣揚關羽。宋徽宗先追封其爲「忠直公」，又改封「宗寧眞君」，再加封其爲「昭武安王」和「義勇武安王」；宋高宗重新封其爲「壯繆義勇王」；孝宗再改封其爲「英濟王」。元文宗加封爲「顯靈義勇武安顯靈英靈王」。萬曆封其爲「三界伏魔大帝神威遠鎮天尊關聖帝君」。從此自宋末年至清代，先後有十五個皇帝爲關羽加官晉爵，使其封號由侯而公，公而王，王而帝，帝而聖，聖而天，眞是步步青雲。而且，在關帝廟裏，南宋的陸秀夫、張世傑當了他的左右丞相，岳飛爲其兵馬大元帥，唐初的尉遲恭也進廟成了神，關羽的手下周倉與關平則站在他兩旁，一起風光起來。

四是順應了封建幫會基層的某些需要。關羽之所以在神化之後，能廣泛深入人心，也和勞苦大眾想借助他來達到某種目的有關。如跑江湖的人喜愛他的「勇武」「忠義」，秘密結社；宗教組織用其來凝聚人心；太平天國還喊出了「掃滅世間妖百萬，英雄勝比漢關張」的口號以鼓舞士氣。

另外，對關羽的宣傳也達到了登峰造極的程度，不論從形式上，規模上，技巧上，水平上，都堪稱一流。研究他的學者數不勝數，評論他的文章連篇累牘，有關他的戲劇形成了「關公戲」……這一切似可以說出現了「關公文化」。更起到了對他神化的推波助瀾、以假亂眞的巨大作用。

7 華佗首創開腹手術之謎

華佗是怎樣爲人做開腹手術的？

華佗是東漢時期的名醫。他精通內科、婦科、兒科、針灸等，並對針、藥不能治的病使用了手術治療。他創造的「五禽戲」，是中國歷史上最早的一套醫療保健體操，並一直流傳至今。尤其值得稱道的是，他發明並運用了中藥痲醉劑——痲沸散。他讓病人用酒沖服痲沸散，全身痲醉後進行剖腹手術，割掉病變部位，再行縫合，最後敷以「神膏」並進行傷口包紮，「四五日創愈，一月之間皆平復」。華佗因此被後人譽為「神醫」，「中國醫學史上外科的開山鼻祖」，「世界上最早發明痲醉術和首創開腹手術的醫學家」等等。

華佗的發明與建樹，不僅對中國醫學史有重大影響，在世界醫學史上也佔有一席之地。但是，長期以來，由於對中醫、中藥，尤其是中國古代中醫藥的認識問題及有關華佗的史料較少，華佗醫術又已失傳等原因，學術界對華佗究竟是不是世界上首創開腹術的醫學家，存在很多爭議，並形成根本對立的兩派。

一派是不承認華佗在開腹術方面的首創地位。有人認為在華佗之前，古代印度就發明了痲醉藥和開腹術。其依據是前蘇聯彼得羅夫主編的《醫學史》中記載：早在奴隸制度時期的古印度、古巴比倫、古希臘的醫學案例中，就有當時的醫生用曼陀羅花等植物作爲外科手術的記述。另外，在古印度佛經《女耆域因緣經》中記載：耆域拜阿提梨賓迦羅爲師學醫，認識了許多藥用植物，他精研解剖學，能治療人體臟腑中的許多疾患，如炎彌長者的腸胃疾病就是他進行了開腹手術治癒。一個男子因騎馬墜地瀕死，是他施開腹術進行肝臟重定而得以生還，等等。還有人認爲華佗剖腹治病的事，很可能是古時民間比附印度的一個神話。其根據也是前述佛經中記載的關於「神醫」耆域的記載，並推測在東漢時期，印度的佛教已傳入中國，這個神醫的故事也隨之而來，在民間逐漸演化巧妙地加在華佗身上了。所以認定，古印度的耆域是開腹術的首創者。

另一派則認爲，華佗首創開腹手術的史料記載是可信的。黃樺的《關於華佗首創剖腹手術的異議質疑》一文認爲，華佗首創麻醉術和剖腹手術是有史爲證，符合歷史事實的。其理由是：考證古印度醫書，證明華佗的發明早於古印度。他認爲，古印度的醫學經典《蘇色盧多》是第一部外科學專著，其中記述了一百二十多種外科用具和具體的手術方法，但此書成書時間卻晚於華佗三百多年，怎麼可能影響華佗呢？再者，所謂古印度的神醫，只是佛經中記述的神話，其高超的醫術純屬杜撰，不可信。

考證麻醉藥「麻沸散」的有關史料，證明華佗首創開腹術不謬。據查，《列子・湯問》篇已載，早在戰國時代名醫扁鵲就使用過麻醉藥；馬王堆出土的《五十二病方》裏提到用刀割治內痔、外敷以藥的手術，由此發展到其後幾百年後的三國時代，《三國志》中記載華佗使用麻沸散開腹治病是完全可以使人信服的。值得說明的是，麻醉是行使剖腹手術的一個重要前提。可以這樣說，沒有麻醉劑，只能做一般外科小手術，絕不可能進行剖腹手術，而華佗是世界上中藥麻醉劑「痲沸散」的首要發明者，他把此藥用於開腹手術是完全可能的。另外，據有關專家考證，痲沸散的配方中，曼陀羅花、草烏、當歸、川芎、南星等藥物，大都產於中國，這又從另一個側事跡佐證華佗。

考證中國古代醫學發展史，認爲從《周禮》一書開始，中國歷史上已有關於外科手術的記載，因此，發展到東漢時期，華佗繼承並發展前代醫人的成就，完全可以積累豐富的外科手術經驗，進行開腹手術。

考證世界醫藥發展史，拉瓦爾的《世界藥學史》認爲阿拉伯醫學家知道用麻醉劑進行手術，可能是從中國傳出去的，因爲中國名醫華佗擅長此術。拉瓦爾爲什麼沒提是由印度傳出去的呢？要知道印度距阿拉伯更近，印度的高水準醫藥傳到阿拉伯要比中國傳到阿拉伯更快捷，這只能說明一個問題：印度當時並無麻醉劑，只有遙遠的中國有此技術。

這兩派的爭論至今還在進行，也許不久的將來能有定論。

8 孫堅的大紅頭巾之謎

三國時期的孫堅，是孫武之後，吳主孫權之父，諡號「武烈皇帝」。孫堅自幼機智果斷，威猛剛毅，神勇善戰，屢立平叛戰功，由吳郡校尉步步升遷至長沙太守。東漢末年，天下大亂，孫堅與各路豪傑起兵征討逆賊董卓。孫堅被袁術請漢廷任命為破虜將軍，他身先士卒，衝殺在前，將董卓趕出洛陽城。孫堅又受命進攻劉表，不幸陷入黃祖埋伏，戰死峴山，英年早逝。傳說，孫堅打仗並不戴頭盔，而是裹一條大紅頭巾，這是何故呢？

孫堅本是吳郡人，幼時就有勇有謀，膽識過人，十七歲那年，跟隨父親乘船到錢塘江，正遇上海盜胡五掠完錢財於岸上分贓。船家、旅客都顫抖成一團，哪敢靠岸？孫堅對父親說：「我能制服他們。」父親勸他別冒險。孫堅卻獨自提刀上岸，衝向賊群，嘴裏還呼喊著：「左、中、右路軍士圍住賊寇，擒拿賊首。」海賊們驚慌四散。孫堅追上一賊，斬掉首級。從此少年英雄孫堅的英名傳遍吳郡，他被推舉為校尉。許昌在句章起事，自稱陽明皇帝，擁兵萬人，影響頗大。孫堅被任命為郡司馬，招募兵勇千餘人，剿滅叛亂，又因平亂有功，被升為盱眙丞，後調任下邳丞。

西元184年，黃巾起義大爆發，東漢政府派車騎將軍皇甫嵩、中郎將朱俊征討義軍。朱俊素聞孫堅勇猛無敵，請他擔任佐軍司馬，孫堅與朱俊密切配合，重創黃巾軍。黃巾軍困守宛城，孫堅第一個攻上城頭，左衝右殺十分英勇，攻佔宛城立下頭功。

因鎮壓黃巾軍有功，又升任別部司馬。

西元186年，邊章、韓遂在涼州起事，東漢政府派遣司空張溫平叛。張溫欣賞孫堅的能征善戰，任命他爲參軍協助征討。當時，董卓討伐邊章不利，張溫指責他幾句，董卓竟惡語相譏。孫堅看出董卓早晚是禍害，就小聲勸說張溫殺掉奸逆，樹立軍威。張溫優柔寡斷不忍誅殺，致有以後的董賊亂政。邊章、韓遂聞知孫堅、張溫大軍來到，忌憚孫堅威名，紛紛乞降，涼州之亂遂平。孫堅作戰十分勇敢，總是身先士卒，衝鋒在前。他身材高大，威武勇猛，從不戴頭盔，而是裹著一條大紅頭巾在前拼殺，將士們遠遠就能看到主帥像旗幟一樣在前線衝鋒陷陣，他們也就毫無畏懼地拼死殺敵。

因此，孫堅的軍隊戰鬥力極強，先後擊敗了湖南區星、周朝、郭石的起義，使長沙、零陵、桂陽恢復了東漢統治秩序。孫堅因平叛功高，被封烏程侯。漢靈帝死後，搖搖欲墜的東漢王朝加速走向崩潰。宦官、外戚殊死搏殺後，涼州軍閥董卓乘亂而入，挾持獻帝，橫行霸道，無惡不作。西元190年，關東諸軍在酸棗會盟，誓討董逆。孫堅加盟袁術麾下，稱破虜將軍，拜豫州刺史，擔任破逆先鋒。

董卓兵多將良，實力雄厚，孫堅與他頭一次交手慘遭失敗。重整旗鼓後，二次再戰，率領一萬大軍向西進攻洛陽，駐紮小鎮陽人聚。半夜裏，董卓大將華雄包圍了孫堅，孫堅只好分兵突圍。大隊人馬緊緊追趕孫堅。孫堅對著華雄連射兩箭，卻連連落空，最後一射竟將彎弓拉斷，情況十分危急。孫堅手下看出是大紅頭巾在指引追兵，就把孫堅的紅頭巾戴在自己頭上，引開華雄，孫堅安全回到營地。孫堅汲取教訓，避免死打硬拼，設下伏兵，將華雄引入埋伏圈，殺死華雄，西涼兵大敗。孫堅乘勢殺敗董卓另一大將徐榮，涼州軍首次遇到勁敵，全線潰敗。孫堅乘勝直逼洛陽。

董卓進駐京師以來，頭一回損兵折將遭此慘敗，心中十分畏懼，便想講和，願與孫堅結成兒女親家，封賞孫氏高官。孫堅是頂天立地的英雄好漢，豈能被董卓收買？孫堅把來使痛斥回去。董卓惱羞成怒，任命呂布爲先鋒，校尉李傕、郭汜爲大將，並親自出馬迎擊孫堅。孫堅頭紮大紅頭巾，挺一桿長槍飛身直刺董卓，董卓看到孫堅的紅頭巾就心生膽怯，再瞧孫堅殺氣騰騰的，於是撥轉馬頭，想避一下孫堅的銳氣。但主帥一退，三軍動搖，涼州兵竟全線崩潰。董卓下令棄守洛陽，退守長安。孫堅乘勝進駐洛陽，洛陽已成一片廢墟，滿目瘡痍。孫堅手下從城南甄官井中撈出一個玉匣，竟是傳國之璽。這國璽本是「和氏璧」雕磨而成，李斯親書「受命於天，既壽永昌」八個字，爲秦制傳國璽，代代相傳，國之至寶。孫堅幸運地得到傳國之璽，滿懷信心地準備迎接天降大命於己。

不久袁術命孫堅進攻荊州劉表，劉表手下黃祖在孫堅的猛烈進攻下，節節敗退。黃祖首戰逃到鄧城，二戰逃到樊城，三戰逃進襄陽。黃祖晚上偷襲孫堅，又被殺敗，逃往峴山。孫堅連夜追去，孤身陷入黃祖包圍圈。孫堅的大紅頭巾清楚地暴露在夜光下，飛蝗般的亂箭射中孫堅，一塊巨石又砸中他大紅頭巾包裹的頭部。孫堅一生驍勇善戰，卻由於輕敵而死在敗軍手下。令人歎息。孫堅的大紅頭巾中使他揚名顯赫，勇往直前；也是這條大紅頭巾讓他暴露無遺，成爲眾矢之的，身遭不幸。神奇的大紅頭巾是福還是禍？沒人說得清。

9 蔡文姬是《胡笳十八拍》的作者嗎

蔡文姬，名琰，東漢文字家蔡邕三女，博學多才，妙於音律，然而身世悲慘，經歷坎坷。東漢末年，董卓挾持漢獻帝，天下大亂。匈奴乘機入侵，蔡文姬也被擄去。當時匈奴的左賢王冒頓聽說蔡文姬是文名遠播的蔡邕之女，立即表示願意保護她，納她爲妃。走投無路之下，蔡文姬只好跟左賢王到了匈奴，生活了十二年，爲左賢王生下二子。在這十二年中，她時常登高遠望遙想中原，還按匈奴民歌的節拍寫了《胡笳詩》寄託思鄉之情，這就是著名的《胡笳十八拍》。

這些年中，中原也發生了大變化，曹操統一了北方，人民也安定下來，展現出一派興旺景象。由於曹操十分推崇蔡邕的學問，對蔡邕的《續漢書》未能完稿深感遺憾，聽說蔡文姬流落到匈奴，十分同情，於是派人用重金將她贖回。文姬歸漢後，繼承父親的遺業，參與了《續漢書》的編撰。她的《胡笳十八拍》也在中原傳唱開來。爲天有眼兮何不見我獨漂流？爲神有靈兮何事處我天南海北頭？我不負天兮天何死我殊匹？我不負神兮神何殛我越荒州？這痛苦的詰問，難遏的悲憤，字字發自內心深處的呼喊，震撼了人心。

然而，對《胡笳十八拍》，是否爲蔡文姬所作，卻有兩種不同的說法。持肯定意見的有王安石、韓愈、黃庭堅、羅貫中等文學大家，還有現代歷史學家郭沫若先生。郭沫若不但著文專論《胡笳十八拍》而且作話劇《蔡文姬》讚歎「文姬歸漢」。他認爲這是自屈原的《離騷》以來最有文采的長篇抒情詩，沒有親身經歷是寫不出這樣文字來的。他還說，如果有這麼一位詩人代她擬出了，那他斷然是一位大作家。就是大詩人李白也擬不出，因爲李白沒有她那樣的氣魄和經歷。

蔡文姬是《胡笳十八拍》的作者嗎？圖爲《文姬歸漢》，南宋陳居中畫。

持否定意見的有蘇軾、王世貞、胡應麟等文人學者，現代學者劉大傑等人更是從幾個方面考證，認爲《胡笳十八拍》不是蔡文姬所作。歸納起來，持否定意見者從四個方面進行質疑：一是詩中所述與歷史事實不符。如「城頭烽火不曾滅，疆場征戰何時歇？殺氣朝朝衝塞門，胡風夜夜吹邊月」一句，與歷史事實不符。認爲當時南匈奴已經內附，根本沒有漢兵與匈奴連年累月的戰事了。二是詩中所寫與地理環境不合。如「夜聞隴水兮聲嗚咽，朝見長城兮路杳漫」及「塞上黃蒿兮枝枯葉乾」等句中的長城、隴水、塞上都與蔡文姬被擄去的河東平陽相去甚遠，她能這樣亂用地名嗎？

三是該詩未見於有關史籍。經查，該詩未見於《後漢書》、《文選》和《玉台新詠》、也不見於晉《樂志》和宋《樂志》，甚至《蔡琰別傳》也沒有徵引它的詩句。因此斷定，唐從前沒有此詩，此詩是唐人僞造的。四是該詩的風格、體裁値得懷疑。從語言結構方面看，該詩中「殺氣朝朝衝塞門，胡風夜夜吹邊月」兩句，煉字精巧、對仗工整，平仄諧調，東漢詩中從來未見。從修辭煉句方面看，詩中「淚闌干」是唐時才有的辭彙，而「夜聞隴水兮聲嗚咽」則是襲用了北朝民歌。從用韻方面，《胡笳十八拍》中先韻與寒韻不通押，和曹植的《名都篇》等的通押也不一樣，是唐人的用韻方法。

然而，肯定者則據理力爭，認爲上述質疑完全可以駁倒，他們認爲：文姬在匈奴時正是「胡、狄雄張」，邊境不靖之時，詩中所述完全符合歷史事實。文姬入匈奴後未必長住河東平陽，且匈奴活動範圍遍及陝、甘、晉，說不到地理環境不合。況且詩歌可以誇張和想像，所謂隴水，可以解釋爲隴山之水。詩中寫到長城、隴水是很自然的。該詩不見於著錄、論證和徵引是因爲它不符合「溫柔敦厚」的詩教，所以只能以民間文字形式流傳下來。另外，蔡琰的《蔡文姬集》亡佚了，才造成了無據可查。不是「文人」著錄、論述和徵引的作品，不見得不可靠。還有，南宋以前爲什麼無人懷疑過它？現以六朝文字爲例，六朝文獻大多散失，六朝文字的存在不也沒人懷疑過？

關於風格與體裁方面的問題，更不該對《胡笳十八拍》進行非議。詩中兩句精煉工整的對仗，可能是蔡文姬的獨創，也可能是後人的潤色，但全詩一千二百多字，僅有此兩聯與全詩迴異，怎麼就能否認此詩不是東漢風格呢？至於「淚闌干」在東漢的《周易參同契》和《吳越春秋》中早已有之，絕非唐代始有。另外，用韻方面，否定者舉之例句只是偶合，而且唐人作近體詩才守官韻，作古體詩則不一定遵守。凡此種種，不一而足。孰是孰非，請讀者慧眼識珠吧。

10 小喬的墓塚在哪裡

三國時期，喬玄的兩個女兒大喬和小喬堪稱國色天香，芳名蓋世。後來大喬嫁給了吳主孫權的哥哥孫策，小喬嫁給了東吳都督周瑜。小喬與周瑜郎才女貌，做了十二年的恩愛夫妻。她隨周瑜東征西戰，還經歷了赤壁之戰。後來周瑜患病，小喬一直在他身邊服侍，直至周瑜病逝。小喬死後，許多文人騷客寫了一些詩來悼念她。但是，小喬死後，卻出現了三座墓塚。

一是岳陽小喬墓。

在今湖南岳陽市第一中學後花園內有小喬的墓址，據說這裏是當初周瑜的都督府，到1914年，小喬墓上還有一座墓廬。現在尚留有一塊橫刻隸書「小橋（喬）墓」的石碑，保存於岳陽市文物管理所。歷史上還流傳下來許多小喬墓的對聯。如：銅雀有遺悲，豪傑功隨三國沒；紫鵑恨無限，瀟湘冷月二喬魂。再如：姊妹花殘，青草湖畔雙雁斷；佩環月冷，紫藤牆外有啼鵑。在一些地方誌中，都記載小喬的墓在岳陽，如《岳洲府志》記小喬「死葬岳州今廣豐倉內」；《巴陵縣誌》也記「小喬從周瑜鎮巴丘，死葬焉」；《明一統志》也記有小喬墓在「（岳陽）府治北」（上面所記的「巴丘」就在今湖南岳陽）。爲何在岳陽有小喬墓？因爲此地是周瑜生前的奉邑之地，周瑜死後，小喬因晚年的生活考慮，就居於並歿於此地。

二是安徽廬江小喬墓。

在安徽廬江縣城西一公里處，也有一座小喬墓。與城東一公里處的周瑜墓遙遙相對。此墓有封無表，平地起墳，面東背西，爲漢磚構築。此墓在明末動亂中，被兵火毀壞。清順治年間，江知縣將其修復。抗日戰爭期間，皖西行政督察員對此墓也作過維修。爲什麼說在廬江有小喬墓呢？有人說是周瑜病死後，小喬扶柩東歸，將丈夫葬於家鄉土地，並守墓撫養遺孤二子一女，她死後也葬於此地。

三是南陵小喬墓。在皖南南陵縣城內，中山公園邊上，也有一座小喬墓。這座墓前豎有一塊巨碑，陽刻「東吳大都督周公德配喬夫人之墓」。兩側刻著一副對聯，上聯是：「千年來本貴賤同歸，玉容花貌，飄零幾處？昭君塚、楊妃塋，貞娘墓，蘇小墳，更遺此江左名姝，並向天涯留勝迹。」下聯是：「三國時何夫妻異葬，紙錢酒杯，澆典誰人？筍篁露，芭蕉雨，菡萏風，梧桐月，只借他寺前野景，常爲地主作清供。」該石碑已破裂成幾段，現移存於南陵縣文化館內保存。據《南陵縣誌》記載，此墓建於乾隆四十四年，起因是當時的知縣夢見小喬，訴說她的墓在香油寺側，遂令典史在香油寺西苑重建小喬墓。周瑜曾做過春谷（南陵）長，小喬死後葬於南陵，也就有了依據。

看來，三處小喬墓都像是眞墓，但到底哪個是眞墓呢？從上述記載和推測來看，小喬葬地都與周瑜墓地有關，而嶽陽、廬江、南陵又都稱有周瑜之墓。那麼，可能周瑜眞墓弄清之後，小喬的墓也就會有定論了。

11 周瑜的墓塚之謎

周瑜，字公瑾，廬江人。他曾任東吳大都督，與劉備聯軍，在赤壁大敗曹操，創造了中國軍事史上以少勝多、以弱勝強的一個範例。此役奠定了三足鼎立的歷史局面，使吳國的政治，經濟和軍事力量得以順利發展。從此周瑜威名遠揚，成爲中國古代著名軍事家之一。不過，周瑜短壽，三十六歲便病卒了。據說，周瑜死後，在巴丘、宿松、舒城、廬江等地都有他的墓。一是巴丘周瑜墓。《三國志・吳書・周瑜魯肅呂蒙傳》說「策自納大喬，瑜納小喬。復進尋陽，破劉勳，討江夏，還定豫章、廬陵，留鎮巴丘。」。另外，《三國志・吳書》則說「瑜還江陵，爲行裝而通于巴丘病卒，時年三十六歲。權素衣舉哀，感動左右，喪當還蕪，又迎之蕪湖，眾事費度，一爲供給。」這樣看來，周瑜的靈柩是由巴丘迎到蕪湖的，不可能再運到巴丘歸葬。那麼，在巴丘的周瑜墓只能是個紀念性墓塚，不可能是眞墓。

二是舒城周瑜墓。《舒城縣誌》載「周瑜墓在縣西七十里淨梵寺」。《三國演義》說周瑜是舒城人，他死後，孫權極度哀傷，命人將其厚葬於本鄉。但是，《三國志・吳書》只說他的靈柩運至蕪湖，並非本鄉；另外據考證，周瑜是江舒縣人，並非今之舒城。這就是說，舒城的墓也不是周瑜的眞墓。

三是宿松周瑜墓。《宿松縣誌》載，宿松縣南三十里，有周瑜墓，是周瑜的後代周本所立。但此說證據不足。難以考究，估計也是一座紀念性的墓地。四是廬江周瑜墓。據考查，在廬江縣城東的山外二里，有一座周瑜墓。據史載，1942年有一將領在修墓之後盜掘了周瑜墓。墓碑、華表、石獅都被挖走，連墓磚都挖走。為掩蓋其盜掘古墓的罪行，他重新築墓成台，並請人在石墓上刻了一副卻蓋彌彰的對聯：「赤壁展宏圖，三十功名，公已勳垂宇宙；佳城封馬，二千年後，我來樹此風聲。」

據考證，在這附近的村子裏。一些農戶的短牆上存有不少墓磚，磚上的花紋圖案說明這是東漢時燒製的。如今，這裏的周瑜墓已破落得不成樣子，只是一堆黃土了。據說原來的墓高兩米，墓門向東，墓碑上題有「吳名將周公瑾之墓」。聯想到《三國志・吳書・周瑜傳》載「周瑜字公瑾，江舒人也」及歸葬本鄉的說法，江舒周瑜墓可能才是眞墓。但是，由於年代久遠，史料缺少，一些墓地又遭嚴重毀壞，到底周瑜的眞墓在哪裡，仍需進一步考證。

12 曹丕與廿四個兄弟爭位之謎

魏文帝是擊敗二十四個兄弟後登位的。

曹丕，字子恒，中平四年（187年）生於沛國郡，是曹操的次子。他自幼跟隨曹操南征北戰，武藝超群，且很有文才，漸漸成長爲既有文韜武略，又有統一江山雄心的一代英才。

赤壁之戰以後，曹操、劉備與孫權逐漸形成了三分天下的局面，東漢政權已名存實亡了。東漢建安18年，曹操被封爲魏王，獨攬朝廷政務，皇帝只有虛名。但曹操認爲條件不成熟，當時沒有廢帝自立，把改朝換代的使命留給了自己的後代。因此，曹操的才識卓越又雄心勃勃的兒子們，便展開了太子位的角逐。

曹操有二十五個兒子，長子曹昂在南征時戰死，曹丕便成了長兄。在諸兄弟中，曹丕、曹彰、曹植、曹熊爲正室卞夫人所生，都有被立爲太子的資格，其餘庶生的兄弟則難存希望。依說，按照嫡長子繼位的傳統制度，曹丕當太子是順理成章的事。然而，曹操是個不循舊規的人，說不定因爲什麼變故，就換了別人。因此，曹丕爲了爭位，千方百計貶抑群弟，處處防範，直到稱帝後還不罷手。據說，曹丕的同父異母小弟曹沖，聰敏過人。有仁愛之心，並且容貌俊美，一表人才，曹操經常對群臣稱讚曹沖，有讓曹沖繼承事業之心，可惜曹沖十三歲就得病死去。曹丕暗暗慶幸去掉了一個威脅。

三弟曹植能文能武，胸有大志，特別受曹操寵愛。朝臣楊修、丁儀、等人都稱讚曹植的奇才，勸曹操立曹植爲太子。曹丕於是積極培植自己的勢力，與親信們謀劃對付曹植。他先是爭取討得曹操的歡心。在曹操出征時流涕跪拜，僞裝誠實仁厚，蒙蔽曹操；還裝出儉樸勤勉的樣子，讓曹操認爲曹植只是個能說會道，任性而行的才子而已，不堪大任，而使曹植失寵。一次，曹操見曹植妻穿著華麗，竟將她賜死。曹植的親信楊修被曹操殺掉之後，丁儀等人也被曹丕設法除掉。曹丕即位稱帝後，曹植雖爲臨淄侯，曹丕卻派心腹監視他，使他動輒違犯規定。他心灰意懶，深感死活苟且都難，便終日借酒澆愁。

曹丕就藉口他「醉酒悖慢，劫脅使者」，想治他的罪。在朝廷之上，曹丕說：「我和你情分上是兄弟，但道義上是君臣，你竟敢倚仗有才就蔑視禮儀。以前先王在世時，你常常向別人誇耀顯示你的文章，我懷疑你是找人代筆寫的。現在我限你七步之內作詩一首，如能做到，就免你一死，否則從重治罪，決不寬貸。」曹植連想都沒有想一下，即隨著曹丕的話言賦詩一首：「煮豆燃豆萁，豆在釜中泣，本是同根生，相煎何太急。」曹丕聽了，動了骨肉之情，禁不住潸然淚下。他母親從堂後走出來說：「你爲兄的爲什麼要對弟弟如此相逼呢？」曹丕慌忙說：「我們雖是兄弟，但國法不可廢棄。」於是貶曹植爲安鄉侯，隨後遷爲鄄城侯。

曹植在母親的庇護下，以其超群的文才總算逃過了一劫。二弟曹彰驍勇過人，常常領兵出征。任鄢陵侯。曹操死後，曹丕爲防諸弟爭權，分遣他們回各自的領地。曹丕認爲曹彰手握重兵，對自己是個威脅，也想把他趕出京城。曹彰一氣之下，交出大軍，回封地中牟縣去了。但曹丕對他還是不放心，怕他起兵謀反，因此決心除掉他。黃初四年（223）六月，曹彰進京朝見，曹丕邀曹彰在卞太后宮中邊吃棗邊下圍棋。曹丕事先已命人將毒下在一部分棗子裏，他挑無毒的吃，而曹彰則毫不留意，隨便拿著吃，結果中毒而死。

曹丕生前，曾把諸弟都分封爲王。但封地卻由一郡改爲一縣，這種分封已是虛應故事了。雖然其政權沒出現過藩鎮割據的局面，但也造成了皇室的孤立無援，使日後的司馬懿父子得以輕易篡奪了曹氏大權。

13 孫權的正宮皇后被人暗殺之謎

孫權，字仲謀，是三國時期東吳的創業之主。少年時期的孫權就性格開朗，胸懷寬廣，好俠養士，仁義而有決斷，隨其兄吳侯孫策出兵江東時，經常出謀劃策，顯示出過人的智謀，十五歲即被孫策委任爲陽羨縣長。不久又被推舉爲奉義校尉。十八歲那年，其兄孫策遇害，孫權繼承了孫策的職位，成了江東的最高統治者，擁有會稽、丹陽、豫章、吳郡、廬陵和廬江六郡。他待老臣張昭以師傅之禮：以周瑜、程普等舊將統軍，並招納賢人，聘請俊傑，重用魯肅、諸葛瑾等名士，鎮壓了內外叛亂，使政權穩固下來。爲了開拓疆土，他採納了魯肅的建議，出兵西征黃祖，取得勝利，佔據了長江下游一帶廣大地域，還派兵討伐山越，平定了反叛，解除了後顧之憂。

後來，孫權又接受周瑜、魯肅的建議，與劉備聯合，在赤壁大敗曹操，奠定了魏、吳、蜀三國鼎立的局面，以後，孫權向嶺南發展。建安十五年，交趾（今越南河內東北龍編）太守士燮以嶺南七郡歸降。222年孫權稱吳王。後來爲爭荊州，孫權又大敗劉備於亭。

229年正式稱帝，定都建業（今南京市），國號吳。作爲江東之主，在開展軍事、外交活動和擴大疆域的同時，孫權還很注重發展生產，富國強兵。他推廣屯田，免除民役，以發展生產，增加收入。他還重視水利建設，築堤開渠，尤其是大力發展造船業，派人大規模航海，其艦隊曾到達夷洲（今臺灣）高句麗（今朝鮮）、林邑（今越南中部）、扶南（今柬埔寨）等國。孫權還派使者出使南洋諸國，與印度建立聯繫。這些活動都擴大了東吳的聲譽和在海外的影響，對中外經濟文化的交流作出了積極的貢獻。

孫權的正宮皇后是被誰暗殺的？

然而，孫權晚年卻漸漸走下坡，剛愎自用，猜忌群臣，信用奸佞，排斥忠良，成了一個昏聵之人。滿朝文武曾諫止他授公孫淵爲燕王，他非但不聽，竟要誅殺爲首的老臣張昭，氣得張昭稱病不朝。後來公孫淵叛吳投魏，孫權明知自己處置不當，也不作反省。爲了監視文武百官，他設置了校事、察戰兩職，任用奸佞之人，詆毀大臣，羅織罪名，構陷無辜。致使丞相顧雍無故被誣陷，江夏太守刁嘉被陷害。諸大臣都多次勸諫，而孫權卻置若罔聞，使君臣不再和睦，上下不再同心。

赤烏五年，孫權立孫和爲太子，以孫霸爲魯王。孫霸倚父皇寵愛，覬覦太子之位，拉幫結黨，培植親信，朝中形成擁嫡、擁庶兩派。孫權竟不分是非曲直，幽禁太子，誅殺奉禮而行的擁嫡派大臣。赤烏十三年，孫權正式廢除太子孫和，誅殺進諫的朝臣武將數十人。同時又下令孫霸自殺，並以結黨誣陷太子的罪名，誅殺了擁庶派大臣。受此牽連，吳國一大批文臣武將死的死，流放的流放，所剩無幾，元氣大傷。雖然孫權又立少子十歲的孫亮爲太子，但東吳已內無賢嗣，中無謀主，外無良將，已成危機四伏的國家了。

最呈亡國之象的事是正宮皇后竟被人暗殺了。這是怎麼回事呢？原來，太元元年年已七十的孫權得了風疾，開始安排後事之際，太子孫亮之母潘皇后見孫權病重太子年幼，竟心懷叵測，派人詢問中書令孫弘西漢時呂后專制故事，想效仿呂后臨朝稱制。此事為諸宮人所知，個個心不自安，由於潘皇后性格刁蠻，心地險惡，平時就譖害其他妃嬪，一旦掌了權，說不定會變本加厲殘害眾人，於是趁她侍奉孫權勞累成疾，在內宮昏睡之時，幾個宮人用繩索將她活活勒死，假說中惡而亡。後來事情洩露，孫權誅殺了六七個人。不過，一個正宮皇后，剛因子得貴不到半年，竟遭人忌恨至此，也足以說明東吳的氣數已盡。

14 司馬衷爲何娶醜女爲皇后

晉惠帝司馬衷是司馬炎的長子，爲皇后楊豔所生，自幼癡呆，從師數年竟識不得幾個字。爲此，司馬炎遲遲不肯立他爲太子。這可急壞了生母楊后。按宮中規矩，歷來「子以母貴」、「母以子貴」。司馬衷當不上太子，肯定影響楊后未來的地位。於是楊皇后與早已入宮做了夫人的表妹楊芷密謀，日夜糾纏武帝司馬炎，非讓他立司馬衷爲太子不可。偏巧武帝沈溺女色，貪戀床笫之歡。禁不住嬌妻美妾的糾纏，終於不顧司馬氏的江山社稷，把這個傻兒子立爲太子。

傻太子到了十一歲，正當議婚之年。武帝爲太子選妃費盡了心機，一定要給他找個既美貌又賢惠的姑娘作妃子。可是事與願違，武帝又落入了楊后設計的圈套，選了個又醜、醋勁大、又悍的女人賈南風當了兒媳。這醜女賈南風是車騎將軍、魯公賈充的第三個女兒，長得又黑又矮，面帶凶相，別說嫁給太子，就算送與百姓爲妻也未見得有人要。可是，在一場政治交易中，她卻一步登天，進了東宮。

這場交易的始作俑者是賈充的同黨，侍中荀勖。當時，賈充正奉旨準備率軍西征鮮卑叛亂，在城西夕陽亭爲賈充餞行的酒宴上，荀勖猜透了賈充明知打不過鮮卑，不想出征，又想不出脫身之法的心理，悄悄獻了一計，要賈充把醜女賈南風嫁給太子。這樣賈充當了皇帝的親家翁，自然不必再去出征了。賈充不敢相信此事能成，但荀勖卻似乎成竹在胸，向賈充打了包票。於是，按荀勖之計，賈充的妻子先用重金買通了楊后身邊一名貼身近侍，這近侍一面在宮中大肆散佈賈南風秀外惠中，是太子妃最佳人選的消息，一面又在楊后耳邊不厭其煩地誇賈南風怎樣善解人意，孝順長輩。把楊皇后說得滿心歡喜。怕武帝不允，這個近侍又給楊后出歪主意。於是，楊皇后依計而行。

一天，武帝與楊后商議太子選妃之事，楊后堅持選賈南風，說她十分賢慧，人人稱讚，太子妃非她莫屬；武帝則看中了陽公衛之女，認爲此女才貌雙全，又出身世代忠良之家，要選就選衛女。二人各執一詞，互不相讓。最後楊后提議請大臣們幫著出主意，武帝只好答應。第二天，武帝召來一班寵臣，在偏殿擺宴爲太子議婚。賈充的同黨荀勖等人都在座。這幾個人早已串通好了，開言便誇讚賈南風如何如何好，不由武帝不信。

武帝問：「賈卿有幾個女兒？」荀勖答道：「共有四女。長女已配齊王（司馬炎之弟司馬攸）爲妃，二女也已出閣，其餘尚未許人。」當武帝得知其餘二女中，美貌的四女才十一歲時，便面帶不悅之色，荀勖忙插嘴說：「以臣之見，不如選三女。此女十五歲，名南風，相貌雖不及其妹，但才德出眾。臣以爲女子尚德不尚色，請皇上聖裁。」武帝被他的花言巧語所蒙蔽，就答應了這門婚事。賈充聽到這個消息，簡直不相信自己的耳朵，差點給這三個同黨跪地磕個響頭。

成親那天，車水馬龍，繁華奢麗，沿街百姓無不嗤之以鼻。入宮之後，武帝眼見兒媳相貌醜陋，舉止不雅，腸子都要悔青了。無奈木已成舟，況且自己的傻兒子並不嫌棄，反倒滿心樂意。武帝只好自認晦氣搖頭作罷。這樣一來，頭一個得意的就是楊后，在這件大事上，她又占了上風，武帝全依了她。再一個樂得合不上嘴的就是賈充了，他做夢也沒想到，自己竟當上了皇親國戚，權勢更加一等，當然更不必到前線去送死了。

納妃之後，傻太子仍然癡呆如初，整天只知尋歡作樂。

一次，他在華林園聽到一片蛙聲，竟問侍者：「這呱呱亂叫的是官蛤蟆還是私蛤蟆？」

一名近侍強忍住笑說：「凡在皇宮池塘裏叫的都是官蛤蟆，在私田裏叫的便是私蛤蟆。」司馬衷一本正經地說：「應該給官蛤蟆多賞些吃的。」

還有一次，宮女們在一起議論家鄉鬧了災荒，許多人都餓死了。司馬衷在一旁自作聰明道：「這些人眞傻，怎麼不喝肉粥呢？」

這樣的笑話，迅速傳遍了京城。賈南風當然不滿意自己的呆子丈夫，但爲了權勢和富貴，只得暫時忍著。

後來武帝病故，傻太子即位，當了皇帝，賈南風也登上了皇后的寶座。這時，她又妒、又狠、又刁、又凶的本性才全部暴露出來。她先是勾結宗室，殺了重臣楊駿並滅其三族，又廢了皇太后，消滅了自己的政敵。而後，又培植親信，借刀殺人，在朝廷中製造混亂，互相傾軋，最後連太子司馬遹也遭其毒手，被廢被殺。而惠帝司馬衷，則如同賈南風手中的玩偶一樣，任其驅使，成了個純粹的傀儡。

賈南風的倒行逆施遭到了朝野上下的怨聲，也給一些野心家可乘之機。時任車騎將軍、太子太傅的趙王司馬倫趁機僞造詔書，聯合梁王、齊王帶人闖入宮中，劫持了司馬衷，廢了賈后。五天後，賈南風被賜死，飲下一杯毒酒。這個惡貫滿盈的女人終究沒得好下場。她死之後，其親黨賈氏一門大都被誅殺。

從此以後，傻皇帝司馬衷不但成了純粹的「孤家寡人」，而且成了叛亂諸王手中的工具，被人挾持來挾持去不得安生。不到五十歲，就被東海王司馬越毒殺了。

15 石虎爲何「虎毒食子」

石虎是十六國時期時後趙國君石勒的侄子，十一歲那年走失，十七歲那年才回到石勒身邊。因其能騎善射，能征善戰，石勒提拔他爲征虜將軍。但石虎生性殘暴，抓到降兵不論男女一律殺掉，令人髮指。

咸和五年（330），石勒稱帝，封石虎爲中山王，尙書令。但石虎自恃功高，爲自己沒得到大單于的位子對石勒產生了怨恨，遂起殺心，想在石勒死後把其子孫斬盡殺絕。三年後石勒病故，石虎開始報復。他先是把石勒之子石弘逼上帝位，自己則當了一個時期的魏王、大單于，獨攬朝政，過了挾天子以令諸侯的癮。一年之後，他把石弘廢爲海陽王，自稱趙天王，改元建武，立自己的兒子石邃爲太子。過不久便下毒手，把石弘、石弘的母親，秦王石宏、南陽王石恢全部殺掉，總算解了一下心頭之恨。

建武二年（336），石虎在襄陽建太武殿，又在鄴建東宮、西宮。太武殿氣勢宏偉，金碧輝煌，所有柱、壁全用金銀玉珠裝飾，極盡奢華。爲了供自己淫樂，又強徵民間美女一萬多人，分配到新建的靈風台九殿中。整天享樂的石虎把政事全交給兒子石邃打理。石邃的荒淫暴虐並不亞于其父。他經常夜闖大臣家中，明目張膽地姦淫大臣的妻妾。大臣們敢怒而不敢言。他還不問情由，經常把自己玩膩了的美姬殺掉，然後把洗刷乾淨的人頭放在盤子裏給大臣們傳看，看到大臣們嚇得張口結舌的樣子，他才心滿意足。石虎做事喜怒無常，當石邃向他彙報政事時，他竟忿忿說：「這點小事還得告訴我？」有時不告訴，石虎又大發雷霆。石邃每月都要挨上幾頓鞭子，還不知犯了何錯。石邃無法忍受，便帶領五百名騎兵準備叛亂，可是兵士們不願白白送死，都跑掉了。石邃又糊裡糊裡地回到宮中，結果被石虎毒打一頓，並軟禁起來。過了幾天，石虎消了氣，遂把石邃放了出來，可是石邃竟不謝恩，揚長而去。這下石虎可氣急了，當即把他廢爲庶人，並將石邃及其妃子、兒女共二十六人全部殺掉，塞到一口大棺材裏埋掉了事。

殺掉石邃以後，石虎又立次子石宣爲太子，並開始窮兵黷武，先是調動三萬大軍征服地遼西鮮卑段遼，後又出兵前燕，被打敗，他還不死心，又搜刮民財，強征民工，準備東征前燕、南征東晉、西征後涼，但大都以失敗而告終。他貪婪成性，毫不知足，經常派人挖掘古墓，盜取財寶。他在民間搜羅了十三至二十歲的女子三萬多人充實後宮，猶嫌不足，又於建武十一年（345），增設女官，強搶民女，據說當時有九千多已婚婦女被他擄到宮中。

石虎還非常迷信，派人四出求福。因爲他的兩個兒子石宣和石韜兩人分別到名山大川去爲他求福，大講排場，互不服氣，二人發生衝突，太子石宣便派人暗殺了石韜。石虎知道了此事是石宣所爲，便把石宣騙進宮中，讓人砍斷石宣手腳，挖出眼睛和腸子，然後燒死。並把石宣的妻子兒女共九人也全部殺死。太甯元年（349），這個殘暴的昏君患病身亡，他的小兒子石世繼位。但這個十一歲的小皇帝在位僅三十三天，便被他的兄長彭城王石遵廢掉，不到幾天，他和他的母親又都被石遵殺死。石虎一生窮兵黷武，荒淫無度，殘暴成性，他的兒子有的被他殺掉，有的相互殘殺，都和他一樣沒有好下場。

16 歷王苻生「虐待狂」之謎

前秦時期，中國出了個殺人不眨眼的暴君，名叫苻生。此人生來就是個獨眼龍，生性頑劣，桀驁不馴，像個無賴。皇始五年（355），其父苻健病危時對他說：「酋帥，大臣如不聽從你的命令可以把他們收拾掉。」苻健死後，二十二歲的苻生繼承了帝位。

苻生以殺人爲樂，不論什麼人，不論什麼場合，他想殺就殺，極其殘忍。他在會見大臣時，準備了一大堆兇器：拉緊的弓箭，出鞘的佩刀，還有錘、鉗、鋸、鑿等，都放在手邊。看誰不順眼，就當場把誰殺死。誰勸諫他幾句，他就說：「你這是誹謗，拉出去殺掉。」誰奉承他幾句，他又說：「你這是向我獻媚。」也拉出去殺掉。弄得滿朝人人膽顫心驚，不敢說話。他的妻妾稍不順心，他也照殺不誤，還要把屍體扔到渭水裏去餵魚。

尤其殘忍的是，他經常剝掉囚徒的臉皮，讓他們在宮中唱歌跳舞，鮮血淋漓如同鬼怪。大臣們嚇得毛骨悚然，不敢睁眼。苻生卻哈哈大笑，樂此不疲。他還不斷變換著殺人的花樣：截肢、挖胎、鋸頭、拉碎，簡直慘無人道到了極點。由於他生來獨眼，就忌諱人們說「不足」、「不具」、「少」、「缺」、「毀」、「雙」等字眼。一次，一個太醫爲他調藥，無意間忘了他的忌諱，說了「不具」兩個字，苻生當即挖出了他的眼睛，然後把他殺掉。類似這樣誤犯他的忌諱而被殺的人不計其數。

苻生還是個酒鬼，酒醉後殺人更是家常便飯。一次他大宴群臣，讓尚書令辛牢負責斟酒。酒至半酣，苻生突然站起來對辛牢說：「爲什麼斟個酒這麼不盡職，現在還有坐著的。」意思是，怎麼還沒有把這些人都灌醉？可是沒等辛牢明白過來他是什麼意思的時候，就被他一箭射死了。眾大臣見狀，急忙倒酒自斟飲直到爛醉如泥，全都倒在地上不省人事，苻生才露出笑臉。苻生的荒淫無恥也令人不忍聞見。他經常讓宮女們在大殿前脫光了衣服，與男子性交，看著滿地一對對赤身裸體淫亂的場面，他樂得拍手大笑。

苻生從來不懂任賢用能，不會治理國家。爲了保住自己的位子，竟迷信天象，濫殺無辜。一些朝廷重臣，就曾因爲他的突發奇想糊裏糊塗地掉了腦袋。一次因爲發生日蝕，他就殺了司空王墮。倖存的王公官吏都紛紛託病回家。苻生對自己的暴虐不但不知收斂，還頒佈了一道荒謬絕倫的詔書，認爲自己才殺了千八百人，眾人就說他暴虐，但是街上仍有並肩走路的人，可見活人還有不少。以後還要更加嚴刑峻法。據說，當時虎豹豺狼也遍地橫行，專吃人不傷牲畜，一年之內竟吃掉七百多人。大臣們上報苻生，苻生卻說：「野獸餓了才會吃人，它們吃飽了就自然停止吃人了，總不會長年累月地不停地吃下去吧。再說，百姓受害正是因爲他們犯罪惹怒了蒼天，只要平時不犯罪總不會受害。所以無論如何不要怨天尤人。」

苻生的胡作非爲，引起了天怒人怨，人們恨不得把他碎屍萬段方能解恨。他在位不到三年，便被苻堅領人入宮殺死。這個殺人魔王終於遭到了報應，落得個身首分離的下場。

17 文帝元寶炬的「政治婚姻」之謎

北魏宣武帝時期，正始四年，京兆王元愉的夫人生了個寶貝兒子，取名寶炬，意思是希望他長大後能弘揚家門，像火炬一樣燃起元氏之光，照亮中原大地。然而，元寶炬生不逢時，命運多舛。兩歲那年，父親元愉因謀反罪被宣武帝誅殺，十歲那年，孝明帝即位，元愉一家才得以平反昭雪。在殘酷無情的政治鬥爭漩渦裏，元寶炬艱難地成長著，埋頭書海，立志成才。十六七歲時就通古博今，展露才華，被孝明帝提升爲直將軍。孝武帝繼位後，又晉升爲太尉、太保、尚書令等要職。

西元534年，孝武帝被人毒死，元寶炬被宇文泰另立爲帝，史稱西魏。宇文泰自任大丞相，實際上操縱了西魏政權。西魏建立初期，疆土只占陝西、甘肅一帶，勢單力薄，經濟脆弱，特別是東魏和強大的柔然族侵擾，使西魏充滿著憂慮和危機。元寶炬和宇文泰同心協力，依靠鮮卑貴族和關隴土族，任用蘇綽等改革官制，建充計帳（租賦預算）和戶籍制度，頒行均田制，創立府兵制，分設八個柱國大將軍統率，使農業生產發展起來，國力也逐漸強盛起來。這期間，東魏屢屢進犯，都被西魏打敗。東魏不得不對西魏刮目相看了。但是，東魏的存在，始終是西魏的巨大威脅。

宇文泰爲了攻打東魏，決定採取和親政策，聯合柔然壯大實力。可是，與柔然的政治同盟，卻是以犧牲文帝元寶炬的愛情爲代價的。在那個時代，中原皇室與北方的少數民族和親、通婚，是很正常的事。中原皇帝多娶了一個少數民族女子爲妃，或是少數民族的可汗娶了中原皇帝的公主爲後，沒什麼大驚小怪的。而宇文泰一手安排的「和親」，卻是元寶炬必須廢掉自己鍾愛的皇后乙弗氏，另立柔然首領頭兵可汗的女兒鬱久閭氏爲皇后。這對元寶炬來說是一種莫大的恥辱，一種極大的痛苦，然而，他卻只有順從。作爲一個皇帝，又是他莫大的悲哀。

乙弗氏是吐谷渾族人，具有少數民族姑娘特有的開朗性格，善解人意，很受元寶炬的寵愛。再加上乙弗氏美麗的容貌，白皙的皮膚，婀娜的身材，更使元寶炬與她情深意篤，形影不離。而今，宇文泰的一紙「和親」文書，如同棒打鴛鴦，令元寶炬痛徹心扉。被廢的乙弗氏則削髮爲尼，住在皇室間一個側室裏，整天過著以淚洗面的日子。

與此同時，鬱久閭氏卻無比風光。作爲少數民族的女性，能夠遠嫁中原，成爲皇后，是多麼大的榮耀。她是被七百輛陪嫁車、一萬匹駿馬、兩千頭駱駝和浩浩蕩蕩的送親隊伍簇擁到西魏的。爲了防止文帝與乙弗氏藕斷絲連，重燃舊情，鬱久閭氏又把乙弗氏趕到了泰州。後來，又藉故讓文帝下手敕賜乙弗氏自盡。據說，乙弗氏見了聖旨，不禁痛哭失聲，高聲喊道：「願皇上萬萬歲。天下康寧，我也就死而無恨了。」然後自殺而死，年僅三十一歲。乙弗氏做了黑暗政治犧牲品，情場鬥爭的冤魂。

鬱久閭氏除掉了情敵，滿以爲高居皇后寶座，享盡天下榮華，可以盡情歡樂了，哪知道，文帝元寶炬從此茶飯不思，常常孤坐呆立，沒有一絲笑容，恨不得將新皇后一把掐死，方解心頭之恨。二人之間，哪兒來的溫存體貼？哪裡有什麼肌膚之親？鬱久閭氏不免「鬱久」生病，臥床不起，沒過多久，也一命歸天，跟乙弗氏去了。元寶炬的「政治婚姻」以一場悲劇結束了。

他的傀儡皇帝生涯，令世人唏噓感歎。西元551年，元寶炬病死，終年四十五歲，葬於永陵，謚號文皇帝。此後，宇文泰又毒死了元寶炬的兒子元欽（廢帝）。爲宇文氏家族篡位奪權做準備。宇文泰死後，其侄宇文護迫使廢帝的兒子恭帝讓位，由宇文泰之子宇文覺即位稱帝，建立了北周。宇文泰玩弄元寶炬祖孫三代傀儡皇帝於股掌之中，全是爲了宇文氏家族登基的政治需要。元寶炬的「政治婚姻」，不過是其中的一齣鬧劇罷了。

18 陶淵明說的「桃花源」在哪裡

東晉大詩人陶淵明寫的《桃花源記》是一篇流傳千古的傑作，曲折動人的情節，生動流暢的描述和栩栩如生的人物，爲人們展示了一個百姓夢寐以求的理想社會——桃花源。故事大致是這樣的：

據說，在晉朝太元年間的武陵地方，有個漁人，經歷了一次美妙的奇遇。一天，他沿著一條小溪划舟向前，不知不覺間來到了一片桃花林間。這裏是一片桃花的海洋，樹上滿眼是盛開的桃花，桃林夾著溪水向兩岸伸展，一眼望不到盡頭，令人心曠神怡。漁人覺得奇怪：我以前怎麼從來沒到過這地方呢？

他好奇地划著小舟，打算找到這片桃花林的盡頭。划呀划呀，他終於來到了小溪的源頭。只見這裏有一座山，山腳下有一個山洞。漁人拴好了自己的船，沿著山洞向裏面走去。起先，洞中的通道很狹窄，走了幾十步後，洞口一下子寬敞起來，展現在他眼前的是令他萬分驚奇的新天地。

舉目望去，這裏有寬廣平坦的田野，整齊排列的村舍，清澈美麗的池塘，綠葉婆娑的桑樹和竹林……那些在田地裏勞作的農夫，路上行走的行人，房前閒坐的老人，河邊洗衣的婦女，說著、笑著、唱著，神態都十分快樂，這裏彷彿沒有憂愁，沒有痛苦，沒有傷悲，甚至雞鳴和狗叫的聲音都是那麼平和。這裏眞是一個神奇的世界。洞中的人們瞧見了這位陌生的漁人，都圍攏過來。交談之後，大家都熱情地邀請漁人到自己家裏做客，好像多年不見的老朋友。漁人來到了一個人家，那家人殺雞擺酒招待他，許多村民來看望他。漁人問他們是怎樣到這地方來的，他們就一五一十地告訴了他。

原來，他們的祖先是秦朝人，在那兵荒馬亂的年月，逃難來到了這裏，以後再也沒有到山洞以外去，於是，便和外面的世界隔絕了。這些人在這裏繁衍生息，這裏也成了世外桃源。漁人聽了他們的述說，十分驚奇，問他們道：「你們知道現在是什麼朝代嗎？」他們都說不知道。漁人就把外面發生的事情，朝代的更疊，像講故事那樣講給他們聽。從陳勝吳廣揭竿而起講起，什麼劉邦滅了項羽建立漢朝，漢武帝出征匈奴，王莽篡位，劉秀稱帝，魏蜀吳三國鼎立，五、六百年的歷史使他們感到十分新奇。後來，漁人又被別的人家請去吃飯，家家都用好酒好菜款待他。過了好多日子，漁人思家心切，臨別之時，大家叮囑他說：「千萬不要把我們這兒的情況跟外面的人說呀。」

漁人告辭以後，順著來時的路途往回走，並沿途做了記號。回到武陵，漁人立即跑到太守那裏，向官府報告了他的見聞。結果，他帶著官府的人沿小溪前行，卻迷失了道路，再也沒有找到原來的記號，找不到那個世外桃源了。陶淵明生活在一個動蕩不安的年代裏，「道子專權，國寶亂政，王恭起兵，桓玄奪位」，朝廷腐敗，驕奢淫逸，百姓生活痛苦不堪。誰不嚮往那沒有剝削和壓迫，自由安樂的

陶淵明的「人間仙境」到底在哪裡？

社會呢？《桃花源記》激起了人們對理想世界的追求，人們從各個方面探尋桃花源的眞實所在，可惜，莫衷一是，直至今日，仍是一個不解之謎。

試看下述的幾種說法，哪個較使人信服：

根據地名說。有人認爲，現今湖南省桃源縣有一景點，恰似「桃花源」。那裏面臨沅水，背靠青山，景色秀麗，林木深幽，有唐人建的寺、觀、有宋人建的樓，有明清兩代人建的景點，彷彿都符合作品中「漁人遇仙」的意境。但據考證，宋代才在這裏設縣命名，那些景點和建築肯定是後人的附會。此說過於牽強。

根據時代說。有人認爲，桃花源應爲湖北武陵地區的苗民村落。其根據是，東晉時期，湖西苗族正處於父系氏族初期的社會，貧富不懸殊，無徭役，無官稅，百姓們生活安寧，相處平和。另外，武陵地區的苗民崇拜桃樹，並有殺雞待客的習俗，但具體地點，無人說得清楚。

隱居鄉間的陶淵明怡然自得，眞像個「神仙」。

根據作者遊蹤說。有人認爲，桃花源是在古海州的宿城山凹。據考察，這裏三面環山，一面向海，無陸路與外界相通。據說，陶淵明曾任過參軍，到過此地，領略過宿城山凹的美麗景色——那裏極像《桃花源記》描述的洞內外景觀：「復前行，欲窮其林。林盡水源，便得一山。山有小口，彷彿若有光。便舍船，從口入。初極狹，方通人，復行數十步，豁然開朗。」這或許是陶淵明心目中的桃花源？

根據作者家鄉說。有人認爲，桃花源就是陶淵明家鄉潯陽柴桑附近的康王谷，這裏亦稱「桃花源」。康王谷長三十餘里，不是知情人即使來到康王榖口，也不會知道其中有深谷。這裏的春天繁花似錦，遍野飄香，美麗的田園風光幾乎與《桃花源記》裏描繪的世外天地一模一樣。作爲家鄉人，陶淵明肯定是康王谷的「知情人」。康王谷成爲他筆下「桃花源」的原型，十有八九。上述種種說法，各有千秋。至今沒有一個公認一致的答案。這也並不奇怪，「桃花源」畢竟是人們嚮往中的世外之地，怎能處處「對號入座」呢。

19 花木蘭其人眞相之謎

漢樂府中記載了一個叫花木蘭的巾幗英雄的故事，她替父從軍的事蹟在中國廣爲流傳。故事是這樣的：北魏後期，北方邊境的柔然族、東北邊境的庫莫溪、契丹等少數民族逐漸強大起來，他們經常派兵騷擾中原，搶劫財物，擄走人民。北魏朝廷爲了對付他們，常常大量徵兵，送到邊境去駐防。

花木蘭生在一個普通的農家，上有年邁的雙親，下有幼弟和妹妹。她沒上過學，跟著父親學會了讀書寫字。平日在家織布、煮飯、洗衣、餵豬，裏裏外外都是一把好手。閒暇時，她便練習騎馬射箭，練就了一身好武藝。全家五口人過著安寧和睦的日子。花木蘭開朗豪放，知書達禮，整天歡聲笑語不斷，渾身洋溢著少女青春的朝氣。

有一天，家裏忽然聽不到歡愉的說笑聲，只聽到花木蘭低低的歎息聲。老父親問她：「你有什麼心事呢？」花木蘭說：「我沒有什麼心事。只是昨晚看到朝廷徵兵的軍帖上有您的名字。您年紀已過半百，小弟年幼又不能替您從軍，女兒我怎能不焦急呢？」父親呵呵一笑說：「保家衛國是我們百姓的責任，我雖然年紀大了些，但是也應該上前線去殺敵保國呀。」花木蘭望著父親花白的頭髮說：「到邊疆去當兵，風餐露宿，爬冰臥雪，還要與強敵拼殺，您這把年紀怎麼吃得消？只有女兒替您去了。」父親感歎地說：「自古以來，哪有女孩子去當兵的？你的孝心我領了。還是我去從軍吧。」

其實，花木蘭昨晚一夜未眠，早就想好了辦法，決定女扮男裝，替父從軍。父親母親見女兒成竹在胸，又有超群的武功和勇氣，這個辦法還算是個上策，於是就答應了她。按朝廷的規定，從軍兵士必須自備武裝和坐騎。花木蘭用平日織布積攢下來的錢買了一匹駿馬，配了馬鞍、腳蹬等用具。又買了幾件合手的兵刃，然後，換上一身男人裝束，拜別家人，踏上了征程。

大軍火速朝北方邊境開去。花木蘭和兵士們白天冒著風沙跋涉，夜晚合衣宿在河邊。夜深人靜，只聽見滔滔的流水聲和塞外敵軍戰馬的嘶鳴聲，再也聽不到父母呼喚她的聲音了。但是花木蘭並不傷悲，像個男子漢一樣，滿腔豪情，恨不能一下子飛到前線去殺敵立功。艱苦的行軍，殘酷的征戰，花木蘭都不在乎。惟一使她擔心的是，朝夕生活在男人世界的軍旅之中，處處得加倍小心，萬萬不能暴露出女孩子的身分。白天行軍打仗，她從不掉隊，夜晚露營，她和戰友們擠在一起。幸好那時男女都蓄著長髮，誰也沒發現她的秘密。

一晃十二年過去了。花木蘭衝鋒陷陣，英勇殺敵，屢立戰功。凱旋歸來。皇帝召見這些勇敢的將士們，論功行賞。有的升了官，有的得到了財物。因為花木蘭功勞最大，皇帝決定把她留在朝廷為官，當尚書。可是，花木蘭對這些功名利祿不屑一顧，她只希望得到一匹能夠遠行的駱駝，帶她趕快回到晝思夜想的家鄉，看望她年老的雙親和情同手足的弟妹。皇帝不好勉強她，只好指派她的戰友們護送她回鄉。花木蘭即將凱旋歸家的消息傳到了她的家鄉。她的老父老母樂得不知說什麼好，急忙互相攙扶著，趕到城外去迎接。她的妹妹立即梳妝打扮，燒水備茶，她的弟弟趕忙殺豬宰羊，準備慰勞遠道歸來的姐姐。到了家，花木蘭的同伴們被招待在前廳休息，大家親熱地說笑著。

花木蘭卻悄悄回到後屋自己的房裏，脫下戰袍，換上女裝，梳好頭髮，兩鬢貼上專門裝飾女人的花黃，然後嫋嫋婷婷地走出來向護送她回家的戰友們道謝。同伴們見花木蘭一身女兒裝來出現在眼前，都萬分驚訝，沒想到十幾年來和他們朝夕相處，馳騁疆場的戰友竟是一個女子，一位巾幗英雄。他們面面相覷，不約而同地喊道：「我們在一起這麼多年，怎麼就不知道你是個女的呢？」

花木蘭從軍的英雄事蹟，在當時就傳開了。人們編成歌謠歌頌她，讚美她。這些歌謠輾轉流傳，最後成了一首優美感人的長篇敘事詩《木蘭詩》。從此以後，婦女從軍的越來越多。她們有的學習花木蘭女扮男裝，有的組織成百上千人的女軍跟男子並肩作戰，爲國立功，在歷史上寫下光榮的一頁。

那麼，歷史上到底有無花木蘭其人呢？眾說紛紜。有人根據歷代文人讚頌花木蘭的詩詞推斷，花木蘭實有其人。有的考證說黃岡縣有木蘭山、木蘭鄉，認爲花木蘭是黃州人。有的經過考證，認爲木蘭姓魏。有的以爲姓朱，大多數人認爲姓花，不一而足。也有的人認爲，上述種種說法，是出於對這位巾幗英雄形象的熱愛，將「木蘭」二字入詩或用作地名，都不足以證明確有其人在。但是，當時北方人民不論男女老幼都崇尚武功，騎馬射箭蔚然成風則是不容置疑的。《木蘭詩》可能傳唱的是一個類似的事實，經過歷代傳唱，不斷豐富、潤色，成爲有聲有色、情節生動的故事，花木蘭應該是人們從現實生活中塑造的典型化英雄形象。

20 北魏十七位帝後出家爲尼之謎

佛教在中國宗教的發展史上，有著重要的地位。它自東漢時傳入中國後，至北魏時期達到鼎盛。佛教有一套特定的因果報應和六道輪迴之說，對於當時飽受戰亂之苦的百姓很有麻醉作用，加之門閥世族的倡導和統治者的支援、扶植，佛教很快獲得廣泛的傳播，發展勢力遠遠超過了儒教和道教。

在南北朝時期，皇帝、貴族和世族官僚都崇信佛教，一些印度僧人被尊爲國師，南朝梁武帝更尊佛教爲國教。到了北朝時期，各朝帝王都大力弘揚佛法。譯經、造寺、刻像成風。大同雲崗石窟、洛陽龍門石窟都成了千古長存的奇觀。北魏中後期百餘年間，竟有帝后十七人出宮爲尼，實在世所罕見。人們不禁要問，她們爲何放棄尊貴的身分和地位，跑到寺庵與青燈古佛相伴呢？

史學界普遍認爲，這種現像是「佞佛」造成的，即媚佛、迷信佛。據考證，當時大建寺院，僧尼人數驟增。北魏時，僅國都洛陽就有寺一千三百六十七所，江北整個地區有寺三萬餘所，出家僧尼達二百餘萬人。居於洛陽的西域僧人就有三千人之多。這些寺院佔有大量土地和人力，經營商業，放高利貸，享有門閥世族地主階級的特權。帝後出家只是換個環境享福，何樂而不爲？

近來，曹文桂等學者對上述說法持不同意見，認眞歸納了五種情況，都與「佞佛」說無關。這五種情況中，有的是因染病在身，出家後在寺院裏可以擺脫世俗煩擾，在比較清靜的環境裏安心治療和養護，利於身體的康復。北魏時期的石菩薩像，多是由佛教信徒出資所造。如孝文帝拓跋宏的寵妃馮妙蓮，染上了咯血的疾病，面黃肌瘦，臥床不起，因此到家廟中帶髮修行。過了幾年，重回宮中，不但容貌更加豔麗，而且體力、精力更強，受孝文帝喜愛非常，被封爲左昭儀，地位僅次於皇后。有的是因失寵，被逐出宮廷者，如孝文帝的皇后馮媛，本來很受皇帝寵愛，但她的姐姐馮妙蓮重回宮中之後，千方百計陷害她。後來她被皇帝廢爲庶人，貶到宮中的瑤光寺出家爲尼。

有的是在宮廷的政治鬥爭中失敗，而到寺庵去躲避災禍。如北魏末年，飛揚跋扈、臨朝專權的胡太后，爲了長久執政，毒死了孝明帝，幹了不少壞事，結果引起宮廷變亂。她一見大事不好，急忙強令後宮所有妃嬪宮女出家，自己也當了尼姑。有的是因爲皇位更疊，成了犧牲品。如文宣帝高洋的妻子李氏本是高湛的嫂子，高湛當皇帝後，威逼李氏與其私通，並生有一女。後來醜事傳開，李氏羞愧之下將女嬰掐死。高湛大怒，將其扒光衣服毒打之後，扔進水池。幸而宮人將她撈起，送到妙勝寺當了尼姑。還有的是因幼主嗣位後，兩宮爭權，失敗的一方就出家爲尼了。

重點是，北魏中後期，不少寺院都是皇帝出資興建的御立寺庵，奢華不遜於宮廷。有的佛寺裏還有大量宮女，供出家後的后妃役使，儼然是一處悠遊享樂的別宮，皇帝高興時，也會到此一遊。這與被貶入冷宮受到囚禁完全不同，在這裏生活簡直是一種優待。有人或許要問，爲什麼有的皇帝要毀佛、滅佛呢？主要是因爲他發現佛寺中有兵器、藏財富、藏婦女；一方面敗壞了佛門弟子的聲譽，褻瀆了民眾的信仰，另一方面可能會隱藏威脅帝位的敵對勢力；除掉它們才能穩固統治地位。

21 東昏侯蕭寶卷「懼內」之謎

南齊第六個皇帝蕭寶卷，當政不到三年，就因昏庸荒淫，被手下將領殺死。死後被廢為「東昏侯」。

蕭寶卷自幼被溺愛縱容，頑劣成性，十六歲稱帝時，根本無心管理朝政，整天都在拼命地玩。起初，他喜歡晚上在後堂騎馬玩，侍從們在旁邊打鼓、敲鑼，大呼小叫，整夜不息，直鬧到天亮才呼呼入睡，到了下午傍晚才起床。王公大臣們從清早等他入朝奏事，直到天黑才被他胡亂打發了事。後來，他又騎馬到宮外去玩，幾十個太監騎馬相伴，有時幾百人緊跟著他到處奔跑，吵得方圓數十里內民怨沸騰。魏興太守王敬賓死後來不及收斂，家人被太監全都趕跑，等到蕭寶卷一行過去，屍體的兩眼都被老鼠啃光了。有個孕婦因臨盆無法逃避，被蕭寶卷看見，令人將其腹剖開看胎兒是男是女。殘忍之極，令人髮指。

令人瞠目的是，這樣一個荒淫殘暴的皇帝卻對他寵愛的潘貴妃曲意逢迎，低三下四，無比服貼，無比謙卑，成為歷代帝王中少有的「懼內」典型。潘貴妃原是一名藝妓，名喚俞尼子。蕭寶卷早就被其美色所迷，即位後，賜其潘姓，封為貴妃。為了討潘貴妃的歡心，蕭寶卷恨不得窮盡天下之財供其揮霍。他重修了芳德、芳禾、仙華、大興、含德、清曜、安壽等宮殿，還專門為潘貴妃修築

《貴妃出遊畫像磚》。

了神仙、永壽、玉壽三殿。為了早日進殿淫樂，他竟令人將宮外寺廟佛殿中的藻井、仙人騎獸的塑像等拆來充填新殿，還把莊嚴寺、外國寺、禪靈寺的寶物等剝取來作為殿飾。宮殿建成後，他又令人將純金鑿成蓮花狀貼於地上，一朵一朵鋪滿殿堂。然後讓潘貴妃在金蓮花上行走、舞蹈，他則樂得大聲歎賞：「此步步生蓮花也。」潘貴妃的服飾用品也是奇珍異寶，極其奢華，據說一把琥珀劍就費了一百七十萬錢，弄得國庫空虛，賦稅日重。

為了討潘貴妃歡心，蕭寶卷恨不得變作牛馬為其效勞。潘貴妃所生的女兒百日而亡，蕭寶卷不惜違背禮制，降低身分為其舉喪：他制斬衰杖，穿粗布衣，盤坐於地接受弔唁；但不可理喻的是，他父親明帝逝世時，他不但不悲傷，反而穿著平時的華服，吃著大魚大肉。每次出遊，潘貴妃都乘坐小輿，在宮人們的簇擁下行進，蕭寶卷則騎馬隨後，活像一個衛士。在潘貴妃面前，他不是皇帝，而是個奴僕。為了討潘貴妃的歡心，蕭寶卷還荒唐可笑地在宮中開設集市，將閱武堂改為芳樂苑，在苑內遍植奇花異草，又把樓閣亭台全改成店肆，讓宮人擔任店家，經營各種買賣，自己整天在「集市」上自任市吏錄事，集市每每出現討價還價、短斤少兩的爭執時，則由市令潘貴妃裁定。蕭寶卷出現一點小過失，潘貴妃就毫不留情地予以杖責。他竟甘心情願地被責被打，毫無怨言。有時，潘貴妃當壚賣酒，他坐而屠肉，以為她搭個下手為樂。

可想而知，這樣的昏君豈能坐穩江山？永元二年，雍州刺史蕭衍起兵將其推翻，他被手下人殺死，時年十九歲。他寵愛的潘貴妃也被縊殺。後人評述他的「懼內」，以為他並非具有尊重婦女、男女平等的思想，而是他玩弄女性到極點後的一種變態，是荒淫的又一種表現吧？

《《《

第4章

隋唐名人懸案

在「貞觀之治」的盛世為華夏歷史揮毫寫就濃輝重彩之時，在京杭大運河迤邐奔瀉於天南地北時，我們發現這裏誕生了無數個文明史話，造就了無數位千古名人。我們仰望著萬千豪傑，一股敬慕之情油然湧上心田……在隋文帝恪守三十年忠貞愛情的背後，我們不理解，他為何會一夜之間，連召宮黛三千陪侍？在則天女皇的金鑾殿上，我們不知道會有她多少兒女的屍骨為之奠基？「一江春水向東流」的千古詩作裏，我們讀不懂李煜為何會把兒女之情淩駕在國家利益之上？在黃巢起義失敗的痛惜中，我們不清楚他為何剃度遁入空門……

1 隋文帝楊堅「一夫一妻」之謎

中國歷代帝王中，隋煬帝楊廣是出了名的荒淫無恥之徒，可是他的父親隋文帝楊堅和他的母親獨孤皇后卻長期過著一夫一妻制的生活，長達三十多年。楊堅爲什麼會選擇這種生活呢？

楊堅是北周開國勳臣，隋國公楊忠之子，生得相貌堂堂，氣度非凡，十六歲時就任驃騎大將軍，可謂風華正茂，前途無量。其妻鮮卑人獨孤伽羅，是當朝大司馬、河內公獨孤信的小女，十四歲時已如出水芙蓉，風采照人，且知書達理、溫順賢良。兩人結親，可稱得上是門當戶對，郎才女貌。新婚之後，情投意合，朝夕相伴。楊忠死後，楊堅襲爵。周明帝猜忌他，派精通相術的趙昭爲他看相。趙昭見其額高聳寬闊，明淨潤澤，眉目舒展，鼻貫天中，有帝王之相；他沒敢如實稟報周明帝。楊堅爲避免遭忌，深居簡出。獨孤伽羅則擔心將來楊堅嬪妃成群，自己會受冷落，常常半開玩笑地試探楊堅。楊堅立誓說：「我決不同第二個女人生孩子。」

此後，楊堅確實連想都不想其他的女人，而獨孤伽羅則盡心盡意地幫助他，爲他在宦海中拼搏把握方向。楊堅因權重，在周武帝、周宣帝兩代遭忌，都是聽了妻子之言，謹愼從事，不露鋒芒。待周靜帝登基後，獨孤伽羅抓住時機，鼓勵楊堅逼八歲的靜帝退位，自己稱帝，改國號爲隋。楊堅遂成了隋朝第一位皇帝，獨孤伽羅也理所當然地當上了皇后。可以說是這個賢內助及其高見使楊堅處處逢凶化吉，最後登上了天子之位。

隋文帝守著妻子三十年忠貞不渝。

開國後，獨孤皇后積極參與朝政，每次上朝下朝二人都乘輦同行，回宮後同食共寢。長年累月，日日如此，形影不離。許多國家大事都是二人在途中或床榻上研討定奪，夫妻共同掌權。宮中稱二人爲「二聖」。楊堅使國家走向大治，強盛富裕的每一步，幾乎都離不開獨孤皇后的英明決策。她不講奢華，把八百萬買明珠的錢分賞給戍邊的有功將士，使百官敬服；她從嚴教育子女，要女兒們恪守婦德，樹立皇族貴戚的威信；她不徇私情，堅決斬殺犯了國法的表兄大都督崔長仁，使吏治更加清明，她崇尚節儉，以身作則，使當時一般人士都著布衣，不用金玉爲飾，避免了朝野的奢華風氣。

獨孤皇后在處理與楊堅的關係上也很有一套，她一方面加強對後宮的管制，隨時隨地約束楊堅，另一方面則從政治上支援他，從生活上關心他，從感情上溫暖他，使他沒有非分之想。並爲他生了五個兒子。致使楊堅除獨孤皇后外，旁無私寵，「虛嬪妾之位，不設三妃」，楊堅甚至自豪地說：「朕旁無姬侍，五子同母，可謂眞兄弟也。」

人們不禁要問：楊堅的「一夫一妻」，是因爲他對獨孤伽羅的口頭誓約威懾力巨大？還是獨孤伽羅有高超的馭夫之法呢？都不是。正確的答案應從下述幾方面去尋找：

一是楊堅與獨孤伽羅確實眞心相愛，這種牢固的情愛是獨孤皇后得以專寵的基礎。他們二人互敬互愛，互相支援，使這種情愛不斷鞏固，不斷加強。

二是楊堅是一個有作爲的君主和政治家，他收斂個人的情感，專注於政治，也自知寵愛獨孤伽羅，就能收攬遍佈朝野、勢力強大的鮮卑貴族，從而使政權得以鞏固。

三是楊堅對獨孤皇后可以說是既敬之又憚之。因爲皇后在幫他打天下、保天下時都付出了心血，表現出了卓越的才幹。皇后又深深介入了朝政，贏得了臣民的愛戴，有很高的威望。這一切都使楊堅不敢小看她。

四是獨孤皇后嚴加管制後宮，嚴加約束楊堅，自己則千方百計使他得到滿足。但是，隨著時間的推移與政權的鞏固，隋文帝楊堅漸生了享樂之心，獨孤皇后年老色衰也變成了「妒婦」。他們的「一夫一妻」產生了裂痕，最終奏成了不和諧的尾聲。

先是在開皇十九年，華麗的仁壽宮建成，楊堅與宮女尉遲氏偷情，被獨孤皇后察覺，派人殺死了尉遲氏。楊堅怨憤至極，離宮出走。雖然後來風波平息，但兩人感情受到了傷害。獨孤皇后更把妒意發展到那些納妾之人，使楊堅失去了不少有力的幫手。三年之後，獨孤皇后去世。楊堅立即「置貴人三員，增嬪至九員，世婦二十七員，御女八十一員」，縱情聲色，肆意行樂，終因年老體弱，不到兩年時間就一病不起了，最後竟不明不白地死去。作爲一朝天子，楊堅能恪守婚盟，三十年如一日，過著一夫一妻的生活，也算是難能可貴的。

2 隋煬帝殺父之謎

隋煬帝名叫楊廣，是隋文帝的第二子。按照中國封建王朝的帝王選任習慣，本應是不該他來繼承皇位的，但楊廣卻在隋文帝死後即君臨天下了。這是怎麼回事呢？有人說是他殺死了自己的親生父親、毀掉了兄長楊勇，而篡權爲君的。

楊廣少時聰明伶俐，相貌英武，加之他巧於辭令，故而頗受父皇母后的喜愛，在他十三歲時，便被委以重任，擔任並州（今山西太原）總管，被封爲晉王。面對如此殊榮，楊廣並不滿足。從小在爭權奪利的氛圍中耳濡目染，塑造了他十分複雜陰忍的秉性，他深知自己是皇帝次子，沒有承繼皇位的可能，更深知承繼皇位、一統天下的好處，怎麼甘心居於兄長之下呢？

楊廣並沒有因爲父皇立兄長楊勇爲太子而灰心喪氣。他有沙場臨戰的功業和威德，也有縝密、運籌的心機，更有爲達目的不擇手段的陰險，在皇位的巨大誘惑面前，楊廣是決不會心慈手軟的。他知道若想日後登基，要先奪得太子的位置，而要坐上太子位，則需要父皇母后的信賴和親信黨羽的輔佐。楊廣在自行制定了爭奪皇位的策略後，便開始緊鑼密鼓地行動起來了。

楊廣的第一步是想盡辦法博得父皇母后的歡心。隋文帝和獨孤皇后一向倡導勤儉持家，不喜歡奢華，而皇后則更恨用情不專的男人，她常斥責寵愛姬妾之徒。楊廣最瞭解這些，於是他開始檢點自己的行爲舉止，先是褪去了華服，著上粗衣，接著便把箏弦弄斷，製造出一副遠離娛樂的假象。其實楊廣本是縱情女色的紈袴子弟，私宅中蓄養了無數絕色美女，但爲了討好母后，他明裏與妻子同出同入，暗裏把與其他女子所生的孩子全都掐死，不留一個活口。

當隋文帝跟皇后到他的府中時，發現屋內沒有一件珍寶擺設，箏上落滿了塵土，堂前的孩子都是楊廣正室所生，侍奉茶水的幾個下人也布衣釵裙，面目憨厚，廚房裏除了柴米，更無山珍海味，隋文帝見之大喜，連聲讚揚兒子溫良恭儉，獨孤皇后也不住地誇獎兒子不近聲色，可堪大任。楊廣在父皇母后面前樹立了正人君子的形象後，便開始詆毀太子楊勇，說起來太子楊勇絕非楊廣的對手，他性格直率粗莽，胸無城府，絲毫不察二弟的險惡用心。每當楊廣外任回都時，都要悄悄給太子送去錦衣、美女、珍玩，太子不僅一概收下，而且毫不遮掩，不僅每日華服出入，而且在府中縱聲歌樂，與不同的女人生了十幾個孩子。隋文帝與皇后常常暗道：「太子品性頑劣，而廣兒卻仁孝恭儉。」

楊廣在父皇母后面前的表演大獲成功後，又開始在大臣官吏中行動。有一回楊廣代父視察兵營，恰逢天下暴雨，兵卒們在雨中操練著，有下人舉起了一把油布傘爲楊廣遮雨，楊廣卻一把推開道：「士卒們都在雨中淋著，我怎能自己躲在傘下呢。」這件事在當時被眾人傳爲佳話，不僅隋文帝聞之心喜不已，而大臣們也都對楊廣充滿了欽佩與敬重。

楊廣的第一步目的已經達到，他在所有人面前樹立了一個磊落、仁孝、賢德的形象，便開始了第二步行動——廣植黨羽。楊廣的處世手腕極高，對他有用的人，他或以名、或以利相誘，或以正人君子作風的假象迷惑，不多時日，大批朝臣便聚集在他的周圍。這些朝臣不僅在隋文帝面前爲他歌功頌德，也對明著批評太子。聽的多了，看的多了，隋文帝便下決心廢了太子楊勇，新立楊廣爲皇太子。

楊廣的陰謀得逞了，終於取得了皇位的繼承權，他接下來只需等著父皇駕崩。但楊廣是不會等的，他見鬚髮花白的父親依舊硬朗，便耐不住性子了。在一次入宮途中，楊廣看見前面走過父皇最爲寵愛的宣華夫人，即當面羞辱一番。事後宣華夫人向隋文帝哭訴自己被太子羞辱之事，隋文帝聞之不禁大怒，他萬萬沒有想到，楊廣竟敢染指父皇的愛妃。於是他開始對楊廣這些年來的行爲產生了懷疑，便急召大臣草詔，讓廢太子楊勇前來議事。楊廣是何等聰明之人，他之所以敢在宣華夫人面前放肆，是因爲他有放肆的資本。這宮裏宮外全是楊廣的勢力，此時縱是皇上也奈何不了他了。隋文帝沒有機會廢掉楊廣，在更深人靜時，一方手帕蒙住了他的口鼻，不多會兒，大隋朝的開國皇帝便駕鶴西去，命赴黃泉了。

隋煬帝楊廣登基後，馬上露出了他荒淫奢華、陰狠毒辣的本來面目，不但殺掉了自己所有胞弟，而且大興宮殿，把大隋朝糟蹋得千瘡百孔，使大隋朝以一個短命王朝的面目載入了史冊。多行不義必自斃。骨肉相殘、殺父篡位的隋煬帝，自己最終也落了個被人勒死的下場，而且以一個暴君的醜惡嘴臉，令後人唾罵，遺臭萬年。

3 李世民乞求長生不老方之謎

唐太宗李世民二十八歲登基，在位二十三年，他接受了隋亡的教訓，勵精圖治，與民休養生息，使社會逐漸安定下來。但在他作了十幾年皇帝之後，也漸漸地趨向了奢侈腐化。不但修復了隋煬帝在洛陽建的豪華宮室，並霸佔了齊王元吉的楊妃，還把已故大臣武士的十四歲女兒選爲才人，給她起了個名字叫「媚」，這就是「武媚娘」。晚年時還一反常態，既迷信兆卜，又癡迷丹藥，竟在五十二歲時英年早逝。

貞觀二十二年，天空中太白星多次在白晝出現。這本來是宇宙間天體運行的自然現象，而太史卻占卜說，這「主女主昌盛」。李世民又聽說民間流傳的《秘記》上說，「唐三世以後，女主武王代有天下。」這可讓李世民睡不著覺了，李家王朝怎能讓「武王」取代呢？

於是，他想盡一切辦法想找到這個「武王」，有個叫李君羨的左武衛將軍武連縣公正好倒楣。他的官銜、爵號、籍貫和職務裏，一連串占了四個「武」字：「左武衛將軍」裏占一個，「武連縣公」占一個，他又是「武安縣」人，還是宮城北門「玄武門」的守將，這兆卜巧得不能再巧。偏偏父母在他小時候給他起了個女孩兒的名字，叫做「五娘」，是盼他易於養活。可是，「五」與「武」同音，正好牽連到「女主」之忌裏去。李世民迷信兆卜，簡直喪失了理智，不由分說，先把李君羨貶到華州（今陝西華縣）任刺史，後來仍不放心，又藉故將其殺死。李君羨可能到死也不明白自己犯了什麼罪。

貞觀二十一年，李世民得了風疾，癱瘓在床上。經御醫診治，半年後病體稍癒，可以三天上一次朝了。如繼續邊治邊養，說不定會逐漸康復的。可是，他此時卻迷戀上了方士煉製的金石丹藥，希冀長生不老。先是服食了國內方士的丹藥，並不見效，於是派人四處訪求國外高人。貞觀二十二年，大臣王玄策在對外作戰中，俘獲了一名印度和尚那羅邇娑婆，爲迎合李世民乞求長生不老的心理，把他進獻給李世民。這個印度和尚自稱有二百歲高齡，專門研究長生不老之術，並信誓旦旦地說，吃了他煉的丹藥，一定能長生不老，甚至可以白晝羽化登仙。這番謊言竟打動了李世民，遂給這個印度和尚安排了華居美食，天天有人侍奉。這傢伙見李世民對自己深信不疑，就煞有其事地開出了一大串稀奇古怪的藥名來。

李世民號令天下，按和簡所開的「彩繪釉陶文吏俑」藥方諸藥異石，不惜任何代價。一年之後，藥配製好了，李世民非常高興，毫不遲疑地將藥全吃了下去，結果中毒暴亡。這時他才五十二歲，是中國歷史上被「長生藥」毒死的第一個皇帝。他沒有做到愼終如始，竟這樣荒唐可悲，糊裏糊塗地過早地離開了人間。

4 鑒眞和尚的失明之謎

唐代貞觀時期，正處於中國封建社會的繁榮昌盛階段，是歷史上有名的「太平盛世」。當時，唐代與世界各國的政治、經濟、文化的交往非常頻繁，唐代高度先進的封建文化對亞洲各國甚至世界其他地區產生了重要影響，尤其對近鄰日本的影響更大。

貞觀十九年，日本這個奴隸制國家開始了廢除氏族制度的「大化革新」。在這場巨大的社會變革中，他們吸收了唐代的均田制、租庸調製、官制、府兵制以及刑律等等，初步建立起了完備的國家機構和制度，大大促進了日本的封建化進程。從貞觀五年起，日本先後派十二批正式的遣唐使到中國來，使團中絕大多數是留學生和學問僧，他們爲傳播中國文化做出了重大貢獻。在中日佛教的交往中，「鑒眞東渡」被傳爲佳話，譜寫了中日兩國關係史上令人懷念的動人篇章。

鑒眞本姓淳于，揚州人。他十四歲出家，對律宗深有研究，後來在揚州大明寺擔任主持。由於他精通律學、深諳戒法，在江淮民間有崇高威望。天寶元年，他應日本遣唐使高僧榮叡、普照等邀請東渡。在以後的十二年中，他幾經挫折，歷盡風險，曾五次渡海失敗，終於在天寶十二年第六次東渡時獲得成功，到達日本九州，踏上了赴日傳法的的征途。翌年在奈良東大寺築壇傳戒。西元759年創建唐招提寺，傳佈律宗。在日本的十年中，他還將中國的建築、雕塑、繪畫和醫藥學等技術教給了日本人民，至今仍受到日本人民的懷念和尊崇，因此他的東渡就成了兩國學者共同關心的問題。

但是，鑒眞是否在雙目失明後東渡日本等問題上，一些學者產生了分歧。

其一是鑒眞失明的時間。

據日本眞人元開《唐大和上東征傳》記載，鑒眞第五次東渡失敗後，於天寶九年由廣州到韶州時，由於「頻經炎熱，眼光暗昧，爰有胡人言能治目，請加療治，眼遂失明。」指出，鑒眞在東渡日本前即已失明。史學家陳垣則認爲「鑒眞和尚到日本後，晚年曾失明則或有之，謂鑒眞和尚未到日本前已失明，則殊不可信。」據查，《宋高僧傳．鑒眞傳》對鑒眞失明一事並未記載，《唐大和上東征傳》對鑒眞在日本十年的傳法與生活的記載中，從來沒有提到過他因雙目失明而感到不便的事情。故此，鑒眞失明一事令人懷疑。

其二是鑒眞失明的原因。

據日本史書《續日本紀》說，在天寶七年渡海失敗後，由於隨行的日本高僧榮叡亡故，鑒眞因此而「悲泣失明」，並能以鼻辨藥，「一無錯失」。日本學者田中塊堂等人認爲《唐大和上東征傳》上所說的「眼光暗昧」，是指鑒眞患有老年性白內障，後來請了阿拉伯醫生施行針撥法治療，由於術後感染，病情惡化，才稱之爲「眼遂失明」，但到日本時尚未完全失明。日本繪畫《東征繪傳》，描繪了鑒眞和尚準備東渡的情

鑒眞坐像。此像是鑒眞弟子按照其眞容製作，現供奉在日本唐招提寺內。

景。

還有，日本人木宮泰彥在《日中文化交流史》中說，鑒眞是「因中暑毒，致使雙目失明」。汪向榮的《鑒眞》一書稱「途中雙目發炎，視力減退」療治不當而失明。對上述說法提出質疑的是陳垣的後人陳智超。他在《跋〈鑒眞和尙失明事質疑〉及廖世功函》中說，《續日本紀》記載的鑒眞「以鼻辨藥」，似可相信，但說鑒眞在雙目失明的情況下，憑記憶力能校正數百萬言的經論而一字不差，令人懷疑他是否眞的失明了。他還說，日本正倉院中現在保存著一張《鑒眞書狀》，據說是鑒眞的借書條，其字跡端正整齊，書法爲唐人風格，並有塗改重寫之處。令人驚訝的是，塗改重寫的位置竟完全與原字相合，這恐怕不是一個盲人所能做到的。這張借條如果確係鑒眞眞蹟，那麼只能說，當時鑒眞並未全盲。

看來，要解開鑒眞失明之謎，還必須繼續發掘中日雙方的有關史料，繼續考證了。

5 李隆基亂倫之謎

唐玄宗李隆基愛江山更愛美人。

唐玄宗李隆基素有「風流天子」之稱，他在位四十四年，活了七十七歲。據說，他的妃嬪、宮女多達四萬人，生下三十個兒子，三十個女兒。開元二十四年，他不顧自己五十六歲高齡，竟將二十二歲的兒媳楊玉環接進宮來，朝夕相伴，寵幸非常。後來冊封其爲貴妃，奉若皇后。堂堂一國之君，身邊佳麗如雲，納妃選嬪任其所爲，爲何偏偏把目光盯住自己的兒媳，悖於倫理千方百計把她攬入自己的懷抱呢？怎麼又由此演繹出一場令人慨歎的「老翁少婦之戀」，一曲令人心顫的悲歡離合千古絕唱呢？

李隆基與楊貴妃的情事，生動曲折，流傳尤廣，以此爲題材的野史筆記、小說叢談、詩歌戲劇不計其數，至今不衰。「楊貴妃之死」更成爲眾人津津樂道的話題。對李隆基的「亂倫」之舉，後人也議論紛紛。說起李隆基的「放縱」，還得從他治國的經歷入手。李隆基在即位之初，還是一位很有作爲的皇帝。造就了國泰民安的「開元盛世」。當時他本人也以節儉自勵，在婚戀上也沒什麼過分之舉。

可是，這種歌舞昇平的景象使他陶醉了。因在位已久（三十年），他開始厭倦政事，不再考慮後患，漸肆奢欲了。他漸漸聽不進逆耳忠言，先後罷免了正直的治國能臣，信任妒賢嫉能的奸相李林甫。這樣，朝政日趨腐敗，李隆基也一味追求享樂，恣情聲色不能自拔。開元二十四年，李隆基寵愛的武惠妃去世，他十分傷心，整日鬱鬱寡歡。後來聽說壽王妃楊玉環體態豐豔，絕世無雙，便召入宮中。一見楊玉環不但嬌嫩可人，而且資性聰穎、通曉音律、擅長歌舞，李隆基簡直如獲至寶，愁懷頓開。遂藉酒尋歡，想將其攫爲己有。然而，楊玉環畢竟是他的兒媳，是他與武惠妃之子壽王李瑁的寵妻。生生拆散一對夫妻去滿足自己淫欲的作法，勢必會招惹非議。

於是，李隆基想出了一個掩耳盜鈴的主意：讓楊玉環自請度爲女道士，前往宮中的「太眞觀」爲李隆基的母親竇太后薦福，就此長住宮中。同時，又給兒子李瑁娶了個韋姓女子做了妃子，以示慰藉。過了幾年，時過境遷，朝野對這一特殊戀情也視若無睹了，李隆基便開始爲楊玉環正名了。天寶四年，他冊封其爲「貴妃」，儀禮與皇后同，成了實際上的皇后（當時皇后位空缺）。自此，楊貴妃心滿意足，李隆基樂不思治，兩人情投意合，整天沈醉在燈紅酒綠之中。

《明皇窺浴圖》。「貴妃出浴」是打動李隆基的主要原因嗎？

「一人得道，雞犬升天」，楊貴妃的親屬都依仗她飛黃騰達起來。故去的被追贈，在世的被晉封。楊貴妃的遠房堂兄楊釗被賜名爲「國忠」，由金吾兵曲參軍升至度支判官、兵部侍郎、御史中丞，直爬到宰相高位。由此，楊氏一門權傾天下。李林甫死後，楊國忠更是一手遮天，把朝政弄得烏煙瘴氣。這期間，唐玄宗李隆基更加昏聵，楊國忠專權尤使國勢衰敗，海內危機四伏。「均田制」瓦解了，政府又橫徵暴斂，弄得百姓貧困不堪。「府兵制」被破壞了。「募兵制」所募之兵又都是些無賴子弟，軍隊無戰鬥力，中原幾乎無兵可用了。爲圖虛名，李隆基還發動了一系列不義的戰爭，勞民傷財，致使國庫空虛，民怨沸騰。尤其是李隆基縱容了地方節鎮勢力和「蕃將」權勢的擴大，終於釀成大禍。

天寶十四年，平盧、范陽、河東三鎮節度使胡人安祿山率眾十萬，公開叛亂。朝廷的軍隊一戰即潰。不到半年，叛軍就直逼長安。六月十三日，時已七十二歲的唐玄宗李隆基不得不慌忙率眾出逃，奔向蜀郡。次日，車駕到了馬嵬坡，護駕的軍士發生嘩變，要求殺死禍國殃民的楊國忠以謝天下，否則不再護駕前行。可是殺了楊國忠之後，軍隊仍舊鼓噪不前，又要求連楊貴妃一起除掉。想起與楊貴妃恩恩愛愛十幾年朝夕相處的歲月，李隆基懇求說：「貴妃一直在深宮，宰相國忠的所作所爲她何以得知？」可是高力士認爲：「貴妃雖然無罪，但誅殺國忠之後，她仍留在皇帝身邊，叫軍士們心裏難安。」無奈，楊貴妃被一條白綾縊死。死時年僅三十多歲。

張萱．《虢國夫人遊春圖》（局部）。描繪了楊氏姐妹出行遊春時的情景。

後人分析，馬嵬坡事變

不是突發事件，而是一次有預謀有組織的行動，是唐朝上層統治集團的一場權力鬥爭。得勝的一方是宦官首領，儼然「內相」的高力士。因其與依仗貴妃之勢飛揚跋扈的外相楊國忠一直水火不容。安史之亂起，爲高力士剷除楊國忠提供了機會。當時護駕的禁軍頭領陳玄禮出面殺楊，後臺就是高力士，楊貴妃只是這場鬥爭的犧牲品。李隆基爲了江山，爲了自己的性命，只得忍痛遺棄了她。

後世對楊貴妃的評價可歸納成兩種觀點。正史認爲是「女禍」，說「自高祖至於中宗，數十年間再罹女禍……玄宗親平其亂，可以鑒矣，而又敗以女子。」把唐朝衰落之責算在楊貴妃身上，卻不責備唐玄宗的昏瞶、淫逸、腐敗。而後世的文學作品，則對楊貴妃抱以同情，對其與唐玄宗的愛情也給以一定程度的肯定，立論還算公允。

關於「亂倫」之說，有人認爲，不能以現代人的觀點看古人，唐代上層社會對閨門失禮之事並不十分看重。因爲唐室雜有胡族血脈，在胡族婚俗中，一女嫁給父子兩代，並不爲怪。唐高宗在娶其父唐太宗小妾武則天時的詔書中，就曾明言太宗「以武氏賜朕，事同政君」。因此，對李隆基與楊貴妃的問題上，就應該考慮當時的歷史背景和社會條件。當時宮廷中並未因此而引起很大的風波，即是明證。「亂倫」是漢族文人特別是後世士大夫所不齒的事，指責李隆基「亂倫」，無非是想說明他的荒淫，倘若李隆基穩坐江山，與楊貴妃都壽終正寢，這種指責恐怕就少多了。

6 《西遊記》中唐僧的原型是誰

被列爲中國古代四大奇書之一的《西遊記》，是一部描繪唐僧師徒去西天取經的長篇古典神話小說。書中的主要人物唐僧，被描繪成相貌端莊、性情敦厚、誠心向佛的和尚。爲了取得如來眞經，他帶領著徒弟孫悟空、豬八戒、沙和尙，矢志西行；歷經九九八十一難，踏平十萬里坎坷之路，終成正果。與此同時，唐僧又被描繪成爲不辨善惡，平庸怯懦，迂腐可笑的憨僧。

在人們的印象中，唐僧是個好人，但也是個無能之輩。不過，《西遊記》裏的唐僧畢竟是作者虛構的人物；在現實生活中，唐僧的原型——玄奘大師，則是個學識淵博、品德高尙、譽滿天下的高僧。玄奘爲何被稱爲「唐僧」呢？《西遊記》裏說：「只因我大唐太宗皇帝賜我做御弟三藏，指唐爲姓，故名唐僧。」這裏所說的「三藏」是佛教經典之經、律、論三部分，他能獲此稱號，可見其佛學造詣之深。唐僧俗姓陳，名禕。他自幼家貧，隨二哥長捷法師到寺院，一面識字，一面習經。

陳奕禧題《西遊記》圖冊。

十一歲上即能誦讀《維摩詰經》、《法華經》，十三歲就出家做了僧人。此後，他上長安，下成都，赴荊州、到揚州，拜十三位名僧爲師，遍尋經籍，刻苦鑽研，二十幾歲就有了名聲。玄奘在鑽研佛學的過程中，發現有的佛經詞意晦澀，有的佛經殘缺不全，有的佛經精蕪雜存，有的佛經譯釋矛盾，不但給僧人的學習帶來困難，而且不利於佛學的研究和發展。因此，他決心西行，到佛教的發源地天竺（今印度）去尋師訪學，把佛經之眞諦帶回中華大地。然而，西行取經談何容易！

一開始，他就遭到了朝廷的反對。因爲唐朝初年，政令不全，疆域不廣，從國家安全考慮，朝廷嚴禁僧俗出蕃。因此，他上表請求去天竺求法之舉，被官府嚴辭拒絕。但他癡心不改，在京城跟天竺人學習梵文梵語，暗暗做著日後取經的準備。貞觀三年八月，他決定違禁出國。西行的第一站是金城（今蘭州市）。

在這裏，他設壇講經，籌集路費。許多西域商人慕名前來聽講，對他的西行之舉都大力支持。第二站是姑臧縣（今武威市），這裏已經貼出了朝廷要捉拿他的公文，他不敢停留，只好星夜兼程，直奔玉門關。過了玉門關，還差點被邊防部隊的兵士用箭射死。校尉王祥攔住他，勸他不要冒險西行，他謝絕了，用逮捕治罪威脅他也不怕；王祥被他的誠心感動，不忍心爲難他，爲他置備了路上用品，派人送了他一程。出了敦煌，便是一望無際的沙漠地帶，上無飛鳥，下無走獸，他硬是死裏逃生，

唐代牙雕「騎象菩薩像」。

闖了過來；又過了天山要塞，才來到高昌國。

在高昌國，他受到了空前的禮遇。國王對他極爲尊崇，聽他講經說法，與他結拜兄弟，並挽留他住下來，讓全國人民都作他的弟子，玄奘卻不爲所動，高昌國王見強留不得，遂敕令殿中郎攜帶綾帛五百匹，書信二十四封，給隨騎六十，將他護送到突厥葉戶的牙所。當時，大雪山以北六十多個國家都是突厥葉戶的部屬，多虧高昌國王以玄奘之兄的身分爲他的西行打開了通路。離開高昌國後，玄奘經過十六個國家到了鐵門關，開始進入五百里路的無人區。接著又轉入一千多裏的「睹貨羅」（即搏叉河）再經過四十多個國家到了傳喝國。從這里又翻過了七百多里的雪山，到了梵衍國。以後就是迦畢試國、濫波國、迦羅曷國、健馱羅國、烏長那國……。終於百折不撓，備嘗艱辛、歷經一百三十八個國家，到達了那爛陀寺——「西天」取經的目的地。

在那爛陀這個天竺佛教界的最高學府裏，玄奘受到了名聞天下的戒賢大法師隆重接待。在那爛陀寺，他受戒賢法師指點，終日孜孜以求，把《瑜伽師地論》讀得滾瓜爛熟，還學習了大、小乘的各種經典。後來，他又廣遊天竺，不僅精通了內明（佛典），還學習了因明（邏輯學）、聲明（文字音韻學）、工巧明（工藝、技術、曆算）、醫方明（醫藥學）以及婆羅門教的吠陀經典等。在全天竺的「無遮」大會上，玄奘宣講《會宗論》和《制惡見論》，聲明「其有能破一偈者，當截舌而謝之」，在場的僧俗六千多人，「凡一十八日，莫敢當者」，從此，唐僧的聲名威震天竺。

唐貞觀十九年，玄奘回到長安，受到數十萬人的盛大歡迎，後來到洛陽，受到唐太宗的接見，之後便在長安弘福祠寺翻譯帶回來的佛經，帶回梵文貝葉經五百二十篋計六百五十七部，在以後的十九年裡，他與前來協助譯經據考證的高僧們，一直潛心從事翻譯工作。所譯佛經無一不是曉暢明快，旨意通達，準確雅緻，卷卷精妙，被世世代代奉爲佛學範本。

玄奘還由自己口述，別人記錄，寫成了十二卷的史地著作《大唐西域記》，記載了他西行的見聞，極具地理、軍事、外交等方面的史料價值。他並謝絕了太宗勸他歸俗參政的建議，始終以講經、論道、譯著、弘法爲己任，直到六十三歲圓寂爲止。入土那天，送葬隊伍長達四十里，足見人們對他仰慕之深。吳承恩以玄奘大師爲原型，以西行取經爲線索，寫出了《西遊記》，不過，書中的唐僧，遠遠不及現實中的玄奘。

7 楊貴妃「亡命日本」之謎

楊貴妃。

絕代佳人楊貴妃與唐玄宗的愛情故事生動曲折，流傳尤廣，激發了後世文人無限的想像力，他們賦詩、塡詞、作文、編劇，表達對這段戀情、對這兩個人物的看法。「楊貴妃的結局」更成爲後人喜歡議論的話題，眾說紛紜，至今不衰。

歸納起來，大致有四種說法：有的說她死於馬嵬坡，有的說她做了女道士，有的說她亡命日本，有的說她死而復生後東渡日本。

「死於馬嵬坡」說，見於唐李肇的《國史補》和宋司馬光《資治通鑑》等古籍的記載，說是在「安史之亂」中，唐玄宗帶楊貴妃等人逃至馬嵬驛，護駕的三軍將士饑疲不堪，不滿奸相專權誤國，發動了一場兵變。爲平民憤，唐玄宗無奈，以謀反罪誅殺了楊貴妃的哥哥宰相楊國忠，但將士們仍怒氣衝天，不肯護駕前進。三軍首領龍武大將軍陳玄禮說：「國忠謀反，貴妃不宜供奉，願陛下割恩正法。」就連高力士也站在兵變將士一方，玄宗知道事情已難挽回，只得命高力士將楊貴妃引入佛堂縊死，並召陳玄禮等人驗視。據說，在運屍時，楊貴妃一隻腳上的鞋子掉在地上，被一位老婆婆揀到。後來，這位老婆婆以這只錦鞋出借遊人過客，每次收百錢，前後獲利頗多，因此發了一筆大財。看

圖爲五代・周文矩《太眞上馬》。楊貴妃足踏小凳，在眾人扶持下，正欲上馬。

來，此說有根有據是確鑿無疑的了。

「女道士」說，出現於現代學者俞平伯等人的考釋，他們認爲馬嵬兵變後一年，唐玄宗重返長安遷葬楊貴妃時，卻找不到楊貴妃的屍首。唐玄宗又派方士到處尋找，仍「上窮碧落下黃泉，兩處茫茫皆不見」。由此推測，當時很可能用了掉包計，以侍女代死。在混亂中楊貴妃得以逃生，後來流落到女道士院。而唐代的女道士院就是娼家妓院，故楊貴妃最終可能淪落爲娼女。對於唐玄宗來說，這的確是「此恨綿綿無絕期」了。

「亡命日本」說，則見於日本《中國傳來的故事》一書，認爲兵變將領陳玄禮憐惜楊貴妃的溫文爾雅，年輕貌美，不忍心殺她，就與高力士密謀，以侍女代死。當時，高力士用車運來假屍，驗屍的又是陳玄禮，別無他人，所以此計得以瞞過眾人。後來，楊貴妃由陳玄禮的親信秘密護送南逃，大約在今日上海附近揚帆遠航，東渡日本，到日本國久穀町久津落腳。「安史之亂」後，唐玄宗命方士出海搜尋，到了日本久津，見到了楊貴妃，向她面呈玄宗佛像兩尊，楊貴妃亦贈玉簪作爲答禮獻給玄宗。但楊

明・仇英《貴妃曉妝圖》。描繪了楊貴妃正曉起整妝。

貴妃始終未能回到祖國，在日本終其天年。

「死而復生」說，是日本學者渡邊龍策的主張。他在《楊貴妃復活秘史》一書中，詳細描述了楊貴妃逃出馬嵬坡，東渡日本的經過。他認爲，楊貴妃被縊之後，暫時昏迷閉氣。當時驗屍倉促不及細查，甦醒之後，楊貴妃得到好友舞女謝阿蠻和樂師馬仙期的幫助，秘密往東南方向逃到襄陽。後來漂泊到武昌，又下揚州，最終在日本遣唐使團團長藤原刷雄的幫助下，搭上日本使團的回國大船，到了日本山口縣的久津。楊貴妃逃亡後，謝、馬二人設法將這個消息呈達給唐玄宗。於是唐玄宗才派了方士東渡日本尋找楊貴妃，並面呈玄宗送給她的兩尊佛像，勸她歸國。楊貴妃則以玉簪回贈玄宗，作爲答禮，由方士帶回獻給玄宗。但楊貴妃最終未能再回到玄宗的身邊。書中還明確說道，楊貴妃到達久津的時間爲西元757年，即日本孝廉女帝時代。

據說，楊貴妃在日本的傳說和遺跡很多，至今許多日本人都認可此說。究竟楊貴妃的結局如何？

8 武則天掐死親生女兒之謎

看上去慈眉善目的武則天，果真掐死了自己的親生女兒嗎？

唐高宗永徽三年，二十九歲的武則天奉詔離開感業寺，二次進宮，被高宗封爲昭儀。次年，生下兒子李弘，又一年，即永徽五年，武則天再次臨盆，生下一個小女孩。這小女孩長得眉清目秀，白白胖胖十分可愛。剛過百天，便會咧著小嘴，笑嘻嘻地伸著小手要人抱。高宗把她看成掌上明珠，每天下朝都要到太極宮裏瞧她幾眼。有一天，王皇后因事到太極宮找高宗不遇，偶然間見到這個小女嬰一人在屋，不由得抱起來逗弄了一陣。過了一會兒，武則天回來，聽說此事，便心生一計，狠下心來，把自己天眞可愛的小女兒活活掐死了。不多一會兒，高宗進來，發覺愛女死了，氣急敗壞地大叫：「誰殺死了我的女兒？誰殺了我的女兒？」他當然不會懷疑武則天下此毒手，再一查問，知王皇后方才來過，於是「謀害小公主以洩私忿」的罪名便落到王皇后頭上了。不久，王皇后被廢，武則天登上了皇后的寶座。

作爲一個母親，如何能忍心害死自己的親骨肉？爲何又栽贓到他人頭上？看看武則天二次進宮後，她的抱負及後宮的恩恩怨怨就知道其緣由了。武則天進宮後，發現後宮裏王皇后與蕭淑妃在明爭暗鬥。王皇后嫉妒生了男孩的蕭淑妃，怕「母因子貴」失去自己的皇后地位，於是支持高宗召武則天回宮，目的是想利用武則天去奪蕭淑妃的寵，自己坐收漁利。武則天是何等精明之人，很快猜中了王皇后的意圖，所以將計就計，極力巴結王皇后，王皇后被她的虛情假意迷惑，竟視她爲知己，不斷在高宗面前誇讚武則天，貶損蕭淑妃。一來二去，王皇后的目的達到了：蕭淑妃失寵了。

但是，武則天並不以此爲滿足。她千方百計籠絡後宮的人，收買宮監作耳目，暗察失寵後的蕭淑妃的不滿言行。終於事遂人願，蕭淑妃被高宗打入冷宮，貶爲庶人。武則天下一個對手就是王皇后了。這王皇后本是高宗的結髮妻子，眾人持重，舉止傲慢，又有外廷的重臣們擁戴，扳倒她談何容易？於是武則天演了一出殘殺愛女的「苦肉計」。高宗果然中計，開始考慮廢后了。

不過要廢立皇后可不是小事，得跟大臣們商量。因爲之前高宗想封武則天爲宸妃時，大臣們據理反對，高宗就沒敢輕舉妄動。他不想爲這麼一件小事兒引起朝臣的不滿。武則天十分清楚，這次要廢掉皇后一定要爭取朝臣們的贊同。爲此，她絞盡腦汁、苦思冥想如何向皇后之位逼近。首先，她想從太尉長孫無忌那裏打開缺口。長孫無忌不僅身任宰相兼顧命大臣，還是高宗的親娘舅，他這一關通過，其餘的大臣便不在話下了。一天，武則天陪高宗帶厚禮親自到太尉府，當場給長孫無忌的三個正在讀書的兒子封官，並提出廢后一事，但是長孫無忌認爲這是誣陷，不該輕信。

接著，武則天又暗中指使宮人把一個寫有高宗名字和生辰八字的小木偶，埋在王皇后臥榻下面的磚地裏；然後派人到高宗那兒密報，說王皇后怨恨皇上，跟她母親魏國夫人用「厭勝」之術詛咒皇帝早死。高宗見密告之人是王皇后的近侍，豈能生疑？待挖出木偶之後，見木偶的七竅和心口全都插著鐵針，高宗氣瘋了，不問青紅皀白，當即下令不許王皇后的母親魏國夫人再進宮，全然沒有想到這是栽贓。

然後，在宣佈廢王皇后立武則天的朝堂上，武則天坐在高宗身後的珠簾內，隨時替高宗出謀劃策。當堅決反對武則天為后的褚遂良說了一大通理由後，武則天竟在簾內大喝：「怎麼還不趕快撲殺此獠！」幸虧長孫無忌及時求情，高宗才未治褚遂良的罪。朝會不歡而散。就廢王立武之事，朝臣們分成了三派：反對派、贊成派和中立派。其實，「中立派」明是中立，實質上等於贊同。反對派雖然有長孫無忌和褚遂良等顧命大臣，但還是少數。於是，高宗把堅決反對者褚遂良貶到外省作都督。緊接著，永徽六年，冊封武則天為皇后。武則天五年前在感業寺裏想當皇后的夢想，終於變成了現實。

武則天對親生女兒下得了這般毒手，似乎超出常理，難以置信。分析其前因後果就會清楚：這位才智超群的女性，嘗盡了十二年才人的冷落之苦，又不甘心屈居皇后淑妃之下，決心以非常手段奪得後位。她出身寒微，又曾侍奉過先帝，名聲不好；而且，當時無論後宮還是外廷都沒有擁戴她的人。單槍匹馬的武則天要實現自己的夢想，只有拿親生女兒的性命作賭注。她的冒險成功了，她的后位浸透了小公主的鮮血！為達目的不擇手段固然是武則天的天性使然，但也是她成就大業的無奈選擇。

9 武則天的男寵之謎

武則天是中國歷史上惟一的女皇帝。李唐王朝二百九十年的歷史，有近半個世紀是由武則天這位女性皇帝導演的。她一生的功過，經受了一代又一代人的褒揚與貶詈。那喋喋不休的貶詈中，她因曾擁有幾個男寵，便成為亙古難泯的醜聞，成為攻訐咒詛的靶子，以至於連同她創造的卓著政治業績也隨之淹沒了。

武則天寵幸的人主要有薛懷義、沈南及張易之、張昌宗等。高宗死後，首先入侍武則天的是薛懷義。薛懷義原名馮小寶，本是洛陽街頭賣膏藥的小販，因身材高大，健壯有力，被薦於武則天，立刻大受寵幸。為了使馮小寶可隨便出入後宮，武則天就讓他剃髮為僧，出任洛陽名寺白馬寺的主持，又將其名改為「懷義」，賜給薛姓。憑著過人的聰明，薛懷義又因督建萬象神宮有功被擢為正三品左武衛大將軍，封梁國公。後來還多次擔任大總管，統領軍隊，遠征突厥。不久沈南成為武則天的新寵，薛懷義出於妒嫉，一把火燒掉了耗資巨萬的萬象神宮，武則天卻不予追究。而後薛懷義日益驕橫，終於引起武則天厭惡，指使人將其暗殺。薛懷義死後，時過中

這是出土於唐墓的「國外人三彩俑」，武則天的男寵中，不知是否也有這樣的人？

年的沈南溫和有加，卻身心虛弱，滿足不了武則天的要求。七十多歲的她又陷入了寂寥煩悶之中，喜怒無常，脾氣暴躁。恰在此時，有人又薦張易之兄弟侍寢，這兩個二十歲左右的美少年，不但聰明伶俐，通曉音律，而且更有侍寢本領。一喜之下，武則天馬上給二人加官四品。從此二張儼若王侯，每天隨武皇早朝，待其聽政完畢，就在後宮陪侍。二張恃寵而驕，不僅在後宮恣意專橫，而且結黨營私干預朝政，引起眾怒。終於在神龍元年，張柬之等策動了「五王政變」，殺掉二張，武則天也在病榻上被「請」下御座，讓位於中宗。

武則天依靠歷史的條件、特定的婚姻、個人的才幹書寫了一段輝煌的女皇歷史。然而她未料到，那謾罵與詛咒會像排天的巨浪不斷打來。「洎乎晚節，穢亂春宮」，即她擁有男寵之事，就成了她眾人攻擊的一大罪狀。冷靜地分析武則天的男寵問題，可從兩個角度來看：一個是從她是「人」，一個「女人」的生理需要的角度，一個是從她是個政治家，一個女皇的角度。

武則天十四歲入宮的時候，被唐太宗賜名爲「媚」，千嬌百態，含苞待放，情竇初開，渴望皇帝的寵愛，可是在太宗身邊十多年，她僅是個「才人」，與一個侍女的作用差不多。太宗是個蓋世英才，他要求女性的只是賢德、溫順、體諒、嬌柔，武則天的美貌與才幹自然得不到皇帝的賞識。後來，太宗死後，她被遣送到感業寺爲尼。作爲一個女人，武則天想施展自己的抱負，只能通過婚姻來實現。她需要借助一個聽命於自己的丈夫。歷史的機遇，使太宗的兒子李治成了她的選擇。高宗李治好色多情、體弱多病，優柔寡斷，對她又一往情深。因此，武則天在度過了五年清冷孤寂的寺廟生活後，二次進宮，成爲高宗的「昭儀」。這時，武則天年近三十，高宗才二十五歲，在成熟聰慧的武則天面前，高宗卻像幼稚戀母的孩童。她時而情切意綿、亦悲亦怨，時而柳眉怒豎、粉面含威，叫高宗難以招架。僅一年多的時間，她就由尼姑晉封爲昭儀、宸妃，直至皇后。這時，高宗也很難再接近別的女人了。宮中眾多的嬪妃宮婢都失去了陪寢的義務，成了純粹的女性官吏。以後的三十年裏，武則天並未有「淫亂」醜聞，精力都用在政治鬥爭上，直到高宗去世。

天授元年（690），武則天正式登基，改國號爲周，成爲名副其實的女皇帝。她那作爲女人的需要也被激發了。她寵幸的薛懷義身材高大、健壯有力，後因不「馴服」，而被她暗殺。她寵幸沈南，因其中年體衰而遭到厭棄。她寵幸的張易之兄弟則面若蓮花，侍寢有方，使她精神上得到了滿足，春情暫駐，她感謝二張的奉獻，授以高官，委以國政，成爲她晚年最親信的人。作爲一個女皇，武則天宦養男寵應該主要是爲了顯示女皇帝的威權。二張入侍時，武則天已年滿七十三歲，就算生活優裕，養生得法，服用春藥，也難使一個老嫗返老還童。她這是在向眾人炫耀：既然男子爲帝可以有成群的嬪妃，女人登基也應該有侍奉的男寵。翻開中國歷史畫卷，女人爲帝絕無僅有。一位女性在男性皇帝專制時代，想立於不敗之地，都面臨著孤軍奮戰的艱難。爲使臣民信服，就要主動地樹立自己的絕對權威和尊嚴。她在所有的領域內都要行使與男性帝王一樣的權力，因此，在「性」的問題上，她也要效法男性帝王。

10 才女上官婉兒的私生活之謎

唐代絹畫仕女。才女上官婉兒會長這樣嗎？

作爲一代女皇武則天的心腹，上官婉兒以才女著稱。她不同於那些酷吏、諸武和男寵，僅僅一時充作武則天鎮壓反對派的工具，也不同於那些治國能臣、忠勇將帥多是武則天政策的執行者。她是武則天的心腹，長期生活在武則天身邊，一面精心侍奉武則天，一面在宮中執掌制命，爲武則天代筆草擬敕詔，活躍於政治舞臺上。朝中文武臣官無不對之另眼相看。她雖一生未嫁，但也醜聞纏身。因此，她的私生活也和她的身世一樣，引起後人的注目。

上官婉兒是在襁褓中因受其祖父上官儀的案子牽連而入宮的。那還是麟德元年的事。當時高宗對武則天的專橫甚爲不滿，與宰相上官儀密謀廢后。上官儀附和高宗之意說道：「皇后恣意專權，天下極爲不滿，應當廢掉以順人心。」高宗即令其起草廢後詔書。武則天聽到密報後，慌忙趕到高宗身邊。一把搶過詔書，瞪起眼睛看了一遍。惡狠狠地把脖子伸到高宗面前嚷道：「你殺了我算了！殺呀！殺呀！」高宗久處積威之下，對撒潑的武則天毫無辦法。只得支支吾吾地說：「這不是我的意思，都是上官儀教我的。」只一句話就嫁禍於人，讓上官儀替了罪。

武則天不肯輕易罷休，指使親信許敬宗誣陷上官儀勾結前太子李忠圖謀叛逆。結果上官儀與其子上官庭芝被下獄處死，上官庭芝之女上官婉兒也隨其母進入宮中爲婢。上官婉兒在宮中漸漸長大。她天資聰慧，又肯用功學習，對宮中萬事都瞭如指掌。十四歲就會作詩，眾人都誇她是才女。後來，武則天見她才華出眾，善解人意，就封她爲婕妤，協助她擬敕制詔。上官婉兒也不計武則天殺父之仇，死心塌地地與武則天在國事上密切合作。這種不計前嫌的雅量在一般人中是鮮見的。

上官婉兒對武則天惟命是從，很受武則天的寵信。但也有一段時間屢遭訓斥。不是因爲她辦事不力，而是因爲獨身半生的她，不解了武則天的心態。時年七十多歲的武則天因男寵薛懷義死後，御醫沈南身心虛弱滿足不了自己，整天陷入寂寞無聊的煩悶之中。她喜怒無常、脾氣暴躁，動不動就責罵侍女。上官婉兒雖然善解人意，但從來沒嘗過男歡女愛的滋味，對武則天的狀況只感到惘然。後來張易之，張昌宗兩位美少年入宮侍寢，武則天才又精神煥發，精力充沛起來。上官婉兒才似有所悟。

唐・張萱《唐后行從圖》。眞實地表現了武則天出行的威儀。

上官婉兒私生活中不光彩的一頁，是武三思參與書寫的。當時，武則天已死，武三思是中宗與韋后最親密、最信賴的知己，官至司空，並和韋后勾搭成奸，成爲操縱中宗的「眞天子」。還千方百計消滅了「五王」，在朝中權傾一時。武三思的再度猖獗得益於上官婉兒鼎力相助。其時上官婉兒由正三品女官「婕妤」，升爲正二品「昭容」，她雖然已有四十多歲，但風韻猶存，看起來不過三十出頭。她容貌豔麗、風度婀娜、舉止大方、才華橫溢，令男人們爲之傾倒，中宗也垂涎欲滴。但韋后專橫，中宗不敢覬覦，眾大臣也懼於上官婉兒的聲望可望而不可及。

由於武三思和韋后的親密關係，可以隨時出入宮廷。出於政治需要，武三思想盡辦法取悅上官婉兒，挖空心思勾引上官婉兒，使上官婉兒陷入情網。面對權勢顯赫又對她體貼入微的男子，體驗了床笫之歡，欲壑難填，遂與武三思頻頻幽會於後宮。後來竟成爲宮中公開的秘密。爲了更方便與武三思苟和，上官婉兒便要求在宮外建立私宅。把母親沛國夫人接來同住。每天早出晚歸到後宮侍奉帝后。許多女官紛紛效仿，竟開了宮廷史先例。

後來武三思被殺，韋后專權，毒死了中宗，引起了李隆基發動政變。當李隆基率眾進入宮中殺死韋后及安樂公主後，上官婉兒心存僥倖，率領宮人秉燭出迎並拿出一紙詔書的底稿讓李隆基過目。說當初是她親擬詔書立溫王李重茂爲帝，以相王李旦輔政的，不過韋后不肯。這個未實現的「功勞」沒有打動李隆基，上官婉兒當場被李隆基的部下一刀殺死。這個聰明一生的才女佳人竟慘死於這場流血的事變之中，終究沒有逃脫噩運，死時年僅四十七歲。

11 劉禹錫的「陋室」之謎

劉禹錫是唐代中晚期著名的哲學家和文學家，字夢得，彭城人。曾任監察御史，因參與王叔文的「永貞革新」運動，被貶爲朗州司馬、連州刺史、和州刺史，晚年任太子賓客，官終檢校禮部尚書。他所作的《陋室銘》，字如珠璣，句似錦繡，結構嚴謹，一直爲眾人稱頌，人們都對作者潔身自好、不慕權貴讚不絕口，其中「山不在高，有仙則名；水不在深，有龍則靈」更成爲膾炙人口、流傳百代的名句。

然而，人們在欣賞這篇佳作之餘，對劉禹錫的「陋室」產生了疑問：這個「陋室」究竟在何處？這個「陋室」指何而言？「陋室」到底什麼樣？議論來議論去，竟出現了許多說法。考據「陋室」的地點，必然要聯想到劉禹錫的籍貫、住地，可是，各種史料的記載都不相同。《古今中外名人索引》、《古代漢語》上，都說劉禹錫是江蘇彭城人，他的「陋室」是在這裡？《歷代賦譯釋》說他是河南洛陽人，難道洛陽有他的「陋室」？

有人據《新唐書劉禹錫傳》推斷，劉禹錫的「陋室」應是在湖南朗州。《輿地紀勝》、《官吏》、《碑記》又稱「陋室」就在安徽和州所。還有人說劉禹錫住過的陋室，相傳在今河北省定縣南三里莊。河北省定縣是戰國時期中山國活動的中心，漢高帝時設爲郡，景帝時改爲國，治所定在盧奴，就是現在的定縣。《新唐書》列傳劉禹錫本傳上記載，劉禹錫自己說他的籍貫在中山。由此看來，說劉禹錫的陋室在今定縣，不是沒有可能。

江蘇、河南、河北、湖南、安徽，看來，劉禹錫的住地、籍貫是定不下來了；他的《陋室銘》中的「陋室」在哪裡，就更說不清楚了。許多學者都指出，《陋室銘》全文是稱頌作者所居的陋室，表達自己保持了高尚節操，甘心於貧賤，不肯同流合污的思想感情。如此說來，這個「陋室」肯定指的是「作者自己居住的屋子」。然而，「陋室」的含意應該是「狹隘簡陋的屋子」。那麼，劉禹錫住的是什麼樣的屋子呢？考查劉禹錫的生平，他出身貴冑，廣有房舍。在二王八司馬事件之前，他是朝廷顯貴，遭貶後仍爲州司馬，有很像樣的官邸。因此，他所說的「陋室」，應該是他辦公、家居之餘的一所考究的「別墅」，絕不是「陋室」。

有人對這寥寥八十餘字的《陋室銘》全文進行推敲，從字裏行間分析劉禹錫「陋室」的樣子。「調素琴，閱金經」，指的是屋子裏有琴台，有古琴，有珍貴的藏書……「無絲竹之亂耳，無案牘之勞形」，在這裏不必處理蕪雜的公務，不必埋頭於案牘之中，多麼清靜。「談笑有鴻儒，往來無白丁」，來往說笑，吟詩弄文的儘是一些文人雅士，或學識淵博的僧道；不識字的人一個也不來往。有這樣社會地位的人住的房子，哪兒來的「陋」？說這是「甘於貧賤」，是不是太不眞實了？不只如此，有人還以爲《陋室銘》的作者不是劉禹錫，對《陋室銘》的眞僞提出了質疑，結果，也是其說不一，莫衷一是。「還有人認爲，古人作文，有時也不是據實而寫，爲抒胸志，往往造情設景，不一定非要切合自身實際。

12 韋后的「武則天第二」之謎

唐中宗李顯重稱帝後，王妃韋氏被冊立爲皇后。這韋后淫亂宮廷，專權爲君，在毒死中宗之後，又以皇太后身分聽政，弄得國政混亂，人稱「武則天第二」。其實，她成就趕不上武則天，惡行卻有過之無不及。韋后利用中宗的庸懦，爲所欲爲，無所顧忌，把自己的族人都弄到朝廷做了高官。後來，她竟與「親家翁」德靜王武三思私通，助紂爲虐。武三思企圖獨攬朝政，就封宰相張柬之、敬暉、桓彥范、袁恕己、崔玄等五位重臣爲王，卻免去他們在朝中的職務，奪了他們的實權，使武三思得以安插親信，自己一黨可以專權。

武三思捏造謀反的罪名，把不滿他與韋后狼狽爲奸的駙馬都尉王同皎殺死，並誣告張柬之等「五王」都參與此事，將他們一貶再貶，直到將他們全部殺死。從此，韋后與武三思的勢力在朝廷中一手遮天，肆無忌憚。韋后格外寵愛的女兒安樂公主，也依仗母后的權勢肆意橫行。她想辦什麼事，需要皇帝下詔，她就自擬詔書，卻將正文用手掩住，不給中宗看，只讓中宗簽署。昏庸的中宗竟然笑著從命。因此，無人敢惹安樂公主。安樂公主賣官爵，收取贓銀，即使是屠夫小販，只要交足了銀兩，便可弄個官兒當當。她家的豪奴也敢在光天化日之下強搶民女，霸佔爲奴婢，人們都敢怒而不敢言。

在韋后的縱容下，安樂公主竟纏著中宗要他廢了太子，立自己爲皇太女，將來繼承皇位，中宗雖然沒答應，但也不加怪罪。

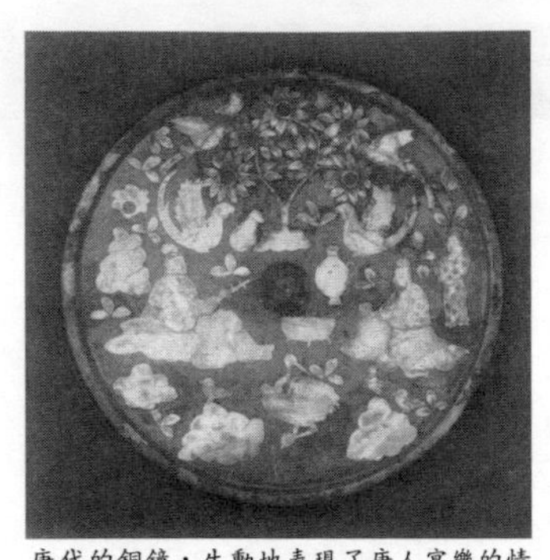

唐代的銅鏡，生動地表現了唐人宴樂的情景。

後來，安樂公主跟駙馬武崇訓一起欺侮太子，竟呼太子爲「奴」。太子李重俊忍無可忍，率羽林軍反抗，殺了武三思和武崇訓，並要追殺安樂公主。由於中宗與韋后出面，羽林軍倒戈，太子逃跑，後被殺害。

韋后的倒行逆施，引起了正直人士的不滿。有個叫郎岌的人上書中宗，說韋后和中書令宗楚客將要逆亂。韋后惱羞成怒，讓中宗把郎岌杖斃。許州司兵參軍燕欽融上表說：「皇后淫亂，干預國政。而安樂公主，武延秀、宗楚客等人，也圖危害宗廟社稷。」這武延秀是駙馬武崇訓死後安樂公主改嫁的後夫，宗楚客也是安樂公主提拔上來的親信。正當中宗召見燕欽融，聽取對韋后及安樂公主醜事的揭發時，宗楚客竟矯詔讓侍衛把燕欽融拋在殿廷的石階上，折頸而死。當時，中宗未曾責備宗楚客，但臉色很難看。

這時，宗楚客察覺到中宗已對他生了疑心，趕忙報告安樂公主。安樂公主立即與韋后密謀害死中宗，由韋后臨朝，立她爲皇太女。於是韋后找來與己早已有染的光祿少卿楊均，在中宗吃的飯裏下了毒。中宗終被韋后害死。韋后爲了實現自己的女皇夢，做個「武則天第二」，暫讓後宮生的十六歲的李重茂繼承皇位，她則以皇后身分聽政，實際是她親掌朝政大權，李重茂只是個傀儡而已。就這樣她還不滿足，又把目光對準了相王李旦，千方百計想把李旦除掉。韋后的所作所爲四面樹敵，終於引起眾怒遭到了滅頂之災。

李旦的三子李隆基此時正在京師。他聯絡了羽林軍的首領葛福順、陳玄禮及太平公主等人，發動了一場宮廷政變。一天深夜，葛福順率心腹將士直入羽林營，殺死了韋后的兄弟統領韋播等人，並對眾羽林軍士說：「韋后毒死先帝。危害社稷，我等今晚要把姓韋的全都宰了，擁立相王以安定天下。」結果，一呼百諾，連御苑花木工都來參加，一時皇宮內殺聲震天，一連攻破了三座宮門。不到天亮，韋后、安樂公主、武延秀都做了刀下之鬼。天亮了，宮門、城門全都關閉，搜韋氏餘黨。結果宗楚客被捉住殺死，韋氏宗族更是滿門被誅殺。韋后做夢也沒想到，她想做「武則天第二」沒成，還落得如此下場。

唐代的「騎駝樂舞三彩俑」。當時，有許多這樣的西域樂師居留在長安城內。

13 李白身世之謎

李白像

李白是中國文壇上彪炳千秋的大詩人，是一位傳奇人物。史稱他相貌特異，又精通月氏語，其先世曾流寓西域，他是漢人還是胡人？他的家世又如何呢？都成了後人感興趣的研究課題。

根據李白自述及其好友們的述說，李白是唐玄宗的族祖，出身顯赫。在《贈張相鎬》一詩中，李白自述道：「家本隴西人，先爲漢邊將，功略蓋天地，名飛青雲上。」李白的族叔李陽冰在《草堂集序》中說：「李白，字太白，隴西成紀人，涼武昭王九世孫。蟬聯組，世爲顯著。」從「先爲漢邊將」分析，李白應是「飛將軍」李廣的第二十五代孫，屬於西漢李陵、北周李賢、隋朝李穆一系後裔。從「涼武昭王九世孫」分析，肯定李白是唐玄宗的族祖。既然李白是李廣、李陵之後，有人推斷他應該是唐太宗李世民的曾侄孫。他的曾祖父可能是李世民的哥哥或弟弟中的一個。

但唐玄宗在天寶元年曾下過詔書，准許李的子孫登記上皇族的戶口，爲什麼李白一家沒有去登記呢？後來，李白進入翰林院，多次見到皇帝，爲什麼也沒有提到此事？即使到了晚年，他的處境很艱難，求人推薦的心情十分迫切，也沒有向人提起過這一段家事？結論只能說是，李白的先人李陵及李世民的兄弟，都曾因罪遭貶謫，尤其是可能牽涉到「玄武門之變」這場宗室恩怨，因此，李白生前不敢將此事寫成文字，而只在死後讓別人公諸於世。他是有難言之隱啊！

再從李白之父李客的經歷和處境，也可以對李白和身世之謎進行破解。李陽冰在《草堂集序》裏還寫道：「中葉非罪，謫居條支，易姓與名……（其父）神龍之始，逃歸於蜀。」李白好友范倫之子范傳正在《唐左拾遺翰林學士李公新墓碑》中也說：「絕嗣之家，難求譜牒，……隋末多難，一房被竄于碎葉，流離散落，隱易姓名，故自國朝以來，漏於屬籍。神龍初，（其父）潛還廣漢，因僑爲郡人。父客，以逋其邑，遂以客爲名，高臥雲林，不求祿仕。」李客爲什麼要「逃歸於蜀」或「潛還廣漢」呢？若因爲國破家亡，流落異域，那也早該返還原籍了。或是因爲觸犯刑律，流放邊疆，那麼時隔百餘年，也無須「潛還」廣漢。

有人進一步分析，認爲李客的「逃」、「潛」很可能與他的「任俠」、「避仇」有關。即李客或許是一位扶危濟困或替人伸冤雪恨的俠客，由於觸犯了當權者，不得不避居窮鄉僻壤，隱姓埋名，以終其一生。如果上述推斷得以成立，那麼李白家世中的一些疑難問題就可以有些眉目了。他本人對自己家世的閃爍其詞及他的親友「爲尊者諱」，「爲親者諱」，使用一些託詞和曲筆，也就有了答案了。與此相反，有人考證，李白不是他自己所說的出身，而是西域胡人。他們認爲，李白先人所竄謫的碎葉、條支，在隋末時，並未隸屬於中央政權的勢力範圍，當時也不可能成爲竄謫罪人之地，因而李

李白是中國唐代的著名詩人，他是胡人還是漢人？

白不是漢人而是胡人。

又分析李白之父李客的名字，認爲他本不姓李，而是潛還蜀中後改的。其名爲客，也是因爲西域人的名字與華夏不通，所以稱爲「胡客」，因此以「客」爲名。另外，蜀中地區在隋朝是與西域胡人貿易往來的區域，「李客」或許是「商客」，他入蜀後因爲富有漸成豪族。還有，李白「眸子炯然哆如餓虎」，相貌具有胡人的特徵，又精通月氏語，懂得少數民族的禮節。說李白是胡人也似有些道理。但許多人對此予以駁斥。他們指出：古時凡由漢民族居住區域移往外域，便稱爲「竄謫」，李白先世移居西域並非因罪竄謫，且從時間上看，也不一定在隋末。

其父名客，也可指外地去蜀的漢人，如果沒確鑿的證據說「李客」不姓李，不一定就是胡人，而且去蜀前一度改了姓，仍「有可能就是李姓。胡客」的話，就不能肯定李白的先人是胡人。李白之所以不得入宗正寺屬籍，很可能是其先世與李唐宗室有糾葛，直至唐玄宗時這種舊隙仍未消除，通月氏語和懂夷禮並不難，即使是漢族人，如果他的家世與西域有關聯，完全可以學到。

李白雖貌似胡人，但漢族人中相貌具有胡人特徵的也不少見，以此說李白是胡人，令人難以信服。還有人提出第三種看法，認爲李白先世既不是漢人也不是胡人，而是漢胡兩族的混血兒。他們查證古籍，認爲李白不是李之後，而是西漢名將李廣的嫡孫李陵的後代，是地道的漢人後裔。認爲早在漢武帝時，李陵敗降匈奴，他在中原的妻兒老小統統被殺，後娶胡女爲妻，其子孫隨胡人俗，改姓拓跋氏。到了隋朝末年，李陵的後裔蒙難又被流放到西域。李白的先世就屬於這一支。這樣看來，李白帶有胡人的血統就不奇怪了。

14 是酒讓李白斷魂西去的嗎

唐代大詩人李白，是中國詩壇上的一顆巨星，一生中寫下了一千五百多首膾炙人口的詩篇，流傳千古，受到後世人的讚賞，在中國文學史上留下了不朽的英名。他博學高日多聞，多才多藝，遠見卓識，有雄才大略，飄逸不群，蔑視王侯，一生不得志，經歷坎坷，只活了六十二年便去世了。他的身世、經歷和生死，都留下了許多謎團，引起了後世之人無窮的考證和爭議，而不得其解。他的死因即是其中之一。

一爲「病卒說」。李白的族叔，當塗令李陽冰在《草堂集序》中說，「陽冰試弦歌于當塗，心非所好。公暇不棄我，乘扁舟而相顧，臨當桂冠，公又疾亟，草稿萬卷，手集未修，枕上授簡，

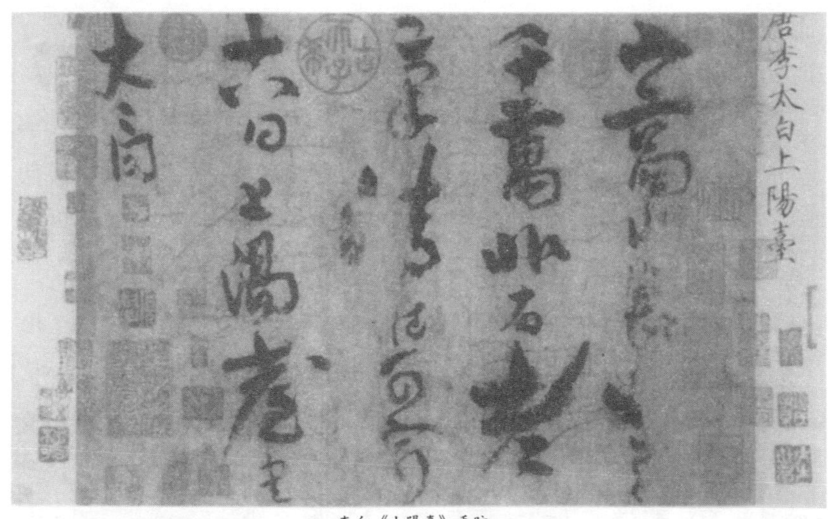

李白《上陽臺》手跡。

俾予爲序。」肯定李白是病死的。唐代李華《故翰林學士李君墓誌序》說，李白之墓在姑蘇東南，青山北址，六十二歲時，「賦臨終歌而卒」。唐代劉全白《唐故翰林學士李君碣記》也說，李白「天寶初詔令歸山，偶遊至此，以疾終，因葬於此。」明白地說明，李白是病卒的。李白一生嗜酒成性，人稱「醉仙」。特別是到了晚年，「狂飲」更是他生活中的一大特徵，久而久之，酒精中毒而致病是很自然的事情。

再看與他同時代的名人對他嗜酒的描述：大詩人杜甫所作《飲中八仙歌》中，刻畫了唐代著名人士賀知章等八位酒仙醉酒後栩栩如生的群像圖，李白的出場是全詩的高潮：「李白鬥酒詩百篇，長安市上酒家眠；天子呼來不上船，自稱臣是酒中仙。」酒後的李白竟敢在皇帝面前口出狂言。李白如此視酒如命，怎能不病入膏肓？

晚唐詩人皮日休曾作《李翰林詩》云：「竟遭腐脅疾，醉魂歸八極」，明確指出，李白是患「腐脅疾」而死的。據現代醫學分析，李白患的是「膿胸症」，不治而亡。

二爲「溺死說」。許多人根據李白生前豪放不羈的性格和浪漫高傲的氣質，認爲他的結局應該是「醉入水中捉月溺死」。五代時王定保在《唐摭言》中說：「李白著宮錦袍，遊採石江中，傲然自得，旁若無人，因醉入水中捉月而死。」

元代辛文房《唐才子傳》說：「白（李白）晚節好黃老，度牛渚磯。乘酒捉月，沈水中，初悅謝家青山，今墓在焉。」元代祝誠輯《蓮堂詩話》也說：「宋胡璞，閩中劍浦人，曾經採石渡題詩吊李白：『當時醉弄波間月，今作寒光萬里流』。」宋朝陳善《捫虱新記》記道：「坡（蘇東坡）又嘗贈潘穀詩云：『一朝入海尋李白，空看人間畫墨仙』。」可見，李白「溺死說」古已有之，流傳廣泛。

試想，李白一生浪跡江湖，他的詩寫月的高尚皎潔，寫舉杯澆愁，顧影自憐，空懷一身抱負，卻創痛巨深，以至貧病交加，潦倒如斯，在《笑歌行》與《悲歌行》裏，自己簡直表現哭哭笑笑的狂態，那麼，人們說他「醉而落水捉月而死」，好像順理成章，更能博得人們的同情。

三為「病」、「溺」都有可能說。據考證《舊唐書》和《新唐書》，它們在提到李白之死時，都一筆帶過，並沒有說明李白的死因。《舊唐書》只說李白是醉死於宣城的。那麼是醉而病死的，還是醉而溺死的呢？人們不得而知。或許是人們不願憑弔溺死之人而說李白是病死的，或許是古人不願面對李白病死的結局，寧肯認可他入水捉月、仙遊羽化也未可知。兩種死因都難以排除。

15 杜甫死因之謎

杜甫。

唐代大詩人杜甫，被人譽爲「詩聖」，他的詩大多揭露當時社會現況和統治者的黑暗，同情人民的苦難，反映唐代由盛轉衰的歷程。富有現實意義，被譽爲「詩史」。但是杜甫生前並不得志，窮愁潦倒，晚年更是流離飄泊，在貧病交加中死去，死時才五十九歲。他的死令人惋惜，也留下了一團謎。

有人說他是歿於牛肉白酒，有人說他病死舟中，還有人說他溺於郴水，其說不一。

據新舊唐書記載，杜甫是啖牛肉白酒，一夕而卒的。唐鄧處晦的《明皇雜錄》更記得很詳細認爲杜甫是吃得過多脹死的。有人認爲「脹死」之說不確，而是中毒。其說法是，杜甫於耒陽被大水所止的時候，正值暑天，食物極易腐敗，縣令送來的牛肉一次吃不完，過了一天就變質有毒了。當時杜甫已年老多病，吃了腐肉，又飲了白酒，加速了毒素在血液中循環，最終心臟衰竭而死。看得出這種說法是有科學道理的。

唐人李觀在《杜詩補遺》中，對杜甫的死因，又提出了新的看法。他說：「甫往耒陽，聶令不禮。一日，過江上州中，醉宿酒家。是夕江水暴漲，爲驚湍漂沒，其屍不知落於何處。洎玄宗還南內，思子美詔天下求之。聶令乃積空土于江上，曰：子美爲牛肉白酒脹飫而死，葬於此矣。」但這一說法無人贊同，並被眾人譏爲無稽之談。但也有人展開想像的翅膀：如果杜甫是這樣落水而死。加上李白的入水捉月而死，屈原的投江自沈而死。正好是「三賢同歸一水」了，寧可將大詩人的結局想得浪漫一些。大多數人則贊同杜甫病死於湘江舟中的觀點。

根據大量的史籍與傳說，描繪了杜甫病逝的前前後後。大曆五年四月，湖南兵馬使臧玠率兵作亂，潭州城裏大火沖天。時值深夜，官軍措手不及，潭州刺史崔瓘被亂軍所殺，百姓倉皇出逃，全城大亂。正在潭州養病的杜甫攜家眷跌跌撞撞逃出城外，準備投奔在郴州做官的舅氏崔偉。杜甫全家乘船溯郴水而上，行至耒陽縣境內的方田驛時，突然大江漲水，風狂浪急，只得在當地停船。杜甫本來就貧病交加，此地又無親友接濟，一連五六天沒有食物充饑。後來，耒陽縣令聶氏聞訊，派人送來了酒肉，並邀請他到縣裏作客。杜甫感激不盡，作詩答謝，詩題云：「聶耒陽以仆阻水，書致酒肉，療饑荒江，詩得代懷，興盡本韻。」至縣呈聶令。可惜，水勢越漲越猛，答詩送不到聶令手裏，眼看又要挨餓，只得掉轉船頭，下衡州去了。大水退了以後，聶令派人再邀杜甫，只見茫茫江水，渺無蹤跡，遂斷定杜甫一家已被洪水吞噬，十分遺憾，只好拾起杜甫遺落的靴子，建一座衣冠墓紀念杜甫。

其實，杜甫已回衡州，停留幾日後，仍以船爲家沿江而下。其間，杜甫還在船上作過一首詩《過洞庭湖》：「破浪南風正，回檣畏日斜。湖光與天遠，直欲泛仙槎。」沿江兩岸沒有落腳之地，杜甫又在船中住了一秋一冬。淒風苦雨使他的風痹病日益加重，最後竟臥床不起了。偏偏此時禍不單行，杜甫的幼女夭亡了。巨大的打擊，使杜甫再也經受不了，竟病死於船艙裏，時年五十九歲。杜甫死後，家人無力歸葬，只有將其靈柩暫寄於岳陽。四十三年之後，他的孫子杜嗣業才把他的靈柩運到河南偃師，正式安葬在首陽山下。當時，杜嗣業曾請求詩人元稹為杜甫作墓誌銘。元稹在《唐故檢校工部員外郎杜君墓誌銘》中，記載有「扁舟下荊楚間，竟以寓卒，旅殯岳陽，享年五十有九」句，證明杜甫確實病歿舟中。

應該說，這段描述，是頗為合理的解釋。對杜甫死因的探討，至今並未取得一致見解，但隨著考證的步步深入，這個謎還是不難解開的。

16 黃巢爲何遁入空門

唐朝末年，國勢衰敗，宦官專權，藩鎭割據。西元873年，唐僖宗李儇登基。年僅十一歲的他，整天只知蹋球、鬥雞，不理朝政，甚至用蹋球射門決定節度使的任命，致使朝廷上下一片混亂。他即位當年，關東大旱，赤地千里。第二年又遍地蝗災，顆粒無收，百姓病餓而死者不計其數，而官府反而變本加厲，大肆搜刮民財，官逼民反，各地紛紛起義。黃巢就是其中著名的起義軍領袖。

石刻天王像。

黃巢，山東曹州人，私鹽販出身。乾符二年（875）率領數千人在曹州回應王仙芝起義。次年，因不滿王仙芝的作爲，分兵獨立作戰。878年王仙芝犧牲後，被舉爲起義軍領袖，稱衝天大將軍，年號王霸。初擬攻東都洛陽，因朝廷有備，遂揮師渡江，轉戰兩浙，從江西入福建。王霸二年，進軍嶺南，攻克廣州，隊伍擴大到百萬人，控制了嶺南大部分地區。同年十月，回師北伐，由廣西入湖南、湖北。王霸三年十一月攻克洛陽，十二月破長安，即皇帝位，國號大齊，年號金統。

但他沒有追擊逃亡中的李儇小朝廷，也沒有對長安附近的藩鎮發動猛烈攻擊以鞏固京師，犯了戰略性的錯誤。加之黃巢長期作戰，沒有建立鞏固的根據地，缺乏軍需來源，又因唐軍鄭畋等各路軍閥的反撲和其部將朱溫叛變，黃巢於金統四年四月撤出長安。次年，起義軍徹底失敗。

黃巢失敗後的結局如何，至今還有不同的說法。一說被殺。《舊唐書・黃巢傳》及《僖宗紀》、《時溥傳》、《資治通鑑》等都肯定黃巢是被其部將林言所殺。二說爲自殺。《新唐書・黃巢傳》載：「巢計蹙，謂林言曰：『汝取吾首獻天子，可得富貴，毋爲他人利。』言，巢甥也，不忍，巢乃自刎。」即黃巢是自殺而亡。三說剃髮爲僧。陶穀的《五代亂離記》說：「黃巢遁免，後祝髮爲浮屠，有詩云：『三十年前草上飛，鐵衣著盡著僧衣。天津橋上無人問，獨倚危欄看落暉。』」

邵博的《河南邵氏聞見後錄》說：「唐史中和四年六月，時溥以黃巢首上行在者，僞也。東西兩都父老相傳，黃巢實不死，其爲尙讓所急，陷泰山狼虎谷，乃自髮爲僧得脫，往投河南尹張全義，故巢黨也。各不敢識，但作南禪寺以舍之。」還說，他曾多次去南禪寺遊覽，見壁上畫有隨著唐代佛教的世俗化影響，這件石刻天王像，與其說是神，不如說是武將的化身。黃巢服僧衣之像，「其狀不逾中人，唯正蛇眼爲異耳。」據時人說，寺中更有故寫眞絹本尤奇，黃巢題詩其上云：「猶憶當年草上飛，鐵衣脫盡掛禪衣。天津橋上無人識，獨憑欄干看落暉。」

張端義的《貴耳集》還說，「黃巢後爲緇徒，曾住大爲，禪道爲叢林推重。臨入寂時，指腳下，有黃巢兩字。」宋人的多種筆記認爲，黃巢兵敗後遁入空門，做了和尚，又依河南尹張全義，舍於洛陽南禪寺，最終遷居明州（今浙江寧波）的雪竇山，法號「雪竇禪師」。

據說，南宋時，雪竇山上尚有黃巢的墓，每年邑官遣人祀之。許多人贊同黃巢兵敗後遁逸爲僧的說法，其理由是：兩唐書、《資治通鑑》等官修或欽定的史書不敢直書黃巢逃逸的事，出於統治者的避諱，寧可造出「被殺」、「自殺」的「假歷史」來，而記載黃巢剃髮爲僧的野史、筆記小說，可能更符合事實。史書所說黃巢被林言所殺，獻首于徐州，於理不合。從實情分析，狼虎穀與徐州相距五六百里，而徐州到成都則距三四千里，這麼遠的路程，又值盛暑，即使用快馬日夜兼程，還得二十多天，黃巢的頭顱恐怕早已腐臭得無法辨認了。更何況黃巢兄弟六七人中，難說其中沒有長得與黃巢很像的，用別人的頭代替黃巢是很可能的。

值得注意的是，黃巢兵敗剃髮爲僧的記載，都出自宋人的筆記，離黃巢之死年代最近，這也能從一個側面肯定其眞實性吧。儘管宋人趙與時在《賓退錄》中指出，流傳的所謂黃巢詩作是取唐代詩人元稹的兩首《智度師》詩拼合而成，但他對黃巢有可能遁逸並未加以否定。看來，圍繞黃巢兵敗後的結局問題，尚有待於新史料的研究和考證了。

17 後梁太祖朱溫「懼內」之謎

後梁的開國皇帝太祖朱溫，是被史家斥爲「貪食、漁色、嗜殺、蔑倫」的暴君。但是，令人不解的是，他卻有著一段純眞的戀情，有過一位賢德之妃張惠，而且在相當長的時間裏，他的暴戾竟被張惠的柔德所制，不敢妄爲。這是怎麼回事呢？

唐朝末年，國勢衰敗，地方割據，天下大亂，文人學士遭到排斥，地痞流氓卻飛揚跋扈。朱溫早年喪父，隨母到地主家幫傭。他從小就懶惰無行，常因偷東西遭人打罵，在屈辱困苦中長大成人。一次，他在打獵途中，偶遇氣派非凡、美麗絕倫的宋州刺史張蕤的女兒張惠，傾慕不已，暗暗立下誓言，將來一定當大官，娶張惠。

不久，他爲了實踐自己的誓言，投奔了黃巢起義軍，南征北戰，利用自己的狡詐兇悍和善揣人意，從一名小卒升爲大將。廣明元年，黃巢在長安稱帝，建立了大齊政權。兩年之後，朱溫因屢立戰功，被任命爲同州刺史，率領大軍，浩浩蕩蕩進駐同州城。突然，在被俘的人群中。一位蓬頭垢面，衣衫不整的少女使他眼前一亮，這正是他朝思暮想，爲之心馳神往的張惠，朱溫將這次巧遇視爲天意，立即將張惠帶入府中，陳述了自己

朱溫爲何被史學家斥爲「貪食、漁色、嗜殺、蔑倫」呢？

的傾慕之情。張惠感到自己這樣一個流離失所、淪落爲俘的落難女子竟能被眼前這個雄武勇猛的將軍所愛，很受感動，願意嫁給朱溫將軍。朱溫的夢想變成了現實。

後來朱溫降唐，被任命爲河中行營招討副使、授以左金吾大將軍官銜，賜名「全忠」。此後，他打敗黃巢，平定了諸多割據勢力，轉戰南北二十年，終於消滅了所有對手。這期間，是張惠使他成就了大業，讓他言聽計從。朱溫兇殘成性，殺人如麻。他曾借設宴慶功之機，派兵將助他擊敗黃巢的李克用圍在驛館，縱火射箭。李克用僥倖逃脫，他手下的三百名親兵卻全被殺死。他在進攻東方四鎮時，殘殺兵卒、驅殺百姓，使徐、泗三郡人死過半。他與朱作戰時，將三千俘虜斬殺盡絕。這樣的事，比比皆是。後來，幸虧張惠不斷勸諫，才使朱溫有所收斂，不至於見一個殺一個，見一群殺一群，使不少軍兵、百姓虎口餘生。

朱溫的長子朱友裕也是張惠在朱溫虎口中救出的。景福元年，朱友裕率軍攻徐州，大敗朱瑾。但因其性格寬厚，沒有乘勝追殺殘兵敗將，被朱溫削去官職，派人查處。嚇得朱友裕到處躲藏。是張惠捎信讓他負荊請罪，並親自出面爲之說情，他才免遭一死。朱溫在張惠在世時，不敢過度縱欲宣淫。朱溫打敗朱瑾後，命其妻侍寢。張惠聞知說：「倘若汴梁不幸失守，我不也是這樣下場嗎？」說完大哭不已。朱溫心中慚愧，遂打消了邪惡的念頭。但是，朱溫在征伐亳州時，曾召一營妓侍寢月餘，後來生有一子，朱溫竟不敢將其帶回。天佑元年，張惠病危，朱溫立即飛馬趕回汴梁。回想幾十年相濡以沫的恩愛生活，想到眼見皇位到手，他引以自豪的妻子卻享受不到皇后的尊榮，這個心狠手辣的武夫不禁流下辛酸的淚水。張惠知道丈夫最大的弱點是嗜殺好色，所以，在臨終時，對朱溫進行最後一次勸諭：「戒殺、遠色。」

張惠死後不久，朱溫即逼唐昭宣帝退位，自己稱帝，建國號「梁」。從此，失去「賢內助」的朱溫肆無忌憚，爲所欲爲，更加殘暴荒淫，濫殺無度，以致身死異處。他妄圖以屠殺的手段威脅天下。屠殺唐朝的君臣官兵，也瘋狂殺害自己的部將。他以閱馬時馬瘦爲名，殺了自己的驍將鄧季筠；並藉口違抗軍令，殺了大將李重允和李讜；爲了滅口，殺死了自己的養子朱友恭和老將氏叔琮；他還揑造罪名殺死了自己的愛將李思安和猛將朱珍……直殺得人人自危，上下離心。

他還肆意淫亂彌補心靈的空虛。他到洛陽巡幸，居魏王張全義家中，竟將張全義的媳婦、女兒個個姦污，以「召侍」爲名，逐個兒姦污自己的兒媳；而他的兒子、養子們竟厚顏無恥地慫恿自己的妻子陪寢爭寵。乾化二年，朱溫患病準備後事時，入侍的兒媳張氏得知其欲傳位給養子朱友文，遂告之丈夫朱友。朱友突入寢宮，殺死朱溫，謀奪了皇位。稱霸一時的亂世梟雄朱溫，終因丟棄賢妻張惠的遺言，嗜殺好色，惡有惡報，走上了黃泉之路。

18 南唐後主李煜的「情聖」之謎

南唐後主李煜爲李璟的第六個兒子，本來無指望繼承帝業，但他一生下來，一隻眼睛裏竟有兩個瞳孔，即「重瞳」，被人視爲有帝王之相，因而成了眾兄弟猜忌、提防的對象。爲了避禍，李煜一頭栽進了文藝研究之中，在詩詞、書畫的天地裏樂而忘返。有著隱身江湖的志向與令人叫絕的妙筆，又在幽深如海的宮室內與簇擁如雲的婦人中長大，作爲一個多情善感的詩人，他當之無愧。但是，命運卻跟他開了個大玩笑，他的幾位兄長相繼亡故，在李璟死後，他竟出乎意料地當了南唐的君主，人稱「李後主。」

李煜即位之前，其父已向後周稱臣，改用後周年號，他繼位時，北宋已建立，迫於其威勢，他用的也是北宋年號。面對腐敗的朝政和野心膨脹的北宋，李煜卻不思進取，甘願對北宋俯首稱臣，以求生存。應該說，在政治上，他是昏庸無能的。但是詩人的氣質卻使他在生活上沒有墮落成荒淫無度的愚君，而把眞情傾注在娥皇姊妹身上，演繹出一曲蕩氣迴腸的愛情故事，因此人們稱李煜爲「情聖」。

李煜在文學上有高深造詣，但治國平天下的本領卻讓人不敢恭維。

李煜十八歲那年，娶了比他年長一歲的周娥皇爲妻。周娥皇不但容貌出眾，而且才通書史、善奕棋、歌舞，尤精琵琶，很受李煜寵愛。李煜即位後，冊封其爲國后。二人一往情深，恩愛甚篤。年輕的李煜從此沈浸在幸福中。此時南唐偏安一隅，還呈現出暫時的平靜。李煜爲她寫了許多詩詞，周后因詞譜曲，隨之演唱。他沈迷於逸樂之中，竟荒廢了政事。

《韓熙夜宴圖》。

他倆最感快樂的是爲藝術而互相切磋，共同探討。娥皇有時爲他研墨牽紙，讓他盡興揮毫；有時與他吟詠唐詩，兩人評點其中奧妙；要是論起歌舞，則娥皇如數家珍，讓他自愧不如。然而，紅顏薄命，這位與李煜廝守了十年，情投意合的愛妻卻染病不起，李煜又悲傷又難受，爲她請遍了國中名醫，並爲她求神拜佛，虔心祈禱，而且親奉湯藥，悉心照料，然而娥皇的病仍無好轉的跡象。正在此時，她的二子仲宣又因驚嚇而亡，她再也撐持不下去了，幾日後即告別了人世。李煜深感悲痛，用最隆重的禮節來安葬娥皇，又寫了一首情眞意切的詞來悼念她，還以「鰥夫煜」的名義寫了一篇誄文，命人刻於碑上，立在娥皇陵前。

此後，李煜在恍恍惚惚中度過了一段時間。接著，娥皇的妹妹成了李煜的最愛，後人稱其爲小周后。還在娥皇病重之時，十五歲的小周后爲探視姐姐的病情，來到了宮中。小周后的才情和品貌都不亞於娥皇，且舉止大方，青春煥發，兩人一見鍾情，娥皇死後，妻妹小周后就留在了李煜身邊。小周后既爲李煜的氣質和才華所折服，也爲李煜對妻子的眞情所感動，對李煜更增添了

五代・周文矩《宮中圖》。

幾分敬愛之情。李煜也把小周后當作「娥皇第二」，備加寵愛。此時李煜的母親逝世了，李煜須得守孝三年。三年一過，李煜就迫不及待地舉行了大婚，立小周后爲后。雖然是大敵當前，國府衰竭，李煜還是鼎力大辦，以博取小周后的歡心。

此後的李煜彷彿從那純潔的、兩小無猜的夫妻之情中掙脫了出來，也許是國勢更加危急，煩心事更多，李煜有了「今朝有酒今朝醉」的心態，開始放縱自己，小周后也知自己無回天之力。於是，那些後宮佳麗爲了得到李煜的青睞，便千方百計去取悅他。有個姓喬的宮女知道李煜好佛，就刺血寫經，受到李煜的讚賞；有個叫流珠的宮女苦練琵琶，技藝比得上娥皇，李煜有時想念娥皇就讓她彈奏一曲；宮女黃氏爲了接近李煜，潛心鑽研書法，書藝超群，也爲李煜賞識；李煜就這樣沈湎於聲色中，朝政概不過問，大臣們的諫諍也聽不進去，自然，南唐的末日來臨了。

西漢時期的《女媧畫像》。

南唐滅亡後，小周后隨李煜北遷汴梁，過起了囚虜生活。李煜與她日夜相伴，相依爲命，只求回憶和安靜。但是，宋太宗卻不給他們安定自在，只讓小周后進宮爲他歌舞侍寢。每次小周后進宮，李煜只能坐以待旦，以淚洗面，牽腸掛肚的等待妻子回轉，回來後，夫妻二人即抱頭低聲哭泣。後來，李煜被宋太宗毒死，小周後也於數月後在悽楚與悲憤中死去。應該說他倆的愛情也是眞摯和深厚的。可惜，兩人的愛情卻以悲劇收場。

第5章

宋元名人懸案

一幕幕歷史畫面、一個個名垂千古的英魂，恍然躍入了我們的眼簾。傾聽著遙遠的「斧聲燭影」，我們會問：到底是誰殺死了趙匡胤？凝望著廣袤得「無疆無域」的大元版圖，我們會問：忽必烈是因爲「用漢人制漢人」才成就如此大業的嗎？沈醉在李清照婉麗悵然的詩詞中，我們會問：她是幾易其夫的「隨便」女子嗎？蔑視元惠宗的荒淫無恥同時，我們會問：「天魔舞女」眞能給他羽化成仙的色情享受嗎……

1 趙匡胤的皇位爲何傳弟不傳子

趙匡胤像。

中國封建社會實行的是君主專制制度，歷代帝王都傳位給自己兒子，只有極少數的無子帝王才由弟或侄嗣位繼統。令人不解的是，宋太祖趙匡胤死時，兩個兒子尚在，卻「傳位」給了其弟趙光義。堪稱一代英主的趙匡胤，在「傳弟不傳子」的問題上，給後人留下了重重疑雲，長期以來眾說紛紜。

一是「斧聲燭影」之疑。《湘山野錄》中記載了這樣一段事：開寶乙亥歲，十月二十夕，趙匡胤把趙光義找來對飲，身邊無他人，「但遙見燭影下，太宗（即趙光義）時或避席，有不勝之狀。飲訖，禁漏三鼓殿，雪已數寸，帝引柱斧戳雪，傾太宗曰：『好做好做。』遂解帶就寢，鼻息如雷霆。是夕太宗留宿禁內。將五鼓，周廬昔寂無所聞，帝已崩矣。太宗受遺詔，於柩前即位。」這段話記述了趙匡胤在「斧聲燭影」中突然死去，是個疑案，趙光義又「是夕留宿禁內」，有殺兄奪位的嫌疑。蔡東藩著的《宋史通俗演義》和李逸侯著的《宋宮十八朝演義》也同此說。但這些僅是稗宮野史的傳聞，不見正史記載，不足爲證。

二是「金匱之盟」之疑。據說趙光義以皇弟的身分繼承其兄趙匡胤的帝位，是他母親杜太后的意見。說是杜太后臨終之時，曾對趙匡胤說：「你之所以能夠取得天下，是因爲後周的皇帝年紀太小，不能凝聚眾心的緣故，如果後周是一個年長的皇帝繼位，你怎麼可能有今天呢？你和光義都是我的親生兒子，你將來把帝位傳給他，國有長君，才是社稷之綱啊。」趙匡胤表示同意，於是叫宰相趙普當面寫成誓詞，封存於金匱裏，這就是所謂的「金匱之盟」，也就是趙光義「兄終弟及」的合法根據。然而，這個「金匱之盟」是趙光義登基後五年才列舉出來的。爲何不在趙匡胤死時堂堂正正地公佈出來呢？而且，趙匡胤死時，其長子趙德昭已近而立之年，幼子趙德芳也已二十出頭，並不是「年紀太小」啊。

三是王繼恩傳懿旨之疑。《涑水紀聞》裏說，太祖去世時已是四鼓，宋皇后叫內侍王繼恩把皇子德芳叫來。王繼恩沒有去找趙德芳，卻找來了趙光義。進宮後，宋皇后問：「是德芳來了嗎？」王繼恩答：「是晉王（趙光義）來了。」宋皇后驚詫莫名，後來突然醒悟，哭著對趙光義說：「官家（宋廷對皇帝的稱呼），我母子的性命，都託付給你了。」但這王繼恩有何膽量，竟敢違背皇后的懿旨？倘若事敗，不是殺身之禍嗎？

四是改元之疑。趙匡胤才剛死，趙光義第二天就即位，即不按照嗣統繼位下年改元的的慣例，急急忙忙將只剩兩個月的開寶九年改爲太平興國元年。這打破常規的迫不及待，是不是搶先爲自己「正名」呢？還他心裏有鬼？

五是皇親暴死之謎。趙光義嗣統之後，其弟改名爲廷美，被封爲齊王，但不知何故，趙光義竟將廷美削去王爵，貶爲涪陵縣公，並「鬱而死」；趙光義曾封趙匡胤的長子趙德昭爲武功郡王，卻「自殺而死」；趙匡胤的幼子趙德芳也神秘地「暴死」而亡。這些都是偶然的嗎？還有，趙光義曾加封宋皇后爲「開寶皇后」，可是，宋皇后死後卻不按皇后的禮儀治喪。這是爲什麼呢？

宋．《趙匡胤踢球圖》。

六是趙構傳位於趙慎之疑。最讓人莫名其妙的是，事隔一百八十七年之後，趙光義的後代宋高宗趙構沒有兒子。誰來繼承皇位呢？他正在猶豫不決的時候，做了一個夢。夢見趙匡胤帶他到了當年的「萬歲殿」，看到了當時「斧聲燭影」的場面，並對他說：「你只有把王位傳給我的子孫，國勢才能有一線轉機。」於是，趙構終於找到了趙匡胤的七世孫趙慎，並把皇位傳給了他。趙構承認了祖先的罪孽，相信了他的老祖宗趙光義「篡位」的說法。

綜上所述，趙匡胤傳弟不傳子之內幕，旁人確實無從窺見，但從種種疑問來推測，不難看出，趙光義是先殺其兄，再假傳懿旨，接著即位改元，並以「金匱之盟」欲蓋彌彰，後來又害死其弟其侄，以保其皇權永固。在《宋史．太宗本紀》裏，這樣說道：「若夫太祖之崩不逾年而改元，涪陵縣公之貶死，武功王之自殺，宋後之不成喪，則後世不能無議焉。」這部讚美趙光義爲「賢君」的官方史料，不也露出了蛛絲馬跡了嗎？看來，趙光義「殺兄篡位」屬實，只是目前還無確鑿的證據罷了。

2 宋眞宗趙恒的「天書」之謎

宋眞宗趙恒本來在即位之初，尙能廣開言路，銳意興革，勤政治國，出現了「咸平之治」的小康局面，但與遼訂立了「澶淵之盟」，以納歲幣求苟安之後，他的進取精神泯滅殆盡，施政思想日益保守，而且既崇道又信佛，勞民傷財，國勢日漸衰微。在這期間，一場關於「天書」的鬧劇一直折騰了好幾年。

壇淵之盟後，趙恒提升主和派王欽若爲資政殿大學士，位諸臣之首。王欽若迎合趙恒厭兵而又好功的心理，提出了「封禪泰山」的建議，並進言說：「古來即有聖人以神道設教之說，天瑞雖非人力所爲，但是只要皇上深信而崇奉，以明示天下，則與天降祥瑞無異。」趙恒點頭同意。後來，全國各地紛紛向他進獻祥瑞之物，「天書」即是其一。

景德五年正月初三的早朝上，有人報說在宮城左承天門南角發現像書卷一樣的黃帛兩丈多長，黃帛上面隱約有字。趙恒說：「去年十一月，我曾夢見神人，說今年正月當降《大中祥符》三篇，想必正是天書下降了。」於是，趙恒率領群臣到承天門，焚香望拜，取回「天書」。「天書」中把趙恒稱頌一番，並勉勵其善始善終，永保宋祚。趙恒把「天書」藏於金匱之

《宋人科舉考試圖》。

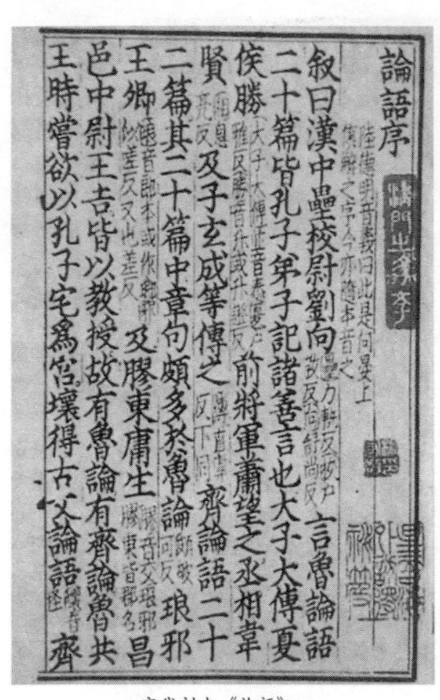
論語序

敘曰漢中壘校尉劉向言魯論語二十篇皆孔子弟子記諸善言也大子大傅夏侯勝前將軍蕭望之丞相韋賢及子玄成等傳之齊論語二十二篇其二十篇中章句頗多於魯論琅邪王卿及膠東庸生昌邑中尉王吉皆以教授故有魯論有齊論魯共王時嘗欲以孔子宅爲宮壞得古文論語齊

宋代刻本《論語》。

中，然後大宴群臣，令改元爲「大中祥符」，改「左承天門」爲「左承天祥符門」，並遣使祭告天地、宗廟、社稷、京城祠廟及各地宮觀。群臣也紛紛上表稱賀。一場鬧劇就此開演了。

大中祥符元年三月，兗州知州率一千二百八十餘人赴京上表，稱天降祥符，天下大治，請趙恒「封禪泰山」，以報天地。四月，又有「天書」降於宮中功德閣，宰相王旦又率文武百官，外來使臣、僧道耆壽等二萬多人伏闕上表，請行封禪。趙恒遂決定於當年十月赴泰山舉行封禪大典。六月初六，王欽若又上奏說，泰山下有醴泉湧出，泉旁有「天書」下降。群臣再紛紛上表稱賀，並乞加趙恒尊號「崇文廣武儀天尊寶應章感聖明仁孝皇帝」，趙恒一一接受。

十月初四，趙恒在龐大的儀衛扈從下，以玉輅載天書先行，離京城赴泰山。大隊人馬歷經十七天到了泰山腳下。儀仗、士卒遍列山野，從山下一直排到山頂。十月廿三日大清早，趙恒就頭戴通天冠，身穿絳紗袍，乘金輅，備法駕，在爲臣簇擁下，登上岱頂。次日以隆重的儀式封祭昊天上帝及五方諸神，禮畢下山。再以同樣隆重的儀式在杜首山祭地祇神。最後登上朝覲壇，接受百官、外使及僧侶的朝賀，大赦天下。以封禪禮成，詔改乾封縣爲「奉符縣」，並作《慶東封禮成詩》，令諸臣唱和。最後盛宴群臣。

十一月，趙恒回到開封，詔定「天書」下降京城之日爲「天慶節」，「天書」降於泰山日爲「天貺節」，命人將其封禪泰山之行編成《大中祥符封禪記》一書，還命人專門製造了奉迎「天書」使用的「天書玉輅」。群臣又爭上表章，讚頌趙恒功德無量，舉國若狂。本來，自秦皇漢武以來，僅有少數帝王去泰山封禪，皆因天下大治、四海昇平而爲，然而趙恒外患未除，內憂加劇，卻掩耳盜鈴，勞師「東封」，只不過是爲了滿足自己的虛榮心而已。此後，一些阿諛奉承之徒，投其所好，不顧連年水旱，民心動搖，仍屢屢謊報「祥瑞」，什麼「池鹽不種自生」啦，「仙書《靈寶眞文》問世」啦，「黃河自清」啦，趙恒都表示深信不疑。

大中祥符四年正月廿三，趙恒又率眾，歷時二十一天以封禪泰山的隆重禮儀，在山西寶鼎奉祗宮，祭祀土地後直到四月初才回到京城。這趟「西祀」，比「東封」耗費更大。是經過一年多的準備才完成的。期間，修行宮，治道路，增遞夫，役兵卒，貢錢物，動輒幾千人，花費幾十萬錢帛。一些正直的朝臣上書勸諫，趙恒根本聽不進去。

大中祥符七年正月十五日，趙恒又率眾南幸亳州，太社氏清宮仍奉「天書」爲先導，拜謁老子。這卷「天書」可謂物盡其用了。大中祥符九年，全國各地發生蝗旱，趙恒又是下詔滅蝗，又是親赴道觀，祈求上天保佑。災情不但未減輕，反而繼續擴大，連他住的京城上空，都是遮天蔽日的飛蝗，自此，趙恒憂鬱成疾，並日益迷信。不斷拜神求佛，甚至服食丹藥，不幾年就一病不起，喜怒無常，語言錯亂，在道徒與僧侶的祈禱中死去。他的「天書」鬧劇也至此收場，只給後人留下了個可笑的話柄。

3 宋仁宗趙禎的「假皇子」之謎

仁宗趙禎執政後期，統治階級內部日益腐朽，對外妥協苟安，對內因循保守，官僚機構龐大，官員們貪污腐化，賄賂公行，軍隊人數雖然不少，但兵不能戰，對西夏、北遼的侵擾，節節敗退，只得多「賜」銀帛，求得妥協。這一切，使趙禎感到困憂不堪，難以招架。更令他心焦的是自己已過不惑之年卻無子嗣，百年之後後繼無人。

趙禎十三歲繼位，十五歲時就由劉太后爲他立皇后郭氏，又選美女充盈後宮。不知因爲什麼緣故，此後的十幾年中，無論皇后、妃嬪，無一爲他生出皇子。爲此趙禎曾在宮中供奉赤帝像，日夜祈禱，以求皇嗣，直到景佑四年，後宮俞美人才生子，卻沒活下來。

圖爲宋仁宗皇后像。

寶元二年，苗美人又爲他生子，滿朝皆喜。趙禎更是樂不可支，親自爲這個寶貝兒子起名昕，意思是「太陽將要升起的時候」，並立即封官加爵，可惜，趙昕只活了一年半便夭折了，趙禎空歡喜了一場。慶曆元年，朱才人再爲趙禎生子，趙禎賜其名爲曦，意思是「清晨時的太陽光」，並封此小兒爲鄂王，但是，趙曦沒活到三歲也夭亡了。趙禎受此打擊，更爲自己無子而憂愁。皇嗣成爲當時朝廷內外最關注的大事之一，因而此後就發生了有人冒充皇子的「假皇子」事件。

皇佑二年四月初的一天，京城忽然來了一個廬山和尚，姓全名大道。他帶著一位風度翩翩、儀表堂堂的青年，聲稱這名青年是當今聖上的皇子，要面見皇上。這個消息一下子轟動了京城。人們奔相走告，紛紛聚集起來，圍觀這名青年，評頭論足，交頭接耳，好不熱鬧。權知開封府錢明逸聞訊，大爲驚異，不敢怠慢，趕快命人將這個和尚與青年請入衙門，以禮相待，安頓下來。同時急忙派人奏報朝廷。大臣們議論紛紛，這個說，皇上只有三子，都已早夭，從哪兒又冒出個皇子來，其中必然有詐，應亟加貶誅爲是；那個說，皇上的私事誰能全知道，倘若這個和尚說的實有其事，貶誅之後如何收場？七嘴八舌，莫衷一是。趙禎聽奏此事後，尤爲惱火，即令翰林學士趙概和知諫院包拯，迅速查明事情本末奏聞。

包拯鐵面無私，斷案如神，深得趙禎信任，接到此案之後，知道非同小可，遂抖擻精神，深究追問。終於找出破綻，弄清了眞相。原來這青年名叫冷青，其母王氏本來是趙禎後宮中的一名宮女，熟知宮內情形，後來，因她偶犯小過被貶出宮去，生計無著，嫁給一名叫冷緒的郎中（醫生）爲妻。婚後，王氏爲冷緒生有一女一子，此子即爲冷青。冷青自幼缺少家教，既不願讀書，又不願勞動，衣來伸手，飯來張口，東遊西蕩，無所事事。後來竟離家出走，四處漂泊，到了廬山。

碰巧，和尚全大道得知冷青是宮女之子，又長得一表人才，遂收留了他。全大道深知此時皇室正爲無繼承人著急，王氏在宮中的經歷又有隙可乘，倘若把冷青調教一番，再用花言巧語騙過皇上，說不定自己因此名利雙收，飛黃騰達呢。於是全大道和冷青在密室中日夜謀劃，時時演練，並把冷青打扮一下，下了廬山。哪想剛入京城便遇上了智謀過人的包大人，露了馬腳，兩人全被誅死。「假皇子」的鬧劇才收了場。

此後，「無子」更成了趙禎的心病，整天沈溺後宮，一一召幸，結果不但皇子無望，自己的身子也搞垮了。形神疲憊，疾病纏身。他竟長居深宮，服起丹藥來，更少問政事。大臣每有國政奏聞，他連話都不願多說，只是點頭敷衍。嘉祐四年，後宮董御侍、周御侍為其生下二女。自此，趙禎心如死灰，自己生子繼嗣已完全無望。不得已立養子宗實為嗣，賜名曙，總算放下了一件心頭大事。過了不到兩年，趙禎舊病復發，無醫可治，崩於福寧殿，終年五十四歲。趙禎一生御女無數，盼子望眼欲穿。真皇子一個沒有，假皇子卻鬧得沸沸揚揚，到頭來含恨而去，算是他縱欲無度的報應吧。

4 蘇小妹與秦少游婚姻之謎

《醒世恒言》第十一卷《蘇小妹三難新郎》中，描繪了新郎秦觀（字少游）在新婚之夜被新娘蘇小妹嚴格「考試」的經過：

其夜月明如晝。少游在前廳筵宴已畢，方欲進房，只見房門緊閉，……丫環道：「奉小姐之命，有三個題目在此。三試俱中試，方准進房。這三個紙封兒便是題目在內。……第一題是四句詩：「銅鐵投洪冶，螻蟻上粉牆。陰陽無二義，天地我中央。」秦少游曾假扮雲遊道人在岳廟化緣，去看蘇小妹，所以猜中謎底爲「化緣道人」四字，遂題詞一首：「『化』工何意把春催？『緣』到名園花自開。『道』是東風道有主，『人』人不敢上花台。」過了這一關。第二題也是四句詩：「強爺勝祖有施爲，鑿壁偷光夜讀書。縫線路中常憶母，老翁終日依門閭。」秦少游猜出：孫權、孔明、子思、太公望，也對了。第三題可就難了，蘇小妹出一對：「閉門推出窗前月」，秦少游左思右想不得其對。小妹的哥哥蘇東坡也爲少游著急，突然他見少游正在花缸邊看水，靈機一動，向水中投去一塊磚片，淆亂了天光月影。少游頓時曉悟，援筆對云：「投石衝開水底天」。丫環交了第三遍試卷。只聽見「呀」的一聲，房門大開，內中走出一個侍兒，手捧銀壺，將美酒酌於玉盞之內，獻上新郎，口稱：「才子請滿飲三杯，權當花紅賞勞。」少游此時意氣揚揚，連進三盞，丫環擁入香房。多少年來，人們對這對新婚夫妻的有趣故事深信不疑，並廣爲傳播。其實，歷史上的蘇小妹和秦觀根本就不是夫妻。

據史料記載，蘇小妹共有兄弟姊妹六人，在堂兄弟姐妹中排行第八，故其乳名叫做「八娘」。十六歲時嫁表兄程之才爲妻。程家是當地的大財主，行爲放蕩。八娘在程家不堪忍受這種痛苦，常常回娘家哭訴。婚後第二年，八娘在產後患病，程之才不管不問，仍在外尋花問柳。無奈，小妹只得回娘家調治。不料剛剛才好，程之才就通知八娘回去「侍奉公婆」，並搶走了孩子。八娘遭此驚嚇，三天後含恨死去，年僅十七歲。兩家從此結怨，絕交長達四十多年。關於蘇小妹其人，還有另外兩種說法。其一是說，蘇小妹並非「八娘」，而是八娘的二伯父蘇渙的第四女。此女才是眞正的蘇小妹。她嫁與宣德郎柳子文爲妻，生有二子，均聰穎可愛，勤勉向學。他們對八娘之弟蘇軾很崇拜，蘇軾的詩文中也有勸勉這兩個外甥的督學之作。其二是說，柳子玉之妻蘇氏是蘇小妹。但經考察，此女是丹徒人蘇頌的女弟，和秦觀更無半點關係。再看秦觀，其妻名徐文美，是潭州甯台主簿徐成甫之女。此女雖也通文墨，偶爾爲詩，但並非才女，與蘇小妹一家無任何瓜葛。秦觀與徐文美結婚時，蘇小妹已死去十多年了，而秦觀成名之後作爲蘇軾的門人時，蘇小妹辭世已有二十五年之久，說蘇軾曾經撮合過二人的婚事，豈不是子虛烏有？

總之，不論是蘇軾家的「八娘」，還是另外別的什麼「蘇小妹」，雖然都有些文才，都能作詩，但誰也沒有嫁給秦觀，也沒有聽說她們與秦觀有什麼別的關係。因此說，《蘇小妹三難新郎》純屬馮夢龍的杜撰，再經過戲劇《三難新郎》、《鵲橋仙》等添枝加葉的演出，就以假亂眞地傳了下來。爲什麼長期以來，人們對蘇、秦聯姻寧可信其有呢？恐怕還是出於對理想佳偶的企盼吧！如此看來，眞還得感謝馮夢龍的生花妙筆哩。

5 李師師讓「君王不早朝」之謎

宋徽宗趙佶的一生與南唐後主李煜簡直驚人地相似，他們在政治上昏瞶腐朽，重用奸邪；生活上揮霍無度，窮極奢侈；藝術上又頗有才華，造詣很深；一個好佛，一個好道；最終都做了敵國的俘虜。趙佶生性輕浮，又值風流年華，除了耽好花木竹石、鳥獸蟲魚、鍾鼎書畫、神仙道教外，還嗜女色如命，沈溺其中，放浪形骸，不能自拔。

宋徽宗趙佶爲何「君王不早朝」？這是趙佶所畫的《聽琴》，畫中彈琴者是趙佶本人。

趙佶是十七歲正式大婚的。婚後，他不喜歡相貌平平的皇后，卻寵愛太后的侍女鄭氏和王氏、出身寒微的大劉貴妃、頗善烹飪和裁剪的小劉貴妃及喬貴妃、韋貴妃等人。因爲這些女人個個姿色出眾，婀娜動人。有的識字解文，能說會道；有的善解人意，溫柔多情；有的心靈手巧，知冷知熱。這幾個人各領風騷，人人都擅一時之寵。

然而，再美味的佳肴吃多了也會

膩煩，再綺麗的景致眼熟了也不再新奇，在享受了十幾年太平之樂後，宮禁中那甜得發膩的諂媚以及刻意做作的逢迎，早已使風流成性的趙佶感到索然寡味。一天，他閒得無聊，在一個團扇上提筆寫了「選飯朝來不喜餐，御廚空費八珍盤」十四個字，忽然文思枯竭，便令一太學生續成下句。那人極會揣摩趙佶的心思，續了句「人間有味俱嘗遍，只許江梅一點酸。」是啊，甜酸爽口的楊梅當然會解御廚八珍之膩，這正是趙佶鍾愛嚮往的刺激性口味。而趙佶的「人間楊梅」就是名滿京師的青樓歌妓李師師。對趙佶來說，「妻不如妾，妾不如妓，妓不如偷」的正合他意。

從某種意義來說，趙佶又是頗具文人氣質的皇帝，他追求的是色聲俱佳的麗人，也追求那種風流才子與絕代佳人互相傾慕的意境。李師師則圓了他的風流夢。李師師是京城一位窮染匠的女兒，本姓王，自幼父母雙亡，後爲隸屬娼籍的李姥收養，改姓李，名爲師師。經過李姥的悉心調教，成爲風姿綽約、技藝卓越的歌妓，芳名遠揚。也許是童年淒涼的生活在她心裏刻上了深深的烙印，成名之後，她仍喜歡淒婉的詩詞，愛唱哀怨的曲子，常著月白的衣衫，輕描淡妝……這一切構成了一種「冷美人」風格，而這種淒怨的風格從第一次會面就征服了趙佶。

趙佶首次登門是喬裝打扮而去的。他見到李師師不是那種濃妝豔抹、倚門賣笑的蕩婦形象，反而有一種凜然不可侵犯的尊嚴。她有禮貌地接待趙佶，絕無半點曲意討好的媚態，言語間更無半點兒庸俗之氣。當她知道趙佶的眞實身分後，依然保持自我尊嚴。當她與趙佶有了感情後，便傾聽他的煩惱，分享他的喜悅，沒有特別的感恩戴德，也沒有過分的索取需求。她的不卑不亢令趙佶更加迷戀，心甘情願地拜倒在她的石榴裙下。自此，

「春霄苦短日高起，從此君王不早朝」。

趙佶在李師師那裏留連忘返，有時次日不歸，就傳旨百官，說自己偶患小疾，不再坐朝。眞是「不愛江山愛美人」了。趙佶與李師師交往愈深，愈覺得其珍貴，也愈想把她據爲己有。他三番兩次地請李師師入宮爲妃，都被李師師拒絕了。她不想當那毫無自由的皇家玩物。於是，趙佶只得仍舊偷偷摸摸溜出宮門，到李師師身邊去享受另一種又酸又甜、若即若離的愛情生活。後來，他怕人家發覺自己狎妓的醜事，乾脆以爲禁衛軍建造宿舍之名，從宮苑側門到鎭安坊李家修起了一道三里多長的夾牆，使之成爲一個安全保密的通道。儘管如此，紙包不住火，趙佶狎李師師之事，還是鬧得滿成風雨盡人皆知了。

趙佶風流一生，敗壞了江山社稷，最後客死敵國，自取其辱，沒人惋惜。據說李師師在國破家亡後，當了女道士，流落南方，卻令人無限同情。後人曾感歎道：「輦轂繁華事可紛，師師垂老過湖湘。鏤金檀板今無色，一曲當年動帝王。」

6 沈括的《夢溪筆談》之謎

沈括，字存中，北宋錢塘人。他自幼跟隨爲官的父親遊歷南北各地，獲得了不少見聞。二十四歲蔭襲父業，開始做官，又到了很多地方，對社會有了進一步的瞭解。他曾經在昭文館編校圖書，閱讀大量藏書，獲得了豐富知識。他在爲官時，只要有機會就結合實際進行科學研究，五十八歲隱居後，更集中精力從事科研和寫作，他在晚年撰著的《夢溪筆談》，共三十卷，六百零九條，可以說是一部多學科的百科全書。

尤爲難能可貴的是，在許多學科中，沈括都有深刻的研究和獨到的見解，許多問題解釋得都很準確，有的提法是他首創的。如在地質方面，他發現雁蕩山諸峰峭拔險怪，聳立千尺，穹崖巨谷，環抱其間，認爲這是由長期谷中大水的衝擊，帶走了泥沙，導致的特殊地貌。這一科學論證，要比英國的近代地質之父郝登的同一見解早六百多年。他在太行山中發現許多石壁上有海裏動物螺和蚌的殼及鵝卵石，用推想的辦法認爲在太古時期這裏曾經是海岸，是由於海陸變遷而遺留下來的痕跡。

沈括的《夢溪筆談》是中國歷史上一部偉大的百科全書。

如在天文方面，他指出月亮本身是不會發光的，而是借用太陽光的照射反映出來的。月亮的圓缺，也是由於太陽光照射的方位不同而產生的。在曆法方面，他還提出修改舊曆（陰曆），使用新曆（陽歷）的建議，可惜沒被宋神宗採納。現在英國統計農業氣候和生產所用的「蘭訥伯曆」，跟沈括的新曆，原理基本相同。

在氣候學方面，沈括提出了新的看法。他看到平原上的桃樹在三月開花，可是深山裏的桃樹四月才開花，這究竟是什麼緣故呢？經過反覆思考，他得出了地勢、氣溫同開花的時間有關的道理。在礦物利用方面，他是最早發現石油的人，而且「石油」這個名稱就是由他給起的。他在西北地區做官的時候，發現當地人用石油點燈，他就把油煙掃下來一層做成了「油煙墨。」他指出，「石油至多，生地中無窮，不若松木有時而竭。」他預言「此物後必大行於世。」果然，石油這種地下資源如今已被世界上所廣泛應用了，從中提煉出許多物質供生產生活之用。

他還發現中國古代發明的指南針使用起來很不方便，就提出了四種簡便的方法：水浮法、指甲旋定法、碗唇旋定法、縷懸法，其中縷懸法就是將磁鍼用細絲懸吊起來指示方向最適用於航海事業。他還發現指南針所指出的方位並不是正南方，而是略偏於東，這在今天的物理學中叫做「磁偏角」。這比哥倫布的發現早了四百年。

對奇特的自然現象，研究不出道理的，他則記載下來，便於後人探討，他在《夢溪筆談》書中記載揚州一個蚌中之珠這顆能發光能飛行的珠是不是一個飛碟呢？以沈括對科學的嚴謹態度，這個記載不會是杜撰的。

他很重視許多民間的發明家和改革能手，不僅記錄了他們高超的技藝和智慧，同時還爲這些名不見經傳的平民百姓樹碑立傳。如活字印刷的畢昇、河工高超及建築師喻浩等。他對醫術和藥品知識也很重視，不但整理了前人的成果，還指出古代藥典中的失誤、錯誤的地方。

特別值得一提的是，沈括還是位傑出的愛國主義學者。1075年，遼國向宋朝提出了強烈的領土要求，局勢相當緊張。宋廷初派韓縝為使交涉，雙方爭執不下。後改派精通地理的沈括為使到遼營談判，大家都擔心他有被遼方扣留的危險。宋神宗問他：「敵情難測，設欲危使人，卿何以處之？」沈括回答說：「臣以死任之。」他首先收集了許多地理資料，並叫隨從的官員背熟，對遼方提出的邊界問題，沈括及其屬下對答如流，有憑有據，使敵人啞口無言。經過六次激烈的談判，最後獲勝而歸，暫緩了北方邊界爭端。在回來的路上，沈括還把敵境內的山川險易，道路曲直，繪成《使虜圖抄》獻給朝廷，作為抵禦遼國的參考。後來，沈括堅持十二年，完成了當時最準確的一本全國地圖《天下郡國圖》，獻給朝廷，供經邦治國之用。

沈括的一生為人類社會發展作出巨大貢獻，《夢溪筆談》不僅是他本人的思想結晶，也不愧為世界上第一部「大百科全書」。

7 楊宗保是位女將嗎

清代剪紙《楊宗保》。

北宋時期，名將楊業、楊延昭父子忠勇愛國，戰死沙場，贏得人民的愛戴。楊氏一家，滿門忠烈，也都前仆後繼，報國捐軀，被人們譽爲「楊家將」。後世人把「楊家將」的英雄事跡演繹成各種民間文學形式，廣爲流傳。什麼「佘太君百歲掛帥」、「穆桂英大破天門陣」、「四郎探母」、「楊文廣招親」……簡直是家喻戶曉，老少皆知。千年以來，楊家將的故事越來越豐富，越來越感人。其中，楊宗保則是楊家將中的佼佼者，他英俊瀟灑，智勇雙全，是一名使敵人聞風喪膽的虎將，民諺中歷來有「少年要比楊宗保」的說法。

可是，歷史上是否有楊宗保其人呢？說法卻始終不一。

有人考證說，歷史上並無楊宗保其人。認爲《宋史》記載的楊家將抗遼的三代人，即楊業到楊文廣中，有名有姓者眾多，偏偏沒有楊宗保。書中只錄「楊業的兒子楊延昭（本名延朗），……楊延昭的兒子楊文廣」，「楊延昭有子名宗保……於史無證」其說似乎不容置疑。

有人說楊宗保即是楊文廣。其理由是，應將《宋史》與民間傳說相參照，這樣得出的結論就比較準確了。持這種看法的人認爲，《宋史》明確記載楊延昭有子楊文廣，而民間傳說則是楊延昭有子楊宗保。雖然名字不對，但二人的事蹟卻相同，如少年臨陣破敵等事。分析出現這個問題的原因，楊宗保乃文人的杜撰，不可信。其實，極有可能歷史上的楊宗保，就是楊文廣。

還有人說，歷史上有楊宗保其人，但他不是楊延昭的兒子，而是女兒，是楊老令公楊業的孫女。這一說法與民間傳說、戲曲故事大爲不同。但其根據卻是有物爲證：前些年在洛陽新安縣五頭鄉潼溝村出土了一塊宋朝楊令公的停靈碑。碑文記述了楊令公在此停靈的經過：「北宋朝楊令公之丘陵也。有女孫楊宗保感祖之義，居廬於此，遂入道而爲觀焉。」難道說，是後代文人把她杜撰成北宋的一員大將？

近年在山西代縣和山西原平發現的《楊氏宗譜》，都記有楊宗保是楊延朗之子。有人還考證說，元末南宋遺民徐大焯《燼餘錄》就有「延昭子宗保，官同州觀察，世稱楊家將」的記載。在湖北黃梅發現的《楊氏宗譜》更明確地說，楊業與其妻只有延昭、延信二子。延昭娶黃氏，生二子宗保、宗免。宗保娶穆氏，生文廣、同信兄弟。可見，家譜中確有楊宗保其人。

然而，有人又認爲在黃梅發現的《楊氏宗譜》可能是落魄文人袁鉉僞造的。據說此人爲了餬口的需要，專門幫富室大戶撰造宗譜，研究歷代顯要爲某姓之祖先，曾經暢行其時。按這個宗譜的記載，楊延昭的後代定居於湖北黃梅縣，但是，遍查《宋史》、《隆平集》和《遵義府志》等史料，延昭的子孫大都定居於播州（今貴州遵義市）一帶，並無其後人在湖北黃梅繁衍的記載。再考查湖北黃梅縣誌，其中的著名人物也沒有楊延昭、楊文廣的名字，這就使人懷疑這部《楊氏宗譜》的眞實性了。照此看來，還難確定有無楊宗保其人。

那麼，楊宗保的身世和性別，究竟是以史籍爲準呢？還是以家譜爲準呢？抑或以碑記爲依據？目前尚未能取得一致的意見。隨著考證的步步深入，這個問題離眞相大白之日似乎不遠了。

8 宋高宗用「處女」選太子之謎

趙構爲何要用處女選太子？

宋高宗趙構雖然後宮嬪妃如雲，但兒子卻只有元懿太子趙旉一人，可是趙旉年僅三歲就突然夭折，使趙構大爲悲痛。太子既死，趙構又在南逃途中受驚，患了不育之症，一時之間，皇儲乏人。可是儲君乃一國之本，儲君不立，朝野不能安心。爲了保住趙家江山，趙構只得在太祖的後裔中「伯」字行裏訪宗求室。此時，「伯」字行的已達一千六百四十五人，他先從中選七歲以下兒童十人，再逐一審看，最後只剩一胖一瘦兩個小孩。胖的是伯玖，瘦的是伯琮。

趙構粗看以後，決定「留胖去瘦」，並賜伯琮三百兩白銀遣回原地。伯琮正待捧銀出門，趙構又說沒看仔細，讓他二人叉手並立，自己站在一旁反覆端詳比較。忽然間一隻貓從二人身邊經過，伯琮立著未動，伯玖卻飛起一腳向貓踢去，趙構不高興地說：「如此輕狂，怎能擔當社稷重任。」於是決定「留瘦遣肥」。這樣，伯琮便以候選人的身份被養育在宮中了。

伯琮入宮三年，方才六歲，需人護持，趙構便讓張婕妤養育。伯琮天資聰穎，博聞強記，異於常人，頗受趙構鍾愛。伯玖也被孤獨無依的吳才人撫養。成大之後伯琮被加爵普安郡王，伯玖也被封爲恩平郡王。二人才能不相上下，趙構一時躊躇不決，未下詔立誰爲嗣。爲試二人優劣，趙構決定用「處女」選太子。於是各賜宮女十人，幾天之後，趙構將宮女召回，一一檢驗。結果，賜給伯琮的十人都未破身，賜給伯玖的十人卻已非處子。趙構並未將此事告訴別人，但內心已知孰優孰劣了。原來，伯琮本不是好色之徒，宮闈生活尚稱嚴謹，再加上他的老師史浩預先提醒他謹愼從事，經受考驗，使伯琮輕而易舉地擊敗了伯玖。紹興三十年，趙構宣佈立伯琮爲皇子，更名爲瑋，封爲建王。並詔告天下。之後，確定伯玖爲皇侄，皇位繼承人算是確立了。

紹興三十二年，趙構正式冊立伯琮爲太子，並在紫宸殿行內禪之禮。但趙不肯接受，退到大殿一側的旁門，想返回東宮。經趙構再三勉諭，太子方才答應。

趙構爲什麼要在此時禪位呢？原來，他自即位起，顚沛流離，半生戎馬，身倦神疲，早就想當太上皇過清閒日子了。這段時間，金人屢次入寇，他帶兵親征不利，兩淮又告失守，朝臣們畏敵如虎，爭相提出退避之計。趙年輕氣盛，討厭秦檜專權賣國，且趙正隨趙構在軍中供職，也熟悉了朝中文武及軍中將士。趙構說不敢抗金，又無法繼續推行投降政策，進退兩難，只好把這個擔子扔給趙。

行內禪禮時，文武百官齊聚殿門之下，宣讀禪位詔書後，按官階高低魚貫進入紫宸殿迎接太子登基。過了一會兒，趙即身著朝服，由內侍扶掖來到御座前，卻拱手側立不坐，七、八次扶掖之後才稍稍就坐，宰相率領百官祝賀，趙又忽然從座上跳起來，悲愴地說：「皇父之命，過於獨斷，此天子大位斷不敢爲，還是容我退避吧。」群臣幕僚當然不依，又是一番苦勸，趙經推辭再三後也只好聽從所請，繼皇位，是爲孝宗。即位儀式剛剛結束，孝宗便著龍袍，佩玉帶，行出禪曦殿，送上皇還宮，直到出了宮門還不肯止步，趙構再三辭謝，他才停下。趙構高興了，說：「我託付得當之人，可以說是沒有遺憾了。」

後人評價趙構，說他一生行事，惟選立太子最稱公允。能上慰天地，下慰祖宗的，僅此而已。然而，一則有宋太祖的先例，二來自己沒有兒子，所以選立孝宗，也實在是出於無奈罷了。

9 《滿江紅》是岳飛作的嗎

南宋著名的抗金將領岳飛，文武雙全，忠心報國。他率領的岳家軍聲威遠振，大敗金嶽。然而卻不幸被以高宗和秦檜爲首的主和派以「莫須有」的罪名陷害，冤死獄中。岳飛死後，他寫的一首《滿江紅》，慷慨激越、豪氣沖天，淋漓盡致地抒發了他不忘國恥，決心報仇雪恨收復失地的英雄氣概和崇高氣節，激起古今多少人士的壯志豪情和愛國精神，成爲一曲千古絕唱：

「怒髮衝冠，憑欄處、瀟瀟雨歇。抬望眼，仰天長嘯，壯懷激烈。三十功名塵與土，八千里路雲和月。莫等閒，白了少年頭，空悲切。靖康恥，猶未雪；臣子恨，何時滅？駕長車，踏破賀蘭山缺。壯志饑餐胡虜肉，笑談渴飲匈奴血。待從頭，收拾舊山河，朝天闕。」

然而，有人卻認爲它是後人的僞作，這就使《滿江紅》的作者成了一個謎，並引起了諸多的爭議，形成觀點截然不同的兩派：一派認爲《滿江紅》是後人所作。

圖爲抗州岳王廟中的岳飛像。

持這一觀點的人認爲，這首詞最初問世是在明朝中葉，是明代人徐階編的《岳武穆遺文》裏記載的，此時距岳飛被害約四百年，爲什麼宋、元兩代的一些史料全無記述？特別是岳飛的孫子岳珂不遺餘力地收集岳飛的遺稿，但其所編《岳王家集》也未見此詞？可見此詞來歷不明，令人生疑。另外，詞中有「踏破賀蘭山缺」一句，賀蘭山一帶是明代時北方韃靼人常常侵犯之地，弘治十一年，明將王越在此還打了一個勝仗，如說王越「踏破賀蘭山缺」才順理成章，而岳飛伐金要直搗的「黃龍府」在現今東北吉林省範圍裏，從地理位置上看，二者根本毫不相干。以此否認此詞作於宋代。還有人比較一下岳飛所作《小重山》一詞，低沈惆悵，低徊婉轉，屬婉約風格，而《滿江紅》英風颯颯，慷慨激昂，屬豪放派風格，二者風格大相徑庭。由此推斷《滿江紅》肯定不是岳飛所作。

一派認爲《滿江紅》爲岳飛所作。持這一觀點的人則逐一批駁了上述觀點，他們認爲：《滿江紅》之所以不見於宋、元間記錄的原因很多，就其情況具體分析：

其一，岳飛死時，秦檜及其餘黨羽把持朝政，恨不得將岳飛全家斬草除根。他的家產、文稿均被查封，家人怎能妥善收藏？高宗又拒不爲岳飛平反昭雪，凡同情岳飛者不是被殺就是被貶，這首詞怎能公開發表？以後又歷經元朝異族統治，岳飛的聲名繼續受到壓抑，直到明朝才逐漸恢復名聲，因此才造成了《滿江紅》出現在明朝中葉的情況。

其二，歷史上一些著名作品湮沒多年，歷久始新的情況並不鮮見，唐韋莊的《秦婦吟》就湮沒了九百年，但人們並未懷疑其眞實性。

南宋《中興四將圖》，左二爲岳飛。

其三，岳珂的《岳

王家集》未收錄它，很可能是收錄不全造成的。另外，關於「踏破賀蘭山缺」一句，應該解釋爲文學作品中慣用的比喻手法。如宋辛棄疾將「長安」比作「汴京」，陸遊將「天山」比作「中原」，能說他們犯了地理常識性的錯誤嗎？在《滿江紅》中的「賀蘭山」是岳飛借指敵境，因岳飛熟悉北宋與西夏的五十年戰爭史，「賀蘭山」在南宋時屬西夏，這樣寫就如同該詞後面寫的「胡虜肉」和「匈奴血」一樣，不直呼爲「女眞肉」「金人血」，更符合古代詩詞的含蓄、深邃的意境。不應就字論字，單就字面含義去理解詩詞作品。

還有岳飛詞作的風格問題，僅用兩首詞作簡單比較就下結論，未免有些武斷。一點是，就岳飛本人來說，他寫的其他詞作的風格與《滿江紅》相同者也不少見，由此可見，能寫《小重山》的岳飛也能寫出《滿江紅》來。再一點是歷代詩詞名家也並非個個都是一種風格，如蘇軾、辛棄疾既有豪放派風格的作品，也不乏婉約清麗的詩詞。至今爲止，兩種觀點仍未能統一，但無論怎樣，《滿江紅》確是一首振奮人心的正氣歌，是一首充滿愛國精神的偉大詩篇，它和岳飛的崇高氣節譜寫的是同一個旋律的。

10 岳飛屍骨安於何處

岳飛死後在杭州出現三處墓葬之地，人們不禁要問：岳飛的遺骨究竟在哪入土？

清代道光十三年（1833），杭州府司獄吳延康，正式確定杭州眾安橋下十七號爲岳飛葬地。他在當地籌集了大量銀兩，營建了岳飛墓和岳飛廟，並且刊印了《岳忠武王初瘞志》，在當時轟動全城，影響頗大。但後人認爲，此地是南宋時期臨安城中比較繁華的地方，又緊靠御街，將岳飛遺骨葬於鬧市之中，不合情理。《三朝北盟會編》、《朝野遺紀》、《湯陰精忠廟志》、《西湖遊覽志》、《錢塘縣誌》等資料，均記載岳飛遺骨的下落是這樣的：

當岳飛被處死梟首後，有個叫隗順的獄卒偷偷將其屍體背出獄，翻過城牆，來到了九曲寺（今杭州昭慶寺以北一帶），將其葬於附近的「北山之」（水邊）。隗順死前告訴他的兒子：「將來岳飛冤獄平反時，朝廷必然到處尋找其屍體，如找不到的話，就要懸賞。是我把岳飛的屍體偷偷掩埋的，在他的棺木上有一鉛，上面有棘寺（大理寺）勒字，這個鉛就是鐵證。」

後來，果然不出隗順所料，朝廷出了重金從他兒子那裏得到岳飛的遺骨，據說當時岳飛的屍體並未腐朽，仍像活著的人，還能給他更換禮服呢。經考查，南宋的大理寺在錢塘門內，而錢塘門沿城北去不遠就是九曲城，王顯廟就在九曲城下。由此推測，獄卒隗順背負岳飛屍體逾城，就近出錢塘門來王顯廟是合情合理的。據民間傳說，九曲王顯廟有岳飛顯靈，人們來此拜祭以求保佑平安。

如今，杭州西湖邊棲霞嶺上的岳飛墓被人們公認爲岳飛遺骨安葬之地。墓前還用生鐵鑄了害死岳飛的賣國賊秦

圖爲杭州岳廟中的秦檜夫婦鐵像。

檜夫婦的跪像，川流不息的人群在讚頌岳飛的高風亮節、浩然正氣的同時，也用腳踢和吐唾沫表示對秦檜的蔑視和憤恨。岳飛墓旁的岳飛廟更是雄偉莊嚴，「精忠報國」四個大字令人敬仰。但是，這裏是否是假墳，也難以說清。因爲，自岳飛遇害後，人們一直要求爲他平反昭雪，但殺害岳飛的主謀宋高宗始終置之不理。直到二十幾年後，宋孝宗即位，才迫於朝野上下一片呼聲，給岳飛恢復了官爵和名譽，可是爲了給太上皇宋高宗保留體面，還假稱「仰承」高宗「聖意」云云。

後來，岳飛之子岳霖在《賜諡謝表》中講道：「葬以孤儀，起枯骨於九泉之下。」因岳飛曾被朝廷授予「少保」之官職，而「少保」是「三孤」之一。岳霖的話是說岳飛的遺骨在別處取出，後以「少保」的葬儀改葬的。如此說來，棲霞嶺上之岳飛墓應爲岳飛改葬之處無疑。

11 歷史上的三個「張三豐」之謎

中國武術源遠流長，有文字記載的可以追溯到春秋戰國時期。經過不斷地演變、發展，形成了許多門派。主要有「少林外家拳」和「武當內家拳」兩派。前者源於中國佛教禪宗發源地少林寺，講究搏人，具有明顯的攻擊特性；後者源於中國道教勝地武當山，重在禦敵，長於防守。

武當派門派眾多，有太極拳、武當劍、玄武棍、三合刀、龍門十三松等。其中，尤以內家拳馳名中外。據說，武當內家拳的始祖是張三豐。然而，歷史上曾有過三個張三豐，那麼，究竟哪個張三豐是武當內家拳的創始人呢？

一是宋代張三豐。清黃宗羲的《王征南墓誌銘》中說，「少林的拳勇名天下，然主於搏人，人亦得以乘之。有所謂內家者，以靜制動，犯者應手即仆，故別少林爲外家。蓋起於宋之張三峰。三峰爲武當丹士，（宋）徽宗召之，道梗不得進。夜夢玄帝授之拳法，厥明，以單丁殺賊百餘。三峰之術，百年以後流傳於陝西，而王宗爲最著。」指出，武當內家拳起始于宋代武當丹士張三豐（又名張三峰）。

《王征南墓誌銘》中爲何提及張三豐之事呢？據說是因爲墓主人王征南也是武當內家拳的高手，深得內家拳的眞傳之故。王征南是明末的下級軍官，曾參加過反清鬥爭，失敗後隱居在家。黃宗羲見其人品正直，豪爽樸實，與他結爲好友，並把兒子黃百家送到他的門下習武，成爲王征南的掌門弟子。黃百家深得王征南器重，功夫大有長進，後來總結恩師所傳，寫成了《內家拳法》一書，成爲武當派的權威著作。

有人還考證說，宋代的張三豐還和著名道士陳摶有關係。陳摶是五代宋初人，字圖南，自號扶搖子，又號希夷先生。他隱居於華山修道，精通導養和還丹之術，著有《無極圖》、《指玄篇》等秘笈，有人認爲他才是內家拳的創始人，並把內家拳傳給了弟子，形成了一派，但影響不大；待到張三豐時才彰顯開來，自此張三豐大名廣眾人知，而陳摶的名字卻被人們淡忘了。

張三豐是怎樣創造內家拳的呢？除了夢中所悟，還有一說。南嶽國師文進之編著的《太極拳劍推手各勢詳解》中說，「一日，有鵲急鳴院中，張氏（即張三豐）聞之，由窗中窺見樹上有鵲，其目下視。地上蟠有長蛇，其目仰視，二物相鬥，歷久不止。每當鵲上下飛擊長蛇時，蛇以蜿蜒輕身搖首閃避，未被擊中，張氏由此悟通太極以靜制動，以柔克剛之理，因仿太極變化而命名，此太極拳定名之由來也。」但是，《武當拳術秘訣》、《內家拳法》則稱「武當脫胎於少林」、「張三豐現精於少林，復從而翻之，是名內家」。「宋代張三豐」一說，似成定論。

但是，有人考察《神仙鑑》的記載，發現黃宗羲是把南朝劉宋時期的道士張山峰，當成了北宋末年的張三豐了。其實二者並非一人。再從其他史料細加推算，如張三豐將武功親自傳給了明代淮安的王宗道（而不是王宗）的話，則張三豐該有三百歲了，據此說明《王征南墓誌銘》有關張三豐的記載是不確切的，可能是黃宗羲聽信了某種傳聞異辭，誤以爲張三豐果眞是宋人了。

二是明初張三豐。有人說，宋代的張三豐只是個略會武技的遊方道士，多少有些名聲。明代還有一個「張三豐」，他附會張三豐的名字，精研拳術，進一步發展了武當功夫，成爲著名門派，他才是武當內家拳的眞正創始人。

《明史・張三豐傳》記載，張三豐是遼東懿州人，生於元末，名全一，道號玄玄子，三豐是他的號。因其不修邊幅，又號「張邋遢」。他拜終南山火龍眞人爲師，練成一身絕技。不論冬夏，只著一衲一蓑，飯量極大，升斗輒盡；讀三教經書，過目成誦；日行千里，遊處無恒。著有《張三豐全集》，是個能文能武的道家奇人。

洪武年間，明太祖朱元璋曾遣使四處訪求，久覓不得。永歷年間，明成祖朱棣也想見見這位世外高人，派給事中胡和內侍朱祥賚帶著璽印書信和銀錢再次尋訪張三豐，歷時多年也沒見到張三豐的影子。後來，成祖朱棣徵集民夫三十萬人，耗銀百萬兩，重建武當宮殿廟宇二百九十多間，賜額「遇眞宮」，望三豐像。一時山名大振，香客雲集。自此張三豐名聞遐邇，被供奉爲神仙，徒眾多至萬人，武當功夫因此得到空前的普及和發展。

《道經源流》說張三豐「好道善劍」，鮮有敵者，門徒廣布，統稱之爲「三豐派」。《武當山志》說：「明代張三豐隱居於此，爲技擊家內功之祖。《張三豐全集》說：「王宗道，淮安人，永樂三年從三豐學道」。《太和山志》說：「明洪武年間，張三豐在此（即武當山遇眞宮）結庵修煉……」《淮安府志》說：「永樂改元，……越三年，太宗文皇帝思見張三豐其人，以『景雲』言對，即日遣使乘傳召見。文華殿奏對，稱旨給全眞牒，足跡遍天下，年七十卒。」綜上所述，說張三豐是元末明初人較爲可信。

三是金代張三豐。奇怪的是，《明史・張三豐傳》先說張三豐是明初人，同時又說其爲金代人。說他「元初與劉秉忠同師，後學道於鹿邑之太清宮，然皆不可考。天順三年，英宗賜誥，贈爲通微顯化眞人，終莫測其存亡也。」據此推算，張三豐到明初時應該有一百五十多歲了，因此說，金代的這個張三豐不是明初的那個張三豐。分析以上三個張三豐，創造武當內家拳的應是元明之際的張三豐，不知諸君以爲然否？

12 濟公和尚的原型之謎

濟公和尚是民間傳說扶危濟困、打抱不平的傳奇人物。他蓬頭垢面、衣衫不整、不守佛戒、東遊西蕩、喜好酒肉、遊戲人間、整天瘋瘋癲癲，時隱時現，但他揚善除惡，罰一勸百，一直受到老百姓的愛戴和尊崇。全國許多寺廟中都有濟公的塑像。其面部表情頗爲有趣。從左邊看，愁容滿面；從右邊看，笑容可掬；從正面看，左半臉哭，右半臉笑。甚是有趣。在杭州虎跑風景區，還有濟公殿、濟祖塔院等遺跡。

「濟顛」就是濟公。《辭源》上曾這樣介紹他：濟公，宋代著名僧人。生於西元1129年，出生在天臺（今屬浙江省），俗姓李，名道濟，佯狂不飾細行，飲酒食肉，遊行市井間，人以爲顛」，故稱「濟顛」，他開始在靈隱寺出家，因其行爲怪異，又屢屢有違佛戒，後爲寺僧所厭，遂移居淨慈寺。西元1202年，無疾端坐而逝，活了七十三歲。這樣看來，歷史上確有濟公其人。

但是有人認爲，上述資料是源自於明代《西湖遊覽志餘》，並非史籍，不足爲信。且民間傳說頗具傳奇色彩，有關濟公的小說，如《濟顛禪師語錄》、《紅倩難濟顛》、《濟公大師醉菩提全傳》、《評演濟公傳》、尤其是二百四十二回的《濟公全傳》，更使濟公充滿了神秘色彩，難以讓人相信世界上眞有這麼個亦凡亦仙的僧人。

況且自南宋以來，各種僧門著作中都沒有關於濟公的記載，權威的《佛祖統記》一書，所記名僧四百四十一人，均無濟公之名。那麼，濟公是不是人們憑空創造的虛構人物呢？據有人考證，現實中還眞有個濟公的原型，就是南北朝時期經歷宋、齊、梁三朝的高僧寶誌。《花朝生筆記》載，寶誌和尚，俗姓朱，金城人。因其自幼家貧，不滿十歲就到建康道林寺出家爲僧。後來，他向西域來的名僧良耶舍學習禪法，大有長進，竟有了些名氣。可是，不知什麼原因，到了宋明帝泰始初年，他突然瘋顚起來，赤足蓬頭，僧衣襤褸，飲食無常，居無定所，形似乞丐，常常口中念念有詞，惹人訕笑。

到了南齊建元年間，他更變得一天不進飮食也不知饑渴，但面色如常。尤爲神奇的是，他語言恍惚卻又屢屢靈驗，齊武帝把他請進宮裏，他竟然一變分爲三人，使齊武帝驚詫不已，他還密運法術，使齊武帝見到其父在地獄中受刑的情景，頓生感悟，遂下令減輕百姓賦稅，並消除了許多錐刺刀割的酷刑……梁時，梁武帝精通佛學，很尊敬寶誌和尚。他也將寶誌和尚請進宮裏，拜寶誌爲師父，稱其爲「國師」。他特地下詔：「公混迹塵世，神遊天上，不避水火，不畏蛇虎，要說他的佛理，勝過羅漢，要說他的隱論，恰似神仙。」還傳諭宮人，不許禁止寶誌的活動，不許怠慢他，並任其自由出入宮掖。簡直位越三公，榮耀無比。寶誌和尚也不負所望，在天監五年江南大旱之時，代皇帝求雨，當天就下起了傾盆大雨。

他一直活動在建康一帶，顯靈四十多年，後來在宮禁後堂坐化，終年九十七歲。歷代以來，有東南巨剎之稱的南京靈穀寺，就是爲了紀念寶誌和尚而建的。其中的寶誌公骨塔就是他的墓場。塔前有「三絕碑」。中間刻唐代大畫家吳道子畫的寶像，像的左側是唐代大詩人李白作的像贊，字爲大書法家顏眞卿所寫。除此之外，並刻有《寶公菩薩十一時歌》，是書法家趙孟頫的手筆。寶骨塔前還有巍峨的公殿。寶誌死後，他的事跡越傳越廣。百姓直呼其爲「誌顛和尚」。也許是吳儂軟語難分，傳來傳去訛爲濟顛；也許是人們將「道濟」比作「寶誌」，逐漸演變成了後來的濟公。

不過，由寶誌變爲濟公，也僅是一種猜測。二者相比，濟公的形象比寶誌這個原型更加生動精彩。濟公雖然沒被載入正史，但他在歷史上的影響遠遠超過寶誌。人們喜歡濟公，崇拜濟公，以自己的理解和願望塑造濟公，是有其思想根源和社會根源的。這樣的事例，在中國歷史上並不鮮見。那麼，尋覓他們的原型也是不無意義的了。

13 宋孝宗趙慎死於「不孝」之謎

宋孝宗趙慎即位之後，對其養父高宗趙構極盡孝道，「孝子」之名婦幼皆知。幾十年來，父子相處極爲融洽。感情篤厚。孝宗每月四次朝拜太上皇，畢恭畢敬，曲意侍奉，從不違拗太上皇之意，哪怕是軍國大事、起用官吏，也順太上皇之意而爲。

即位之初，孝宗很想有一番作爲，主張抗金，以恢復祖宗基業，而高宗卻不贊成對金用兵，想苟且偷安。父子二人意見不一致，使高宗大爲不快，對孝宗說道：「此事待我百年之後，你再議論吧。」從此，孝宗在高宗面前就再也不提此事了。

一次，高宗在靈隱寺遇見一位行者。此人本是一位落職的郡守，一個髒汙狼籍、僥倖免死的犯官。可是，他與高宗攀談之時，奉茶甚謹，禮遇有加，很得高宗歡心，於是高宗命孝宗重新起用此人。過了幾日，高宗再訪靈隱寺，發現此人還在，心中不樂，見了孝宗板起面孔不言不笑，嚇得孝宗對宰相說：「昨天太上皇盛怒，朕只恨地上無縫可鑽，即使是犯了大逆謀反罪，也要放他。」結果恢復了這人的官職，高宗才轉怒爲喜。

淳熙十四年，八十一歲的太上皇高宗忽然得病。孝宗扔下政事不管，天天在德壽宮高宗的病榻前侍奉湯藥，極盡孝子之道。無奈高宗壽限已到，醫藥無能爲力，孝心也無濟於事，不到一個月，就病死了。孝宗悲痛欲絕，捶胸頓足大哭不止，兩天之內竟滴水不進，並下了哀詔要爲高宗服喪三年。自此以後，每月的初一、十五，孝宗都身著孝服，親自到德壽宮舉哀。服喪期間，他禁葷吃素，少飲少食，漸漸形容憔悴，面容蒼白，精神萎靡，連宮中的妃嬪都替他擔心，生怕他病倒生出什麼意外。有位姓吳的宮中夫人，不忍心看皇帝如此苛待自己，偷偷地讓內侍在他的素菜中摻上一點雞汁，他發覺後，竟勃然大怒，當即將吳夫人逐出宮門。孝宗的孝心可謂天下少有。可是，他沒想到，他這樣一個孝順皇帝，竟死於自己的不孝兒子之手。

高宗去世之後，孝宗也已六十多歲了，他在位多年，對政事已感到厭倦，遂有意借服喪之機退位，因大臣們苦苦挽留，才暫時沒有禪位。但退位之意卻不可動搖了。淳熙十六年，金世宗完顏雍病死，他二十一歲的孫子完顏璟繼承了皇位。這樣一來，按「隆興和議」的規定，孝宗就得對小自己四十多歲的完顏璟稱叔伯，眞是無法張口，於是在當年二月，自己當了太上皇，禪位給太子趙淳，號爲光宗。光宗即位後，太子妃李氏被冊爲皇后。李氏與孝宗翁媳之間素來不和，宿怨很深，爲此，孝宗曾對禪位一事猶豫過。如今木已成舟，作爲皇后的李氏自然千方百計地報復孝宗，處處挑撥孝宗與光宗的父子關係。光宗竟擋不住枕邊風，漸漸與其父疏遠起來，一年也不見孝宗一面，使孝宗怏怏不樂。不久就鬱悶成疾，茶飯不思，形神疲乏。

可是，直到病危，光宗也不出面探望。孝宗很想見兒子一面，臨死也未能如願，終於含恨而死，終年六十八歲。一生講究孝道的宋孝宗，竟死於不孝兒子之手，九泉之下不能瞑目。這樣的悲慘結局，他大概沒有預料到吧。孝宗在位二十七年，雖然也曾銳意恢復國力，終究未能扭轉金宋之間叔侄之國的格局，可說是治國不足，孝道有餘。然而，這樣的孝於國於民又有什麼益處呢？

14 賈似道爲何得寵三朝

賈似道，字師憲，台州人，從小不務正業，浪蕩不羈，是個遊手好閒，講究玩樂的公子哥。因其姐被選爲理宗趙昀的貴妃，他成了「國舅」，於是身價陡增，被理宗任命爲負責京湖地區邊防事務的官員，以後又不斷加官晉爵，直升至右丞相兼樞密使。宋蒙戰爭再度爆發後，他成了江淮一帶宋軍的最高統帥。全面指揮前線軍務。賈似道既不諳軍事謀略，又無領兵殺敵的經驗，充其量不過是一介儒生，面對驃悍驍勇的蒙古騎兵，他膽戰心驚，畏敵如虎，壓根兒就沒敢想與敵人血戰沙場，決一雌雄，更談不到擊潰強敵，收復失地了。

西元1259年12月，賈似道懾於忽必烈大軍的兇猛攻勢，私自派使臣到忽必烈軍營求和。這時，蒙哥汗剛死，蒙古諸宗王正策劃擁立阿里不哥爲汗，忽必烈聞訊，正欲急速撤兵回漠北爭汗位，因此，允許了賈似道的議和請求，以長江爲界，宋朝每年送蒙古銀二十萬兩，絹二十萬匹。賈似道見蒙軍退走，大喜過望，不但隱瞞了他私自求降的事實，還謊報宋軍諸路大捷，昏庸的理宗信以爲眞，立

宋代《樂舞圖》。賈似道富甲天下，家中一定養了不少這樣美麗的舞女。

即加封他爲輔佐國君的少師、衛國公。賈似道靠著虛假的軍功，變成了保國英雄，回京執掌了朝政。從此，他排斥了左相吳潛、宦官董宋臣等，內外權柄，悉歸他一人之手。他再也無所顧忌，便爲所欲爲起來。

西元1264年，理宗病死，賈似道擁立太子趙作皇帝，是爲度宗。度宗本來就荒淫無能，稱帝後稱賈似道爲「老師」。度宗的天下實際上已姓「賈」了。賈似道稍有不快，便裝病告老相要挾，每次都把度宗嚇得心驚膽戰，生怕失去了這個幫手，自己不得逍遙。就在前方將士浴血奮戰，抵禦強敵的時候，賈似道卻長期住在葛嶺，遙控朝中的爪牙把持朝政，自己則大興土木，建造亭臺樓閣，從宮中，民間，甚至妓院去弄來美女供其淫樂。他還在府內建「多寶閣」，到處攫取寶物，閣內寶物遠遠超過皇宮所有。

咸淳九年，蒙古攻打襄陽日緊，同時虎視眈眈地窺視下游，南宋處於生死存亡關頭。賈似道爲平民憤，故作姿態，要求上前線指揮救襄陽，暗地裏他卻指使人上書，讓度宗留住他保衛京城。度宗怕賈似道走，自己失去重臣，便下詔留他，另派呂文煥前去。呂文煥原來是賈似道的爪牙，三天兩天向臨安謊報大捷，不久，他竟將襄陽拱手授敵。蒙古兵勢如破竹，順江南下，南宋已無法挽救了。

咸淳十年七月，度宗病死。九月間，登基稱帝的元世祖忽必烈命元軍統帥伯顏率二十萬大軍，水陸並進，消滅南宋。宋軍節節敗退。元兵佔領鄂州後，京師太學生集體上書，呼籲「師臣」親征，賈似道不得已，在臨安開建都督府，但他害怕敵軍，不敢出兵。後來聽說敵軍主帥病死，才請求出征。他抽調各路精兵十三萬，用船載著無數金銀輜重，甚至帶著妓妾，船隻浩浩蕩蕩，綿延百里。途中，他們派人與元軍講和，求元軍撤退，但伯顏不予理睬。結果，魯港一戰，宋軍大敗，賈似道所帶軍資器械全成了敵軍的戰利品。南宋的精銳部隊喪失殆盡，賈似道乘快船逃到揚州。七月，太學生及台諫侍從官紛紛上書請殺賈似道，由於謝太后的偏袒，只將其貶爲高州團練使，派人監押到循州安置，並抄沒了他在臨安和台州的家產。賈似道獨斷三朝，迫害宗室，福王與芮對他恨之入骨，趁機讓紹興府縣尉鄭虎臣作監押官，命他在途中除奸。鄭虎臣本與賈似道有宿仇，正好借機報復，和與芮一拍即合。

上路時，賈似道身邊除帶有大批行李和家屬外，還帶了數十名侍妾和許多珍寶。鄭虎臣一到建寧，便除去了他的諸多侍妾，沒收了他的珍寶。押運途中，鄭虎臣又撤去了賈似道乘轎的頂蓋，讓他挨曬，還讓轎夫唱著嘲罵他的小曲給他聽。到了南斂州黯淡灘時，鄭虎臣又出語暗示賈似道自殺，但他卻不想死。九月，到了漳州，賈似道自知難逃一死，就賴在當地三天不走，後來在押送官的催促下，只走到離漳州城南五裏的木綿庵，說什麼也不往前行了。

突然，他想著自己一生罪惡多端，民怨沸騰，於是吞下了大量冰片。誰知服食超量，腹瀉不止，並未立刻死去。鄭虎臣一看，躊躇再三。讓他這樣死去眞是於心不甘，若親手殺他，按當朝刑律，殺死朝廷命官，自己也難免一死。最後，他終於下定決心，「我爲天下人殺賈似道，雖死何憾。」於是，鄭虎臣走進廁所，抱住賈似道的前胸，提起他的身子，狠狠地向地上摔去。賈似道頓時頭破血流，拼命哀嚎，鄭虎臣見他不死，又狠命連摔幾次。直摔得賈似道口吐鮮血，兩眼翻白，一命嗚呼。三朝奸相，一朝橫死，總算消了人們的心頭之恨。

15 陸游與唐婉婚姻悲劇之謎

陸游，字務觀，號放翁，越州山陰人，是南宋著名的愛國詩人。他自幼酷愛讀書，勤奮好學，十二、三歲即能寫詩作文，十七、八歲便小有名氣。他還曾研習兵書，從師學劍，是個英勇豪爽、文武雙全的一代英才。他曾任鎮江、夔州通判等職，是堅決主張抗金的主戰派，因此受到投降派的壓制。他一生勤於創作，僅詩就達九千餘首，不少詩篇洋溢著愛國熱情，直到臨終時還寫詩念念不忘恢復中原。

然而，這樣一位憂國憂民、胸懷大志的詩壇巨匠，早年的婚姻卻釀成了悲劇，這個痛苦的傷痕伴隨了陸游一生。悲劇的過程並不複雜。陸游二十歲那年，與溫柔多情、能詩會詞的唐婉結成夫妻。兩人相親相愛，生活十分美滿。可是，不到數月，陸游的母親竟逼著陸游與唐婉離婚，懾於封建禮教的淫威，陸游被迫將愛妻休歸娘家。藕雖斷，絲還連，暗地裏兩人仍在私下相會，結果被陸母發覺，大鬧一場，夫妻倆只得強忍悲痛，含恨分離。十年後，陸游重遊沈園，巧遇唐婉，二人驀然相逢，恍若隔世，離情別恨一齊湧上心頭，此時唐婉已嫁作他人婦，只能讓人送過酒餚表達心意，陸游飲下苦酒，百感交集，於是揮筆在牆上題了一首蕩氣迴腸的詞《釵頭鳳》：

紅酥手，黃藤酒。滿城春色宮牆柳。東風惡，歡情薄。一懷愁緒，幾年離索。錯。錯。錯。

春如舊，人空瘦。淚痕紅鮫綃透。桃花落，閑池閣。山盟雖在，錦書難托。莫。莫。莫。

唐婉見詞，悲憤不已，從此鬱鬱成病，不久便含恨去世了。陸母逼著這對恩愛夫妻離異，讓人難以理喻。後人對陸游與唐婉婚姻悲劇的原因進行探討，出現了幾種分歧很大的說法：

一是爲了「事業」和「前程」。

《後村詩話》的作者劉克莊說，陸游青少年時，父母對他管教甚嚴，逼他休妻是怕他荒廢了學業，是爲了他的「前途」著想，是一番苦心，一片好意。

據說，陸父陸母對陸游的期望很高，希望他入仕爲官，對他科場不利很擔憂，尤其是陸父，長期居家不仕，把厚望寄託在陸游的仕途上，而陸游對政治並無興趣，卻對詩極爲癡迷，可想而知此時的陸游越是愛詩，越是同妻子玩得開心，就越不能爲雙親所容，陸父決不允許他捨經取詩，也就是說，一心要他當官，而不是成爲什麼詩人。這樣，陸父決心拆散他們，由陸母出面，遷怒於唐婉，結果，浩邑陸游屈服於「尊者意」，被逼與嬌妻分手。遺憾的是，陸游仕途上並不得志，與其父的願望相反，倒眞成了大詩人。晚年的陸游思前想後，只感到愧對前妻，悔恨無盡了。

二是陸母不滿意唐婉。

認爲主要是陸母蠻不講理，對唐婉不滿，但有人以事實爲依據，駁斥了上述說法。

其一，陸游第一次應考失敗時才十八歲，如果陸母眞的極爲看重兒子的前途和事業，幹嘛在他二十歲時，落第不到二年就急急忙忙把唐婉娶到家來？

其二，陸游第二次考試因激怒秦檜被貶黜落榜，時年二十九歲，與唐婉早已離異，陸游的科場失利，和唐婉毫不相干。

其三，分析陸游的《夏夜舟中聞水鳥聲甚哀，若曰「姑惡」，感而作詩》，似可以找到此謎的蛛絲馬跡，詩中說：所冀妾生男，庶幾姑弄孫。此意竟蹉跎，薄命來讒言。這裏的「姑」，古代指婆母。「姑惡」意指婆婆蠻不講理。《釵頭鳳》中的「東風惡」也是暗喻「姑惡」。由此詩推斷，可能是唐婉婚後不育，陸母「弄孫」心切，又聽信了讒言，才逼兒子休妻。這才是陸游婚姻悲劇的主要原因。

三是唐婉禮節不周，惹陸母不滿。

有人認爲，唐婉不通人情世故，惹得陸母心生不滿。當時，陸父因被革職，鬱鬱而死，唐婉心胸豁達，沒形諸色而引起陸母不快。於是藉口「不孝翁姑」，讓陸游休棄了唐婉，並讓他娶了「端莊婉順」的王氏女。經考證，這個說法也讓人生疑。因爲唐婉離開陸家後，陸游二十三四歲才娶王氏，稍後，陸父病逝，根本不可能有唐婉因此而得罪婆母之事。

四是違反了「重敬不重愛」的觀念。

有人認爲，上述各種說法都沒涉及到問題的本質。應該從封建禮教上去尋找原因，從封建宗法家長制上去尋找原因。當時，程朱「理學」盛行，什麼「三綱五常」、「三從四德」、「男尊女卑」，都是不可逾越的「雷池」。在夫妻之間，也強調「重敬不重愛」。陸游家是個封建禮教大家，兒子必須苦讀經史，兒媳則應該下廚、紡織，處處低眉順眼，謙卑恭順，而陸游與唐婉卻在花前月下，談詩論文，卿卿我我，必然被陸母所不容，越看越不順眼，直至逼兒休妻。陸游之所以遵從母命，捨棄愛妻，純粹是封建禮教的犧牲品，唐婉之死，也是爲封建禮教所害。此說似乎言之成理，但造成悲劇的直接原因是什麼？仍沒有個確切的答案。

16 李清照改嫁之謎

李清照才貌雙全，堪為萬中選一的才女佳人。

李清照，自號「易安居士」，是南宋時期最著名的愛國女詞人。她學識淵博，才華橫溢，其詞作風格清新婉麗，是詞苑中的佼佼者。她出身於詩書官宦之家，十八歲時嫁給宰相趙廷之之子、著名的金石學家趙明誠，過了一段夫唱婦隨的美滿日子。靖康元年，金兵攻破京師，她隨夫南下。後來趙明誠在赴湖州上任途中不幸病死，她孤苦伶仃地飄泊在越州、台州及金華一帶，在顛沛流離中鬱鬱而逝。她的一首《夏日絕句》中「生當作人傑，死亦為鬼雄。至今思項羽，不肯過江東。」成為千古絕唱。

李清照死後，人們在欣賞、研究她的詩文同時，還對她在夫亡之後的個人生活產生了興趣，並產生了「李清照晚年是否改嫁」的爭論。其說不一，歷經幾百年，仍無定論。

一是「改嫁張汝舟」說。宋趙彥衛的《雲麓漫鈔》中錄有李清照的《上內翰綦公（崇禮）啓》一文，是李清照寫給綦崇禮的一封信。這封信記錄了李清照晚年改嫁張汝舟的經過。信中說，李清照在重病期間被騙與張汝舟結婚。婚後，張汝舟暴露出市儈面目，不久李清照與其反目，便冒著坐牢的懲罰告發了張汝舟行賄得官的罪行，最後涉訟與之離異。按照宋律《刑統》的規定，妻告夫，雖屬實，仍須徒刑兩年。因爲綦崇禮仗義相助，使李清照免受牢獄之苦，所以寫這封信表示「感戴鴻恩」。除此以外，宋代史籍《建炎以來系年要錄》及當時其他不少學部著作也均記載了李清照改嫁之事。

才貌雙全的李清照。

二是否定改嫁說。明代學者徐認爲李清照改嫁之說不可信。他的觀點一是說李清照四十六歲時成了寡婦，年近半百的她怎麼會改嫁呢？二是說李清照是詩書官宦人家出身，改嫁即是「失節」，她不會不顧禮教，任性而爲。

清人盧見曾、俞正燮等也認爲李清照改嫁一事不可信，指出《上內翰綦公啓》可能是篡改本，內容不可靠。其一，信中稱此事爲「無根之謗」，即是否認有改嫁一事，其二，信中還有「持官書文字來輒信」的話。按常理，男女婚嫁，世間常有之事，朝廷無須過問，官吏豈有文書？其三，這封信文筆劣下，前後矛盾，不似出自李清照之手。俞正燮推斷，這封信是李清照爲了感謝綦崇禮解救李清照的另一冤案「頒金通敵」案而寫的，至於改嫁一事可能是別人強加上去的。俞正燮還認爲，《建安以來常年要錄》的可靠性也值得懷疑，因爲作者李心傳與李清照相隔萬里，他的記錄可能是誤聽誤載，其中有一節辛棄疾爲韓冑作壽詞就是虛構的。近代，也有不少人否認李清照改嫁一事，他們除了附合俞正燮的觀點之外，還列舉了以下幾點：李清照眞是一位幾易其夫的「隨便」女子嗎？

一、經考查張汝舟及李淸照寡居後的行蹤，各在一方，說明不可能有改嫁一事。

二、綦崇禮與李淸照的亡夫趙明誠是親戚，如果李淸照眞的改嫁了，又惹了官司，她好意思去求他幫助嗎？她的信肯定是爲了感謝解救「頒金通敵」冤案才寫的。

三、趙明誠的表甥，也就是綦崇禮的兒女親家謝伋寫的《四六談塵》一書中，引用了李淸照對趙明誠表示堅貞的祭文，並稱李淸照爲「趙令人李」，根本未提及什麼改嫁之事。

四、李淸照自傳性文章《後序》作於紹興五年，此時張汝舟已經除名三年了。也就是說，即使李淸照有改嫁一事，爲什麼在《後序》中隻字未提呢？

五、李淸照曾經講過：「雖處憂患而志不屈」；在趙明誠死後，她又爲頒行他的《金石錄》耿耿於懷，在六十八歲時還上表於朝。聯想到李淸照的詩、詞、文章和她的性情品格、生平事蹟，不難看出，李淸照是不會改嫁的。

對俞正燮的觀點也有人持相反的意見。有的人認爲，《上內翰綦公啓》不是僞造的；有的人認爲李淸照的這封信與「頒金通敵」案無關；有的人認爲，張汝舟從「獨松嶺道」去過杭州，很可能見過李淸照；還有的人認爲，改嫁在宋代是極爲尋常的事，宋人不會對李淸照改嫁之事大驚小怪……

三是強迫同居說。又有人提出了一種新穎的說法，認爲李淸照確實與張汝舟一起生活過，但不是「改嫁」，而是「同居」。因爲當時李淸照因「頒金通敵」之謗意外獲罪，成爲「犯婦」。按照當時的規定，所有的犯婦都可以強賣。張汝舟對李清照這位才女仰慕已久，便趁李清照病重之機，用陰謀手段將其據爲己有。他憑藉的就是李清照《上內翰綦公啓》中說的那種「官文書」。拿了這種批條而強迫李清照與他同居，完全違背了李清照的意願，因此，不能稱之爲「改嫁」。

有人認爲，上述說法也不足爲信。其一，出「官文書」的衙門，爲何後來又同意二人離異？難道視官斷的事爲兒戲？其二，趙明誠的哥哥存誠、思誠都身爲朝廷命官，怎能對弟媳之事袖手旁觀？其三，綦崇禮理應及早營救，何必等到李清照成爲人婦之後再費氣力？「同居」一說，也經不起推敲。看來，三種說法各異，此謎只得由人們繼續評說了。

17 朱淑眞「斷腸」之謎

朱淑眞，一稱朱淑貞，錢塘人，自號「幽棲居士」。是南宋時著名女詩人兼詞家。能畫，通音律，死後，其詩詞被輯爲《斷腸集》。她一生悱惻幽怨，在二十二歲時神傷腸斷鬱鬱而終。有人說她的詩詞「非良家婦所宜」，在諸多文學史中也很少提到朱淑眞的名字。這是怎麼回事呢？

朱淑眞出身於官宦門弟，家大業大，家中建有「東園」、「西園」、「西樓」、「水閣」、「桂堂」、「綠亭」等遊玩休憩的場所。她自幼聰慧，善讀書，少女時代就寫下了大量詩詞作品。從她這時的作品可以窺見其婚前天眞的情態和對生活的樂趣。

如，遊「東園」的詩：「紅點苔痕綠滿枝，舉杯和淚送春歸。倉庚有意留殘景，杜宇無情戀晚暉。蝶趁落花盤地舞，燕隨柳絮入簾飛。醉中曾記題詩處，臨水人家半掩扉。」又如，遊「西園」的詩：「閑步西園裏，春風明媚天。蝶疑莊叟夢，絮憶謝娘聯。踏草翠茵軟，看花紅錦鮮。徘徊林影下，欲去又依然。」還有《夏日游水閣》、《納涼桂堂》、《夜留依綠亭》等，都反映了她閒適優裕的家庭生活。

結婚之後，她的丈夫應試失敗，她還作《送人赴禮部試》一詩鼓勵他發憤圖強，力爭再試成功並以東漢馬援六十二歲還率師出征，窮且益堅，老當益壯爲例，激勵他上進。可以想見，朱淑眞對丈夫是一片深情並寄予厚望的。然而，她的丈夫卻使她大失所望，朱淑眞竟在抑鬱中一病不起而死，留下的是一堆孤寂悲憤的詞作和令人淚下的幽怨。對於朱淑眞這位多愁善感的詩人之死，一般都認爲是「因爲婚姻不滿」，「因婚嫁不滿」和「所適非人」等。說法比較籠統。稍微具體些的說法有兩種：

一是嫁市井民妻，不遂所願。

《西湖二集》中稱朱淑眞本來出身於小戶人家，由於她自幼聰明伶俐，生性靈敏，是「無師自通」的天才，所以才那麼有才氣，能寫詩作詞。她的婚姻不幸，是由其舅父吳少江造成的。吳少江嗜賭如命，輸了錢，借了金三老官二十兩銀子無力償還。爲了抵債，他偷偷摸摸把外甥女朱淑眞許給了金三老官的兒子，外號叫「金怪物」的「金罕貨」。這個「金罕貨」，長得三分像人，七分像鬼，是個只會糊傘的市井之民。朱淑眞迫於「父母之命，媒妁之言」，不得已嫁給了這個不如意的郎君，整天忍氣吞聲，以淚洗面。她的父母就這樣斷送了女兒的終身，使女兒死不瞑目。但這不過是小說家之言，不足爲信。

二是因丈夫薄倖而抑鬱成病。

況周頤認爲，朱淑眞是大家閨秀，根本不是什麼「市井民妻」。不但她婚前的作品可爲佐證，就在她婚後所寫的《璿璣圖記》裏，也透露，她隨丈夫宦遊浙西時，她認爲合意的東西，皆不惜重金購置。並考證說，朱淑眞曾隨父親和丈夫從宦於吳、越、荊、楚之間。她的《酒醒》一詩中「夢回酒醒嚐盂冰，侍女貪眠喚不醒」一句，哪裡會是開傘鋪店主之妻的口吻？

據一些資料分析，朱淑眞的丈夫仕宦之後常年在外作官，朱淑眞不在身邊，因而這個薄情郎另有所愛，或者納妾，並與朱淑眞斷了音信，使朱淑眞獨守空房。她的多首詩詞都表達了這種寂寞，可是，不論朱淑眞苦苦思念也罷，譏諷規勸也罷，表白忠貞也罷，她的丈夫就是不回心轉意。這怎能不令朱淑真愁斷肝腸，終於一病不起，含恨而死。一個才華橫溢、感情真摯的年輕女子，竟葬送在一場不幸婚姻之中。那些眠花宿柳，私養外宅的假道學者們當然說朱淑真的詩詞「非良家婦所宜」了，他們不願在文學史中提朱淑真一筆，也是自然的了。不知這個觀點能不能被諸君認同？

18 成吉思汗選儲君之謎

元太祖鐵木眞出身於蒙古部孛兒只斤族貴族，幼年喪父，家境困苦，但他發憤圖強，彙集群英，使家業重振。於1200至1206年間，戰勝了塔塔兒、克烈、乃蠻諸部，統一了蒙古主要部落。開禧二年，蒙古各部在斡難河畔舉行「忽裏勒台」，他被擁立於大汗，號成吉思汗，建立蒙古汗國，並制定了軍事、政治、法律等制度，創制蒙古文學，促進了蒙古社會經濟、文化的發展。

在1218至1223年間，進行了第一次西征，佔領了中亞細亞和南俄羅斯草原，建立了一個以和林爲中心，橫跨歐亞的大汗國。1205至1209年，曾三次進軍西夏，迫使西夏納貢乞降。從嘉定四年開始向金進兵，於嘉定八年攻佔金朝中都（今北京）。他一生「滅國四十」，是一個有著豐功偉績、叱吒風雲的一代英豪。

成吉思汗率領的蒙古鐵騎橫掃歐亞大陸，所向無敵。

成吉思汗的長妻孛兒帖共生了四個兒子：長子朮赤、次子察合台、三子窩闊台、四子拖雷。成吉思汗讓朮赤管狩獵，察合台掌法令、窩闊台主朝政，拖雷統軍隊。他們都爲蒙古帝國的奠基立下了汗馬功勞，猶如帝國的四根台柱。蒙古自古流傳著幼子有優先繼承權的習慣。長妻所生的幼子，蒙古語叫斡惕赤斤，意爲「守護灶之主」，是留守家業者，而他的兄長們則要到外面另立爐灶。成吉思汗克制了自己對小兒子拖雷的寵愛之情，打破蒙古的舊傳統，讓三子窩闊台為儲君。歷史的發展證明了他選擇的繼承人沒有辜負他的期望，也證明了他的遠見卓識。

成吉思汗為什麼要選窩闊台為儲君呢？

成吉思汗雖然以攻城略地使蒙古帝國初具規模，但他深謀遠慮，清楚地認識到他的繼承人不單要有軍事家的本領，更要有政治家的才能，才能鞏固和發展他開創的大業，並且使江山永固。他逐一分析了自己四個兒子的才能和特長，認為窩闊台較其他三子略勝一籌，認為窩闊台意志堅定，忠厚崇仁，舉事穩健，能擔負起治國安邦的重任。心裏早有了打算。所以，當嘉定十二年，成吉思汗揮師西征前，他便召集了諸子及胞弟，議定窩闊台為汗位繼承人。

此後，成吉思汗率四個兒子，分四路大軍踏上了討伐花剌子模國的征程。歷時六年，凱旋而歸。寶慶元年，成吉思汗指責西夏國主違約，再次親率大軍征討西夏。次年六月，西夏國主李派兵迎戰，結果被擊潰，只好遣使投降。成吉思汗遂揮師南下，渡過黃河，將大軍直指全國。經積石州，臨洮路，一直攻下京兆（今西安）。寶慶三年七月，成吉思汗身患重病，一臥不起。他自知死期臨近，便召諸子於枕邊。叮囑兄弟之間要和睦相處，精誠團結，並重申：「如果你們希望舒服自在地了此一生，享有君權和財富的果實，那麼，有如我在不久以前已經讓你們知悉的那樣，窩闊台將繼承我的汗位，我要把帝國的鑰匙放在他的英勇才智手中。」

按照封建制度，帝主駕崩後應立即由他指定的繼承人登基。

但是，由於蒙古的「忽裏勒台制」（部落議事會制度）仍起作用，窩闊台暫不能因其父的遺命繼位，而要等忽裏勒台的最後決定。在王位空缺的兩年內，由拖雷監攝國政。到了忽裏勒台推選新大汗的時候，爲此整整爭議了四十天。此時，朮赤已死，察合台全力支援窩闊台，只有宮廷內的少數人主張讓拖雷繼位。拖雷無奈，只得擁立窩闊台。經過與會貴族再三勸進，窩闊台終於答應繼承汗位。是爲元太宗。

19 忽必烈兄弟殘殺之謎

開慶元年，元憲宗蒙哥在南下伐宋的戰爭中，死於合州城下。因其生前沒立儲君，所以，引起了諸王爭奪汗位的鬥爭。當時，有資格接替汗位的除了蒙哥的幾個兒子外，還有蒙哥的兩個弟弟：忽必烈和阿里不哥。忽必烈是有雄才大略、手握重兵並立下顯赫戰功的征宋主帥；阿里不哥坐鎮和林，受皇后及蒙哥諸子擁護，也是蒙哥的心腹。兩人勢均力敵，又都覬覦汗位已久。兄弟二人之間骨肉相殘的內戰不可避免地爆發了。

忽必烈得知蒙哥戰死的消息時，此時他正率軍南伐，本不想無功而返，但是，他的妻子察必派人密報阿里不哥正調兵遣將，圖謀不軌，使忽必烈感到國內形勢危急，不能掉以輕心。幕僚郝經對他說：「眼下宋人不值得憂慮，當務之急是對付阿里不哥。您現在雖然握有重兵，但如果他宣稱正式繼承汗位，我們還能回得去嗎？願您以社稷爲念，與宋軍講和。然後率輕騎直奔燕都，使他們的陰謀不能得逞。同時派兵堵住先帝的靈舁，收蒙哥帝的印璽；再遣使通知阿里不哥、末哥等諸王到和林會喪；並命令您的兒子眞金鎮守燕京……。如擺出這種陣勢來，汗位就唾手可得了。」

忽必烈是一位智勇雙全的帝王，他一手締造了中國歷史上疆域最爲廣袤的大元王朝。

當時，正好南宋宰相賈似道派使講和，忽必烈當即同意，遂把大軍留在江北，自己率一支親軍北上。抵達燕京時，忽必烈識破了脫裏赤奉阿里不哥之命擴兵的陰謀，將所擴之兵全部遣散。又派親信廉希憲到開平爭取有實力的塔察兒擁戴忽必烈。中統元年三月，忽必烈在開平召集諸王，登上了汗位。阿里不哥在和林擁有重兵，自恃有皇后及少數地位高的諸王的擁戴，自稱奉遺詔，也在四月宣佈繼承汗位。

天無二日，國無二君。兄弟二人磨刀霍霍，都想用武力把對方消滅掉。四月間，雙方在秦、蜀、隴地區展開了爭戰。忽必烈謀劃周密，行動果斷，一路征戰，捕殺了劉太平、霍魯懷、密里火者等對方大將。在甘州以東山丹，又以合丹、八春、汪良臣等部，合兵擊敗阿蘭谷兒、渾都海，徹底粉碎了阿里不哥在這一地區的努力，使其失去西線的優勢。

這年秋季，忽必烈在得到陝、川財力、物力的充足供應下，乘勝追擊，親征和林。阿里不哥卻是糧草匱乏，供應困難。他自知敵不過忽必烈，便棄城而走，撤到西北方面的謙謙州一帶。他一面派阿魯忽主持國事，籌集糧草，一面假意與忽必烈講和，準備休養生息，伺機而動。忽必烈遂派宗王移相哥駐守邊境，自己也返回了開平。誰知第二年秋天，阿里不哥假裝投降，出其不意地發地動了突然襲擊，打敗了移相哥。然後，直向忽必烈撲來。忽必烈急忙率軍反擊。

兩軍在昔木土腦兒展開一場殊死大戰，結果，阿里不哥大敗，向北逃遁，其部將都歸降了忽必烈。此時，阿魯忽又背叛了阿里不哥，把察合台徵集的大量牧畜、軍械、財貨據爲己有。盛怒之下的阿里不哥率軍與阿魯忽開戰，大肆屠殺其兵民，手段極其殘忍，令人髮指。其部將見其如此暴虐，都紛紛離他而去。後來，阿魯忽倒向了忽必烈，原來擁戴阿里不哥的諸王也相繼投靠了忽必烈。阿里不哥成了孤家寡人，四面楚歌。最後，在至元元年七月，不得已歸降了忽必烈，結束了歷時四年之久的內戰。

按照蒙古的古訓，阿里不哥應當被殺，但是，忽必烈經過漢儒文化薰染，很想做個被人稱頌的「仁恕」之君。聯想到唐太宗李世民雖然堪稱一代英主，但他發動「玄武門之變」的殺兄奪位污點還是遮掩了他的光輝。如今，阿里不哥已是斷翅的飛禽，再無飛天之勢，況且當時不少蒙古諸王擁兵數萬，如不殺阿里不哥，肯定會使諸王念及他的仁厚，斷了叛逆之心。眼下一統天下大業未竟，先安定內部，再全力對付南宋，才是上上之策。於是，忽必烈決定不殺阿里不哥，但是「死罪可免，活罪難逃」，遂賜阿里不哥一處宅院，讓他度其殘生去了。第二年十一月，忽必烈宣佈將「大蒙古」國號改爲「大元」，以一個新朝雄主的姿態登上了歷史舞臺。

20 元英宗被弒之謎

元英宗碩德八剌是元朝的第五位皇帝，是元朝中期一位傑出的政治家、改革家。他自幼接受儒家正統教育，不僅通曉漢族文字，而且博識雅懷，諳於典故，有很深的漢文化素養。延祐七年，仁宗病逝，十八歲的碩德八剌即皇帝位，是謂英宗。

英宗剛強有爲，充滿銳氣，即位伊始就對蒙古沿行的選汗制度進行了改革，引起了蒙古貴族對這種廢改「國禮」的做法的不滿。而後，「威臨三朝」的太皇太后答己和右丞相鐵木迭兒等結成保守勢力的內侍集團，成爲分割英宗君權的強大對手，對以英宗及其親信左丞相拜住爲一方的改革派造成了極大的威脅。兩方的衝突不可避免地愈演愈烈。

英宗前期，由於答己與鐵木迭兒一派勢力很強，雙方勢力雖然出現對峙，但矛盾尚未公開化，拜住只能暗中獻策，以抵制鐵木迭兒派勢力的擴張，還不能大量任用有志改革的儒臣。這個時期的政治，大體上保持了成宗、武宗以來的舊傳統，同時也有許多創進。如在經濟方面，節約開支、省減吏員、降低官秩，安撫流民等等；政治方面，實行了一些強化中央集權的措施，如百姓不得妄言時政，不准漢人執兵器出獵，不准練習武藝等。他還非常重視學習漢民族文化，並善於採納朝臣的諫言。

英宗後期始於至治二年。當時英宗以拜住爲中書右丞相，不再另立左丞相。其時，鐵木迭兒和答己相繼病卒，使英宗基本擺脫了保守勢力的箝制，能得大力實施政務改革。英宗後期進行了一系列改革，其內容有：大規模任用漢族地主官僚及儒臣，罷徽政院及冗官冗職，行助役法，減輕傜役，審定頒行《大元通制》。

英宗新政的核心問題，就是「行漢法」。所謂「漢法」，就是建立在中原、南方封建農業經濟基礎上並與之相適應的一整套封建上層建築，包括中央集權制的國家機器，法律制度與正統儒家思想等等。作爲遊牧民族的統治階級，「以漢法治漢地」是歷史的要求，元世祖忽必烈即深通此理，英宗的改革更是明智的、有遠見的。但是，英宗所進行的改革，觸犯了大多數保守的蒙古色目貴族的利益，引起了他們強烈的抵制和反對。尤其是以御史大夫鐵失爲代表的貴族勢力更爲囂張。

鐵失是由左丞相鐵木迭兒引薦當上御史大夫的，後來又掌管了禁衛軍左右阿速衛。他貪財好貨，品格卑鄙，拜鐵木迭兒爲義父。鐵木迭兒死後，英宗說鐵木迭兒貪婪無饜，下令籍其家，並追奪其官爵及封贈制書；之後，又誅殺了鐵木迭兒的兒子宣政院史八思吉思和鐵木迭兒的一些同黨。這一切使鐵失感到自己的末日也快要來到了，於是陰謀策劃政變，要除掉英宗。至治三年，鐵失勾結晉王也孫鐵木兒，以立其爲帝爲條件，組成了一個暗殺集團。八月五日晚，趁英宗南行宿於南坡店之際，鐵失和知樞密院事也先帖木兒、鐵木迭兒的兒子及按梯不花等五個蒙古諸王，共十六人，闖入皇帝行幄，以衛兵爲內應，先殺拜住，後殺英宗於臥榻之上。

九月四日，晉王也孫鐵木兒即位稱帝。在位僅三年多的英宗，壯志未酬身先死，二十一歲就慘遭謀弒，令人惋惜。正直的人們曾賦詩悼念他：封章曾拜金殿間，凜凜豐儀肅九川。回首橋山淚成血，逢君不忍問龍顏。

21 元順帝「天魔舞女」之謎

元順帝妥懽貼睦爾十三歲登極之時，蒙古統治的興盛時代早已成爲過眼煙雲。從元成宗鐵穆耳死後到他即位的二十五年間，朝廷竟換了七個皇帝。朝中大權全由伯顏和燕鐵木兒兩大家族壟斷。後來，這兩大家族在互相傾軋中相繼敗亡，元朝的統治已是病入膏肓。朝中大臣結黨拉派，爭權奪利；地方官員互相勾結，魚肉百姓；元朝軍隊腐化墮落，尋歡作樂；廣大人民則饑寒交迫，流離失所。一場大規模的農民戰爭的風暴就要來臨了。

然而，元順帝卻把大權交給右丞相聰聰，自己開始深居宮中，過起了荒淫無度的糜亂生活。他寵信的宮中宿衛哈麻，爲了迎合他喜歡玩樂的心理，暗中向他推薦了一人教他學淫術，一群男女全身赤裸，一塊淫亂，令元順帝極爲著迷，整日沈溺其中。不久，在哈麻的妹婿的建議下，元順帝在皇親國戚中選了十個人，稱爲十「倚納」，在宮中學練秘密佛法。這十「倚納」與他在皇宮中跟眾多美貌女子都脫光衣服，醜態穢行令人不堪入目。元順帝則日夜以此爲樂。後來，淫行越演越烈，元順帝竟下令在避暑地上都修建穆清閣，設密室數百間，強擄民間美女入住，以供他與親信們夏季避暑之用。他親手設計了長一百二十尺的龍舟，經常乘舟在宮苑湖內往來遊戲。舟上的五彩金塗飾的殿宇金光閃閃，舟行時龍首、眼、口、爪、尾一齊擺動，他坐在舟裏宛如天神在天宮中巡行。

他還選了十六名宮女，稱之爲十六天魔，身披纓絡，頭戴佛

元代陶俑。生動地刻畫了當時雜劇演出中的樂工。

冠，赤腳露臍，表演擺臀扭胯的天魔舞，供他與親信們觀賞。爲了與天魔舞女廝混，他讓人在宮中秘密挖掘地道。歌舞之後，他就與這些天魔舞女在地道裏以盡淫興。他對寵愛的舞女，則不吝資財，大肆賞賜，甚至傾盡了府庫積粟也在所不惜。而文武百官的俸祿，則僅僅支給茶、紙等雜物，弄得朝野上下，一片怨聲。

至正十八年五月，紅巾軍起兵一直打到距京城一百二十里的地方，元順帝這才驚慌失措，朝中亂成一團。幸而，紅巾軍一部分內訌，另一部份被鎮壓，元順帝才保有半壁江山，得以苟延殘喘。此後，朝中不斷傾軋爭鬥，軍閥割據不斷混戰，朱元璋趁機崛起，在南京稱帝，建立明朝。至正二十八年閏七月，徐達率明軍兵臨城下，元順帝在一天的半夜裏，率后妃、太子及大臣們慌忙出逃，奔向上都。八月，徐達大軍攻入大都，元順帝又逃往應昌，最後在那裏病死。至此，稱霸九十七年的元帝國葬送在了這個荒於遊宴、溺於聲色的昏君手中。

22 馬可·波羅在揚州做官之謎

這是1477年印刷的《馬可·波羅行紀》一書中馬可·波羅的肖像畫。

馬可·波羅（1254—1324），義大利威尼斯人，中世紀著名旅行家，約於元世祖至元八年（1271）隨其父、叔前往東方，十二年至大都，得元世祖忽必烈信任而出使各地，在中國生活了十七年。著名的《馬可·波羅遊記》，即馬可·波羅歸國後口述、他人筆錄而成。這本書記載，當時揚州被選為中國十二行省之一，而馬可·波羅曾受元朝皇帝委任，治理揚州達三年之久。但由於書中記載不夠明確，因此，馬可·波羅是否在中國做過官？究竟做過什麼官？就成為大家關注的一個懸案。

法國學者頗節根據《元史·地理志》的記載，認為揚州在元代至元十三年為行省，次年改為路，推測馬可·波羅在此期間擔任過江淮行省或路的長官。因此，他在為《馬可·波羅遊記》一書作序時，斷定馬可·波羅在1277至1289年間曾做過揚州及其附屬的二十七個城池的長官，即行省長官。

英國學者亨利·玉耳根據考證，認為馬可·波羅做的官不是行省長官，而是達魯花赤或副達魯花赤。按元代的官制，達魯花赤是路的長官，而路則是行省屬下的行政區劃，因此說馬可·波羅做的是小官。他認爲，馬可・波羅到中國時才二十歲出頭，他做官的時間應在1282至1287年間，是不可能做到行省這樣地方最高一級職位的長官。

中國學者楊志玖經考查認爲，馬可・波羅並沒有在揚州做過江淮行省長官，也沒有做過揚州路的達魯花赤。他認爲，當時揚州經濟繁榮，交通發達，是唐以來名聞中外的國際貿易港口。從東南亞、西亞各國來中國的商人、傳教士、僧侶，很多人都到過揚州，也有的在揚州定居、做官。揚州的地方誌對此都做過記載。然而，遍查《元史》和江蘇、揚州等地的地方誌，對馬可・波羅在揚州爲官一事卻毫無記載，使人懷疑此事的眞實性。另外，揚州地區也沒有馬可・波羅留下的遺跡或民間傳說。從《馬可・波羅遊記》記載的內容來看，馬可・波羅只是在揚州一帶居住過或活動過。

馬可・波羅在書中提到，當時的鎮江路總管府副達魯花赤馬薛裏吉思在鎮江曾修建了兩所基督教堂。還說他在到鎮江前，曾在瓜州看到建有寺院的江心島，大概是金山或是焦山。因此，楊志玖在〈中國史研究〉一文中肯定地說，無論從中國史書或《馬可・波羅遊記》的記載，都可以證明馬可・波羅確實到過中國，並奉元世祖忽必烈之命兩次巡視南方，一次向西南方向直達雲南，另一次向東南方向到了福州、泉州等地，並將搜集到的沿途各地氣候、物產，風俗人情及宗教信仰等向忽必烈報告，受到讚賞。至於所謂馬可・波羅在揚州做官一說，只是文字翻譯的誤會，以致誤以成眞。從馬可・波羅在其遊記中的記述，是得不出這個結論的。我們只能說：「據馬可・波羅本人講，他曾在揚州做過三年官。」僅此而已。另外，馬可・波羅僅在揚州城居住而未做官，那麼，地方誌中不予記載也是可能的。

有意思的是，一些外國人認爲馬可・波羅沒到過中國，他的《遊記》是僞作。如果此說成立，則他在揚州當官一事就純屬子虛烏有了。德國學者徐而曼以爲《馬可・波羅遊記》是編排拙劣的教會傳奇故事。德國史學家福赫伯在一篇報告中認爲，馬可・波羅是否到過中國是個沒解決的問題。克雷格・克魯納斯在1982年發表了〈馬可・波羅到過中國沒有〉一文，認爲馬可・波羅根本沒有到過中國，可能是根據一些古代西亞的導遊手冊，再加上個人的道聽途說，胡亂編成。並列舉了四條理由。但據一些專門研究馬可・波羅的學者考據，這四條理由都難以成立。

還有人認爲，馬可・波羅來中國只到過大都（今北京市），對中國其他各地的記載，都是從大都聽來的。實事求是地說，《馬可・波羅遊記》中確實存在一些相互矛盾，甚至失實之處。但是，一個外國人來中國經商、傳教，記下的遊歷見聞很難準確無誤，加之他的手稿幾經傳抄，並被翻譯成各種文字，難免出現一些差錯。不能以此否定他曾來華，也不該否定他在中國的整個經歷。至於他是否在揚州做過官，做過什麼官，肯定尚需時日才能見分曉。

第6章

明、清、民國名人懸案

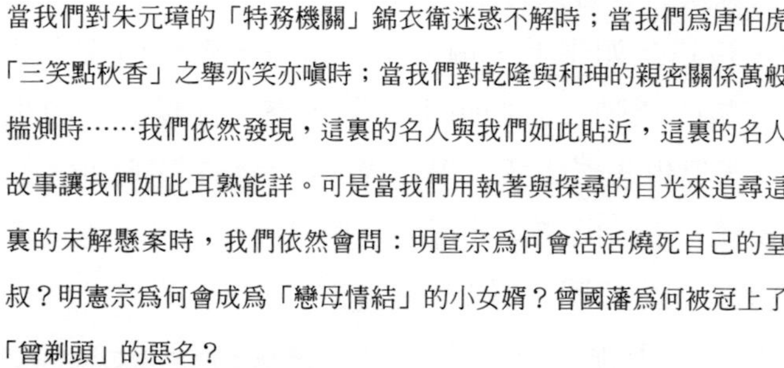

當我們對朱元璋的「特務機關」錦衣衛迷惑不解時；當我們為唐伯虎「三笑點秋香」之舉亦笑亦嗔時；當我們對乾隆與和珅的親密關係萬般揣測時……我們依然發現，這裏的名人與我們如此貼近，這裏的名人故事讓我們如此耳熟能詳。可是當我們用執著與探尋的目光來追尋這裏的未解懸案時，我們依然會問：明宣宗為何會活活燒死自己的皇叔？明憲宗為何會成為「戀母情結」的小女婿？曾國藩為何被冠上了「曾剃頭」的惡名？

1 朱元璋「錦衣衛」之謎

明太祖朱元璋戎馬征戰十幾年，終於建立了大明政權。但是，他總不放心那些幫助他開國的功臣，於是他設立了一個叫做「錦衣衛」的特務機構，專門監視、偵察大臣的活動。錦衣衛，原爲護衛皇宮的親軍，掌管皇帝出行儀式。後來，朱元璋令其兼管刑獄，賦予巡察、緝捕權力，並任命心腹大臣和外戚爲指揮使。下設同知、僉事、鎮撫司鎮撫等官，其下有官校，專司偵察。大臣在外面或者家裏有什麼動靜，他們都會打聽得一清二楚。誰被發現有什麼嫌疑，就會被打進牢獄，甚至殺頭。朱元璋在位的三十多年間，特務多如牛毛，遍佈街坊路途，嚴密監視著朝野內外、文武官員的活動。人們防不勝防，整天都提心吊膽地過日子。吏部尚書吳琳告老還鄉，朱元璋派特務到其家暗訪。見一老人似農民模樣，上前問道：「這裏有個吳尚書嗎？」老人答道：「吳琳便是。」朱元璋聽了報告，才算放了心。

太子的老師宋濂，爲人小心謹愼，但是朱元璋對他也不放心，暗中處處監視。一天，宋濂在家裏宴請友人。第二天上朝朱元璋就盤問他請了哪些人？備了哪些菜？宋濂均照實回答。朱元璋點頭表示滿意。原來，頭一天錦衣衛的人早已監視宋濂的活動了。後來，朱元璋稱讚他說：「宋濂

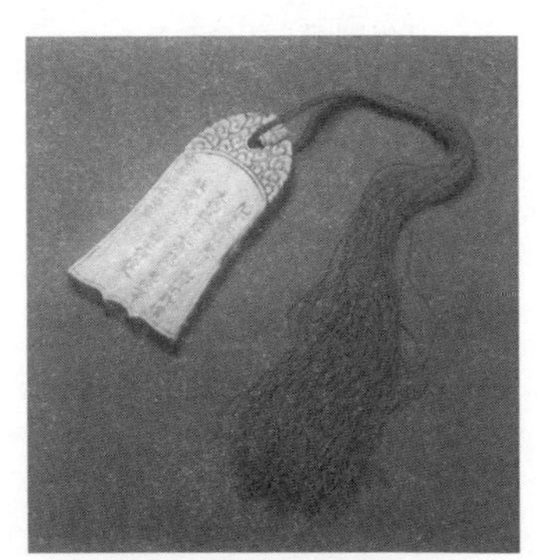

這是一枚錦衣衛木印。

侍候我十九年，從沒說過一句謊言，也沒說過別人一句壞話，眞是個賢人啊！」可是，胡惟庸案發生後，宋濂的孫子宋愼被人揭發是胡黨，朱元璋遂派錦衣衛把已經告老還鄉的宋濂從金華老家抓到京城，要把他處死。幸虧馬皇后說情，才下令赦免其死罪，改罰充軍到四川茂州，七十多歲的宋濂禁不起這場驚怕，再加上路上勞累，走到半路就病死了。

過了十年，又有人告發功臣太師李善長，說他當年和胡惟庸關係密切，卻明知其謀反而不檢舉揭發，採取觀望態度，犯了大逆不道的罪。結果，七十七歲的李善長及其全家七十多口全部處死。連朱元璋親自賜給他的兩道免死鐵券也沒幫上忙。接著，朱元璋又一次追查胡黨，處死了文武官員及其親屬一萬五千多人。

過了三年，錦衣衛又告發涼國公藍玉謀反，說他和曹震等計劃在朱元璋外出打獵的時候乘機劫駕。朱元璋得此信，即命錦衣衛發兵逮捕。藍玉是開國功臣常遇春的妻弟，是洪武後期的主要將領。他手下有驍將十幾人，威望都很高。藍玉作戰非常勇敢，立下赫赫戰功。但他自恃功高，驕橫腐化，霸佔良田，販鹽走私，私蓄奴婢，勒索百姓。朱元璋對他早已不滿，此番趁機將藍玉一幫統統緝拿殿前，朱元璋親自審訊，然後交由刑部酷打成案。藍玉被砍頭，其三族全被抄斬。凡與藍玉有接觸的朝臣，列侯通籍，坐黨夷滅。此案先後誅殺一萬五千多人，把軍中功高位顯的元勳宿將幾乎一網打盡。

畫家筆下的朱元璋未免有些醜陋，但他卻開創了興盛之極的大明王朝。

朱元璋不僅用錦衣衛控制人們的言行，還大興文字獄控制人們的思想。因其出身貧苦，又當過和尚，所以很忌諱人們提他的出身經歷，怕人們指桑罵槐地譏諷他。他特別注意臣僚們的言辭奏章，刻意尋找有否挖苦自己的地方。杭州府學教授徐一夔的《賀表》中有一句「光天之下，天生聖人，為世作則」的話，本來是在歌頌朱元璋。但朱元璋認為「光」是「禿」意，是在說他是個禿子，諷刺他當過和尚；又認為「則」音近「賊」，是罵他作過賊，當即下令將他處死。此類冤獄，不勝枚舉。

明代皇宮門禁森嚴，有嚴格的檢查制度，這個官員出入宮禁的通行牌是用象牙刻制的。

這樣一來，朝野文人開口怕錦衣衛，提筆怕文字獄，出現了人人自危的恐怖局面。朱元璋卻是高枕無憂了。

2 明太祖朱元璋的「大腳皇后」之謎

明太祖馬皇后像。後世人都稱她爲「大腳皇后」。

明太祖朱元璋和他的結髮妻子馬皇后共度了三十年的夫妻生活，無論在戎馬倥傯的艱難歲月裏，還是在治理國家的宮廷生活中，兩人始終互相尊重、彼此支援。這在中國歷代帝王中極爲罕見。尤其難能可貴的是，當時女子都以「三寸金蓮」的小腳爲美，而馬皇后卻是「天足」——大腳。朱元璋不僅不嫌棄她，甚至爲了一則燈謎的謎底「好雙大腳」，認爲是諷刺他的馬皇后，竟然大開殺戒，人們不禁要刨根問底：作爲一國之君，朱元璋爲什麼對這個大腳妻子一往情深？這還得從朱元璋的身世說起。

朱元璋是濠州鍾離人，父母都是貧苦農民，他從小就替人放牛。一年，濠州大旱，他的父母、長兄和弟弟相繼病餓而死。他和二哥雖僥倖活命，卻連父母都安葬不起。十七歲那年，他出家當了和尚，到處托缽乞食。有一則《翡翠瑪瑙湯》的傳說，說朱元璋在流浪時餓倒在一所破廟裏，兩個乞丐將拾來的爛菜根葉胡亂地煮成一鍋湯，餵給他吃。朱元璋喝了一碗又一碗，覺得味美無比。登基後，他吃膩了山珍海味，突然想起了當年的「翡翠瑪瑙湯」，於是命人依法煮來，結果，又酸又臭，難以下嚥，方知時過境遷矣。他讓百官一人一碗來品嘗。眾人欲嚥難下，欲吐不敢。他說：「今天眾卿身居高位，享盡榮華，可別忘了我們舉義旗之初，可別忘了黎民百姓啊。」

朱元璋二十五歲那年投奔義軍郭子興軍中充當步卒，後來調到郭府當差。郭子興見他豁達大度、才能出眾，十分器重，引為心腹，並把義女馬秀英嫁給了他。馬秀英知書達理、聰明果敢、性格倔強。當時的女人從小就得裹腳，偏偏馬秀英執意不肯，結果，她就成了有名的「馬大腳。」

宋代時，中國的大多數女子紛紛用人為的方法改變自己腳的形狀，使之長不過三寸，稱為「三寸金蓮」。那時候，纏裹金蓮成為時尚，女人們以小腳穿小鞋為美，尖尖小腳兒成了一個美女必備的條件之一。男子對女人的小腳也情有獨鍾，因此，不纏足的大腳女人被人視為醜女，甚至沒人願娶其為妻。朱元璋怎樣看馬秀英的大腳呢？傳說朱元璋打天下時，這雙大腳幫了馬秀英的不少忙兒，行軍打仗，洗衣運糧，她同男人一樣能幹。明朝建立後，她被封為皇后，看到那些宮內的妃嬪宮女們慢移三寸金蓮嫋嫋婷婷的樣子，她感到有些自慚形愧，決定開始裹腳。正巧，此

《南都繁會圖卷》局部，生動地描繪了當時南京的盛況。

時邊境不斷傳來失利的消息，朱元璋正愁悶間，見馬皇后解開裹腳布欣賞已經小了些的雙腳，驚呼道：「哎呀，我的娘娘，不能再裹啦！再裹下去，朕的江山就完了！這腳大有什麼不好？手大掌乾坤，腳大江山穩。」哈！他是把裹腳當成丟失城池的原因了！

傳說不足爲信，但起碼能夠看出朱元璋並不厭惡馬皇后的大腳。當初，朱元璋與馬秀英成婚後，對她就十分敬重，不僅因爲她是主帥之女，也不因爲自己出身貧賤，相形見絀，而是因爲馬秀英的忠誠和賢慧。據說，朱元璋曾遭郭子興猜忌被禁閉並斷絕飲食之時，馬秀英偷偷將滾熱的烙餅揣在懷裏給朱元璋送去，把胸脯都燙紅了。行軍作戰時，她寧可自己挨餓，也要拿出準備好的乾糧讓朱元璋吃飽。她還統領將士的妻妾們做好後勤工作，隨軍慰勞軍卒。特別在一次戰鬥中，馬秀英竟扮成村姑，不顧死活地將受傷的朱元璋背出重圍，救了丈夫一條命。她的大腳派上了用場。

朱元璋稱帝後專寵馬皇后，出於對她的尊重。他們原本是在患難中結合，又在富貴中相互支援，情深意篤。馬皇后在十五年的宮廷生活中，始終嚴以律己，並設法使朱元璋少犯大錯，對鞏固明朝的統治起了很大作用。朱元璋爲使朱氏王朝能夠長治久安，對前朝的政治制度進行了改革。在後宮管理方面，他堅決反對后妃干預朝政，把戒諭后妃之詞高懸宮中，嚴令照辦。馬皇后以身作則，身體力行。朱元璋爲了表示對她的感激，曾主動提出尋訪她的族人以加官賜爵，均被馬皇后謝絕了。

在她的影響下，洪武年間，朝廷從不濫封公爵，位列三公者，都是開國功臣。朱元璋對擅權枉法，圖謀不軌的臣子非常痛恨，常施以酷刑，乃至誅殺，甚至禍滅九族，難免會殃及無辜。馬皇后見無人敢冒死勸諫，遂想方設法委婉進諫，使朱元璋得以接受。在她的努力下，挽救了不少人的性命。吳興富豪沈秀、太子的老師宋濂都因她從中斡旋，免遭殺身之禍。一次，有人密告和州參軍郭景祥的兒子欲殺其父，朱元璋不問眞假，即下令誅殺其子。虧得馬皇后勸他先調查再處理，從而避免了一場冤獄。

最令人感動的是，洪武十五年，馬皇后病危之時。群臣請求禱祀，並請求請良醫診治，馬皇后卻一概謝絕了。她還說了一番深明大義的話：「死生都是命中注定，禱祀沒有什麼用；醫生只能治病，不能治命。倘若請來醫生卻未治好我的病，醫者必然獲罪，甚至送命。」死前，她對朱元璋說：「願陛下求賢納諫，愼終如始，子孫皆賢，臣民得所。」馬皇后死後，朱元璋痛哭不止，從此未再立皇后。朱元璋一生不貪圖享樂，不貪戀美色，兢兢業業，不能不說其中有「大腳馬皇后」的一份功勞。

3 永樂皇帝的生母之謎

成祖朱棣是朱元璋第四子。洪武三年封爲燕王，擁有重兵，鎮守北平（今北京）。建文元年，以「清君側」爲名舉兵，號「靖難軍」。建文四年，攻佔南京，即皇帝位，改元永樂。他於永樂十九年遷都北京，以南京爲留都。他繼續執行明太祖的削藩政策，鞏固中央集權。爲以後的「仁宣之治」奠定了基礎。由於他是奪權上臺，被人斥爲「燕賊篡位」，視爲「叛逆」。有關他的傳說紛紛紜紜，甚至他的生母是誰，也成爲爭議的內容，其說不一。

一是生母爲馬皇后。《明成祖實錄》說：「孝慈高皇后（燈馬皇后）生五子，長懿文皇太子標，次秦湣王，次晉王次上，次周定王。」肯定朱棣是朱元璋第四子，爲馬皇后親生。《明史・成祖本紀》也說：「成祖諱棣，太祖第四子也，母孝慈高皇后。」與前說如出一轍。但後世學者，特別是一生致力於明史研究的吳爲先生，認爲其中有篡改之詞，不能信以爲眞。令人不解的是，有些史籍卻說馬皇后並非生五子，只承認四子朱棣與五子周王爲馬皇后所生。如《二史考》說：《皇明世親》說太宗與周王爲高皇后所生，而懿文、秦王、晉王爲妃子所生。《魯府王牒》也說：「今魯府所刻玉牒，又以高后只生成祖與周王。」然而，《皇朝世親》與《魯府王牒》皆已早佚，這個說法難辨眞假。爲什麼這樣說？有何根據，也令人不知其故。

二是生母爲達妃。黃佐的《革除遺事》說，懿文、秦、晉、周王均爲高皇后所生，而太宗（朱棣）爲達妃所生。王世貞的

《二史考》也曾引用此說。但是，後人分析黃佐把明成祖說成是達妃所生是別有用心的，不足爲信。清代史學家朱彝尊就認爲，黃佐的書對建文帝下臺深表同情，而對明成祖奪權大加貶斥，明顯有個人感情色彩，所記之事難免「虛傳妄語」。

三是生母爲碽妃。持此說者，有何喬遠的《閩書》，談遷的《國榷》、李清的《三垣筆記》等。近人傅斯年、朱希祖、吳碽等也贊同此說。他們的根據是《南京太常寺志》，認爲明成祖的生母是碽妃。此志以明孝陵奉先殿的陳設爲旁證，劉奉先殿中間南向列太祖、馬后兩神座，東邊排列的是諸妃神座，而西邊則獨列碽妃神座。這無疑表明了因爲碽妃是明成祖生母，所以才得到如此尊重。

清初學者潘檉章、朱彝尊等也肯定這一說法，朱彝尊還考證碽妃爲高麗（今朝鮮境）人。然而，碽妃的來歷歷史上並無記載。據考證，《南京太常寺志》被收入《四庫全書總目》，是明人汪宗元所撰。汪宗元是明嘉靖已丑進士，曾任總理河道右副都御史。此書是他任南京太常寺卿時所輯，與明成祖生年相距一百七十多年，他的記述是否來自第一手資料？是否眞實？實難說清。尤爲可疑的是，爲何此說僅見於《南京太常寺志》，其他史籍卻無記載。

四是生母爲元妃。《蒙古源流》則說，明成祖是元順帝之妃甕（翁）氏所生，是元順帝的遺腹子。「先是蒙古托袞特穆爾烏哈噶圖汗（元順帝）歲次戊申，漢人朱葛諾延年二十五歲，襲取大都城，即汗位，稱爲大明朱洪武汗。其烏哈噶呼圖汗之第三福晉系甕吉喇特托克托之女，名格呼勒德哈屯，懷孕七月，洪武汗納之，越三月，是歲戊申生一男……」劉獻廷在《廣陽雜記》中則說：「明成祖非馬后子也。其母翁氏，蒙古人，以其爲元順帝之妃，故隱其事，宮中別有廟，藏神主，世世祀之，不關宗伯。有司禮太監爲彭恭庵言之，余少每聞燕主故老爲此說，今始信焉。」說得煞有其事，但這都是些野史、雜記，說得再神乎其神也難令人相信。近年又有人認爲，成祖的生母確是馬皇后，是翁吉剌氏略語的不同譯音，碽妃或翁吉剌氏生成祖的傳聞，實屬無稽之談。這其實是一則蒙古人編造出來的離奇故事，爲的是以此證明元代國運不衰，後繼有人。

說來說去，明成祖朱棣的生母之謎，到今仍無人可解。

4 永樂皇帝殺妃之謎

大明王朝開國皇帝朱元璋死後，實力強大的燕王朱棣以「清君側」爲名發動了「靖難之役」，以武力從自己的親侄建文帝朱允炆手中奪取了皇位，一躍而成了大明王朝的第三代皇帝，是爲明成祖。他的雄才大略，使明帝國達到了全盛時代，並爲其後的「仁宣之治」奠定了基礎。明史中對他的文韜武略倍加讚譽，但他的暴戾恣睢卻鮮爲人知。永樂八年發生的一件誅戮後宮的慘案，明成祖朱棣幾乎殺死了他的幾位朝鮮籍妃子，誅連此案被殺者達三千人以上，而事情的起因僅爲一個妃子的死。

這個妃子是個朝鮮人，人稱「恭獻賢妃權氏」。這權氏品貌不俗，善吹玉簫，深得朱棣寵愛。《明宮詞》曾贊她：「瓊花移入大明宮，旖旎濃香韻晚風，贏得君王留步輦，玉簫嘹亮月明中」。據《明成祖實錄》記載，永樂八年，權妃隨明成祖朱棣北征，病逝於臨城，葬在峰縣。那麼，權妃之死是怎樣惹出了宮廷喋血慘案的呢？

據朝鮮史籍記載，有兩種說法：《李朝太宗實錄》說是「呂氏妻殺案」，《李朝世宗實錄》則說是「呂氏誣告案」，何種結論更爲可信？只能暫以「實錄」作一分析。

一是呂氏妻殺說。《李朝太宗實錄》十四年（即明永樂十二年）記：有個商人出身的呂婕妤與權妃本來都是朝鮮人，一同來到明廷。但她見權妃受寵，非常嫉妒，於是勾結宦官，從一銀匠家裏借來砒霜，趁機放入權妃喝的茶裏，結果使權氏在隨征歸途中病逝。這事幹得十分隱蔽，本無人知曉。一直到永樂十一年，兩宮宮婢因吵嘴洩密，才眞相大白。明成祖暴怒之下，對呂婕妤及其宮人、宦官進行了殘酷的報復，盡殺呂婕妤及後宮之人。從這這段實錄看，權妃是被呂婕妤親下砒霜毒死的。記載清楚，不容置疑。

二是呂氏誣告說。《李朝世宗實錄》則是根據明成祖死後遣送回朝鮮的一位韓妃的乳母金黑的口述記載的。據說，權妃死後，呂婕妤爲洩私憤，誣告說一個姓呂的宮嬪把毒藥放在茶中毒死了權妃。她的私憤是因其想與呂姓宮嬪結拜爲姐妹遭到拒絕而生恨。然而明成祖竟不問青紅皀白，當時就誅殺了那個呂姓宮嬪及宮人、宦官多達數百人。事後不久，呂婕妤與宮人魚氏私通宦官，被人發覺，無顏而自縊。明成祖又大發淫威，親自審訊，許多朝鮮籍的妃子都被處死，誅連此案被殺者達三千人以上。就連宮妃的傭人也被抓起來，直到成祖死後才釋放。依此看來，由呂氏造成謀殺案就被說成是成祖製造的冤案了。

兩處記載截然不同，又鮮有史料作爲旁證，後人只能據上述記載進行推測了。

5 解縉被殺之謎

解縉像。

解縉是明初的大才子，從小才思敏捷，聰穎好學，被譽爲「神童」。後世流傳許多關於他吟詩作對的趣聞。據說有一個秀才，聽說解縉善對對子，便出了一副對聯給解縉，讓他照樣做一副。

他出的對聯是：「牛跑驢跑跑不過馬，雞飛鴨飛飛不過鷹。」把解縉比成牛、驢、雞、鴨，把他自己比做馬、鷹，有意貶低解縉。於是，解縉當即對了一副：「牆頭蘆葦，頭重腳輕根底淺；山間竹筍，嘴尖皮厚腹中空。」諷刺那個秀才不過是「牆上蘆葦」、「山間竹筍」而已。

解縉於洪武二十一年考中進士，任庶吉士，很得明太祖朱元璋的賞識。建文帝朱允時，他被任命爲翰林院詔。明成祖朱棣登基後，他又被提拔爲翰林學士，入值文淵閣，主持編輯了傳世巨著《永樂大典》，深得朱棣的信任。但是，解縉自恃才高，養成了自負的性格，說話辦事無所顧忌，不但得罪了一些大臣，甚至得罪了皇帝、皇子。

朱棣即位後，本應儘快確立太子，但他卻陷於兩難之中。立長子高熾吧，他又偏愛屢立戰功的次子高煦；立高煦吧，又怕違背了「立嫡長」的祖制。大臣們也爲此分成了兩派。朱棣徵詢解縉的意見時，解縉本主張立高熾爲太子，但卻不談高熾，倒談起了高熾的兒子——朱棣極爲鍾愛的「好聖孫」朱瞻基，此番話一下子打動了朱棣，因而內心傾向了高熾。不久，朱棣宣佈立朱高熾爲太子，同時封朱高煦爲漢王，封國雲南。封朱高燧爲趙王，封國彰德。

朱高煦沒當上太子，怨氣沖天，他一面竭力討好朱棣，一面進讒太子，迫害擁立太子的大臣。這樣，解縉就首當其衝，成爲高煦第一個要拔掉的眼中釘。

永樂五年，解縉見朱棣寵愛高煦日甚，而高煦又常越禮不軌，便向朱棣進諫，指出高煦有意與太子爭位，勸朱棣對高煦要加以約束。不料，事與願違，朱棣不但未採納他的建議，反而認爲他故意離間骨肉，因而疏遠了他。高煦見有機可乘，就胡說解縉不守朝規，洩露宮中機密。朱棣信以爲眞，將解縉貶到廣西，後又改爲交。即使這樣，仍不解高煦對解縉的仇恨。

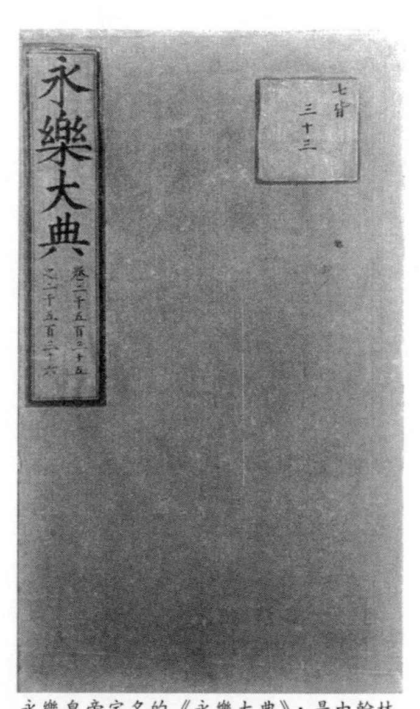

永樂皇帝定名的《永樂大典》，是由翰林學士解縉等人主持編纂的。

四年之後，解縉入京，適逢朱棣北征不在，僅僅見了太子高熾便回到了交。高煦因此大做文章，在朱棣面前說解縉竟敢趁皇上不在京時私見太子，失去了人臣之禮。朱棣不問青紅皀白，命人將解縉逮捕入獄，由錦衣衛處置。朱高煦唆使獄官，逼解縉承認他與太子朱高熾有密謀，想借解縉來陷害太子。但解縉識破了他的惡毒伎倆，雖然受盡了拷掠酷刑，卻堅不承認。沒有口供，誰也奈何解縉不得，於是解縉在獄中一待就是五年。

到了永樂十三年，有一天，朱棣在獄中拘押的囚犯名單上見到了解縉的名字，就問：「哦，解縉還在嗎？」錦衣衛頭子明白了朱棣的意思，回去便用酒將解縉灌醉，赤身露體埋在雪地裏，活活凍死了。解縉死後，朱棣下令籍沒他的家產，把他的妻子兒女都發配到了北方。眼看解縉被貶被殺，太子朱高熾卻無能爲力，只有暗自傷心。後來高煦因種種不軌之舉也被朱棣冷落。可歎解縉這位蓋世英才，做夢也未想到自己因爲說實話，竟遭到如此淒慘的下場。

6 明宣宗朱瞻基活燒叔父

明宣宗朱瞻基自幼聰穎過人，愛好讀書，深得成祖朱棣的喜愛，因而十分重視對他的培養和教育，不但派重臣對他盡心指導，還經常帶他巡邊，指點他治國安邦之道，並誇他「孝友英明，寬仁大度」。永樂二十二年，其父朱高熾即位，他被立爲太子。一年之後，朱高熾病逝，他登基稱帝，是爲宣宗。即位之後，他任賢人，清軍伍，安流民，免災稅，罷徭役，國家出現了經濟繁榮、社會穩定的局面。

然而，他的叔父漢王朱高煦卻欺他年少新立，於宣德元年，扯起了反叛的大旗。講求仁政的朱瞻基不願與他的叔叔兵戎相見，親書一封，語意婉轉溫和，希望朱高煦能回心轉意。然而朱高煦反意已定，回信中竟對他橫加指責，誣稱老臣夏原吉等爲，奸佞之臣，還分別寫信給公侯大臣們，詆毀朱瞻基，挑撥君臣關係。朱瞻基見事已至此，只有發兵平叛了。

他採納了夏原吉的建議，自己親自領兵，御駕親征，以從氣勢上壓倒對方。臨行之前，他調兵遣將，安頓好京都守衛等事宜，待一切準備要當，他才率大軍向朱高煦的老巢樂安進攻。

同時，他再一次致書朱高煦，恩威並加，希望叔父懸崖勒馬，但是朱高煦仍不加理睬，以爲朱瞻基的大軍尙在百里之外，不足爲慮。豈不知朱瞻基一夜急行軍，第二天即趕到樂安城下，將城圍住，嚇得朱高煦不敢出城迎戰。這時，朱瞻基仍想做到仁至義盡，修書兩封給朱高煦，可是還是不見回音。朱瞻基仍不打算攻城血戰，又寫了告朱高煦部下的諭示，命人用箭射入城中。一些人見了皇帝的諭示，便想擒獲朱高煦，領功請賞。城內將士人心浮動，士氣不振。朱高煦見大勢已去，只得出城歸罪。朱瞻基決策英明，運兵神速，恩威並舉，終於不戰而勝，班師而歸。返京途中，有人建議再征討與朱高煦謀逆已久的趙王朱高燧，但朱瞻基仍以寬厚之心待之，只是令人嚴加防範而已。後來法司審問朱高煦時，果眞牽連了朱高燧。一些彈劾的奏章呈到了朱瞻基面前，請削去朱高燧的護衛軍，並拘朱高燧到京關押。朱瞻基對此仍寬大爲懷，只是修書一封，連同那些奏章一併派人送給朱高燧。朱高燧深受感動，主動交出了護衛，叔侄二人一笑泯恩仇。

朱高煦因謀反罪，被廢爲庶人，囚禁於西內，名爲逍遙城。他的主要謀士和將領中，積極參與謀反者則遭到了嚴懲。宣德四年，朱瞻基好意前去西內看望朱高煦，朱高煦毫不感恩，竟出其不意，用腳將朱瞻基勾倒，使朱瞻基當眾出醜。盛怒之下，朱瞻基當即命人弄來一口三百斤重的大銅缸，將朱高煦扣在缸中。朱高煦自恃有蠻力，竟將缸頂起。朱瞻基忍無可忍，命人用木炭將銅缸埋住，然後用火將朱高煦活活燒死在缸中。野心勃勃的朱高煦一再錯過悔罪的機會，落得如此下場，也給歷史描上了一縷血腥。

7 明宣宗朱瞻基「開明」

明宣宗朱瞻基自幼聰慧過人，謙恭有禮，格外受到祖父成祖朱棣的鍾愛，十四歲那年被朱棣立爲皇太孫，這在歷史上也是罕見的。二十八歲那年，朱瞻基繼承皇位，因他治國有方，政治清明，人們常把他父親仁宗的政績和他聯在一起，合稱爲「仁宣」之治。

朱瞻基的「開明」，主要表現在他整頓吏治方面，他在重用一班富有經驗的老臣的同時，還提拔了一些正直有才幹的新人，特別是嚴懲了一批貪官污吏。他首先對都察院進行一次大清理，把都察院的官吏來個大換血，至此，北有顧佐，南有邵紀，南北呼應，貪吏僉息，紀綱肅然。朝廷風氣爲之一新。

過了不久，朱瞻基又命吏部對蘇州等九郡新知府人選進行認眞考核，經過反覆研究，才正式任命。當時，蘇州之難治是出了名的。那裏雖然有繁榮的商市和豐饒的物產，但當地的土豪和官吏相勾結，沆瀣一氣，欺壓百姓，清官在那裏根本站不住腳。於是，朝廷便把禮部郎中況鍾派到那裏，以清除積弊。

況鍾以機智果斷、執法嚴明著稱。況鍾先秘密私訪，把蘇州衙的許多弊端都摸清楚了，再升堂理事。一天，他召集所有屬員齊聚大堂，當場問那處理殺人案的吏役：「趙五殺人一案，那趙五究竟殺沒殺人？」那奸吏以爲此案已斷過了，遂堅持說趙五冤枉。況鍾「嘿嘿」一陣冷笑說：「那是我斷的，還是你斷的？」接著把驚堂木一拍，大喝一聲：「爲何趙五送給你五百兩銀子？」

那猾吏知道受賄之事露餡，只得叩頭認罪。

況鍾又接著問第二件案子。況鍾把私訪來的事實一一道來，使奸吏們無由分辯，都低下頭來。這時，況鍾拿出皇帝親賜的允他便利行事的敕書來，親自宣讀，猾吏們一下子傻了眼。況鍾吩咐掌刑衙役，把其中六名罪惡嚴重的奸吏當堂活活打死。接著，況鍾又把貪暴的五人監禁起來，把庸碌無能的十餘人全部開除。不到半天時間，蘇州府衙換了新天，老百姓奔相走告，笑逐顏開。況鍾清除了蘇州府幾十年的積弊，大小官員無不凜然守法。

一天，衙役來報告況鍾，說有兩名太監在驛館裏把通判趙忱捆綁起來了。況鍾不敢怠慢，急忙帶領三班人役前往。到了館驛，只見兩名太監坐在堂上，身後十幾名惡漢怒目而視，趙忱被綁在廊柱上，十分狼狽。況鍾忍著氣，客氣地詢問事情經過。原來他們說是到此來買鳥兒的，要畫眉一千隻，百靈鳥一千隻，因為趙忱說天寒地凍沒有鳥兒才被捆綁在此。然後況鍾又要過「憑引」看了一下，只見照會上寫的是要蘇州府協助採購蘇繡一百襲，照會是宮中尙衣監開出的。況鍾這下心中有了數。他知道，蘇州盛產「蘇繡」，又有各種奇花異卉和珍貴鳥類。太監常來蘇州採辦這些物品，但有些太監仗著皇家勢力，到此之後趁機騷擾，敲詐勒索，胡作非為，這兩個傢伙就是這類人。

於是，況鍾厲聲質問道：「購鳥要司苑局來辦，你這尙衣監怎麼也買起鳥來了？而且到了蘇州為什麼不向我投遞照令，卻敢私自捆綁本府官員。趙忱是六品官員，你們有何權力扣押？」一個太監狂叫一聲：「喲喝！鐵撐子烙餅——翻兒啦！別說六品，就是你四品大老爺，也不敢不給皇上要的東西吧！」況鍾一聽大怒，說：「哼哼，你們以為況某是什麼人？竟敢跑到這兒撒野！

冬天要鳥兒，無非是有意勒索。來，給我拿下！」衙役們一擁而上，將這幫狐假虎威的傢夥都綁了起來，押回府去。一問，隨太監來的只有四人，其餘都是兩太監臨時召來的流氓。於是，況鍾將這幾個流氓上枷示眾。

隨後，把兩太監的不法情由，寫成疏文，派人把太監和隨從一齊押往北京，交皇帝處理。朱瞻基看到況鍾的疏文，大爲讚賞，心想這況鍾眞是有膽有識，從來沒人敢惹太監，他卻不畏權勢，敢掃歪風，眞是不可多得的好官。於是吩咐錦衣衛將太監收監懲處。還誇讚身邊的楊士奇「薦賢有功」。後來，有一齣叫《十五貫》的劇，就是描寫況鍾斷案如神的，流傳至今，歷久不衰。朱瞻基還任命了大批像況鍾這樣的清廉正直的官員出任府州長官，其中不少人成爲明史上的忠吏清官。

8 鄭和下西洋

鄭和是明朝宦官，人稱「三保太監」。他從永樂三年（1405）至宣德八年（1433）的二十九年間，奉明成祖朱棣之命，七下西洋，歷經亞、非兩洲三十多個國家和地區，最遠到達非洲的東海岸，創造了遠端航海史的壯舉。由於鄭和航海的全部檔案被當年兵部侍郎劉大夏焚毀，使後人對鄭和遠航的史實難以詳細考證，再加上一些人對朱棣登基坐鎮北京後，忽然興師動眾把目光轉向茫茫大海產生疑惑，因此，眾多學者對鄭和下西洋的使命提出了種種說法。

有人說，鄭和遠航是奉成祖朱棣之命，尋找建文帝，因為「靖難之變」後，建文帝朱允下落不明，朱棣爲徹底去除建文帝捲土重來的可能，於是派鄭和到海外尋找建文帝的蹤跡。朱棣爲何對朱允窮追不捨呢？

原來，明代開國皇帝朱元璋生有二十六個兒子，尤其鍾愛長子朱標和四子朱棣。但按祖制，皇權應以正統世襲，所以當朱標死後，皇位便由朱標之子朱允繼承，年號爲「建文」。此時弱君在朝，強藩在外，建文帝對握有軍政大權的叔輩藩王疑心重重，相繼廢削周王、齊王、代王、岷王等藩王職權。燕王朱棣惟恐自己被廢，藉口「朝無正臣，內有奸惡」，起兵謀反，號稱「靖難」。經過四年的較量，朱棣取勝，攻佔了南京，登上皇位，遷都北京，建文帝卻從此不知去向。叔父奪了侄兒的皇權，是有「篡位」之名的，而名正言順的皇帝在世並且出逃，能讓朱棣穩坐龍椅嗎？於是，他發佈詔書，假稱建文帝已死，以安定民心，同時派人四處秘訪建文帝的下落。

近年來，有的學者考證說，爲了尋找建文帝，鄭和不但下西洋，而且三次東渡扶桑，到日本去過。有人說，鄭和遠航並非爲了專訪建文帝，而是有軍事目的的。《明史・鄭和傳》說，「欲耀兵異域，示中國富強，」近代學者梁啓超也說，下西洋是「雄主之野心，欲博懷柔遠人，萬國同來等虛譽」，尙鉞的《中國歷史綱要》認爲，鄭和下西洋「大概是想聯絡印度等國抄襲帖木兒帝國的後方，牽制它的東侵」，從而保證明朝的安全。試想，在西元十五世紀，海外諸國都較弱小之時，一支有大船兩百艘，將士二萬七千人的船隊浩浩蕩蕩乘風破浪航行在幾十個國家之間，怎能不顯示泱泱大國的威風？其強大的軍事實力足以震懾異域。

圖爲明「彩塑太監像」，而鄭和就是太監出身。

有人說，鄭和航海是以政治目的爲主，欲造成萬國來朝的盛世局面，穩固明朝政權，瓦解政敵勢力。據分析，鄭和航海前三次，與東南亞、南亞沿海諸國建立了一種國際和平局勢；後四次則向南亞以西的未知世界探訪，開闢了新航路，使海外遠國都「賓服中國」。應該說，這個目的也達到了。

還有人說，鄭和航海是以經濟目的爲主。船隊遠航既可以滿足明朝官方對外貿易上擴大市場的要求，又可溝通西洋大國對明朝的「朝貢貿易」，藉此增加財源，彌補財

鄭河下西洋的寶船模型。

政虧損。當時，中國已被納入世界貿易體系，和亞非幾十個國家進行了貿易往來，不但明朝官府、周邊國家，甚至沿海官紳百姓都從中獲得了巨大的經濟利益。也有人說，鄭和下西洋既有政治目的，也有經濟目的，是「一箭雙鵰」。

有的學者認爲，上述諸說都有失偏頗，對鄭和七下西洋應作全面、具體、客觀的分析。前三次出洋，一是尋找傳說逃往海外的建文帝；二是鎭撫海外的臣民，兼有炫耀國威的意思；三是擴大海外貿易，溝通與南洋諸國的聯繫，保持南部海疆的和平；後四次則主要是帶有探險、獵奇的性質。朱棣雄心勃勃，很想瞭解南亞以西的未知世界，同時也讓他們知道明朝的情況，進而擴大文化交流，溝通海疆貿易等等。

總之，專家學者各執一詞，新論迭出，都難有定論。有關鄭和下西洋的未解之謎還有很多。因爲鄭和下西洋是中國歷史上乃至世界歷史上的大事，難怪人們對此十分關心，因而疑問也就更多了，爭議也就層出不窮了。

9 明代宗朱祁鈺死因之謎

「土木之變」後，瓦剌首領也先挾持著明英宗，不斷騷擾邊境。國家正處於危難之秋，人心惶惶之際，必須另立皇帝以安定人心，於是群臣請太后正式宣佈代英宗的王朱祁鈺爲帝，太后見英宗歸回無望，便下旨：皇太子幼小，郕王宣早正大位。這樣，朱祁鈺才即位稱帝，是爲明代宗。

朱祁鈺正式登基稱帝後，面對內擾外患，決心振興祖業。對於也先的襲擾，他拋棄了議和求生存的念頭，採納了兵部侍郎于謙的建議，做好抵禦也先入侵的準備。招募丁勇，集合民夫，操練軍隊，動員百姓，並令各地明軍增援京城。後來經過五天的激戰，使來犯的也先的瓦剌軍死傷慘重，潰敗回去，北京城保衛戰取得了輝煌的勝利。也先見明朝邊疆和京師防守力量增強，無機可乘，以英宗相要挾的陰謀也無法實現，又想與明廷講和，只得將英宗送回北京。英宗被安置到南宮，遠離朝政，做他的太上皇去了。朱祁鈺對內，則實行開明政治，廣開言路，招賢納士。經過兩年的整治，國家出現了穩定的局面。

按封建正統觀念，皇位的繼承人應該是皇帝親生之子，嚴格說來，應該是與皇后所生的長子，如果無此當然的繼承人，且后妃生的皇子又多，則應從中選定位列首位者；個別的也有擇優而立的。朱祁鈺當了皇帝，而太子卻是英宗之子朱見深，這使他心理極不平衡，爲什麼不及早立自己的兒子朱見濟爲太子呢？於是，在景泰三年五月的一天，他下詔廢太子朱見深爲沂王，立朱見濟爲皇太子。

沒想到，此舉引起了軒然大波，加劇了朱祁鈺與一些大臣們的矛盾，朝臣之間也迸發了火藥味。原來，在朱祁鈺準備立朱見濟爲太子的時候，就遭到了許多人的反對，汪皇后帶頭反對，被他當即廢掉，立朱見濟的生母杭妃爲皇后，他還賞賜給內臣每人五十兩黃金，五十兩白銀，以堵住反對者之口。但是這些人當面不說，心裏卻一直不滿。一年之後，太子得病，不治而亡。這些人趁機聯名上書，奏請復朱見深太子之位。朱祁鈺喪子之痛尚未消解，一怒之下，讓錦衣衛將帶頭的御史鍾同、禮部大臣章綸投入監獄，打個半死。朱祁鈺只有朱見濟一個兒子，如今兒子死了，他又無意讓朱見深重登太子之位。此事就壓了下來，不再提起。

誰知，禍不單行。景泰八年，朱祁鈺突然病倒，病情嚴重，「易位」之事又提到了議事日程上來。群臣們私下議論不休。武清侯石亨、宦官曹吉祥都主張重立朱見深爲太子。大臣徐有貞認爲，不如趁朱祁鈺正在病中，發動宮廷政變，讓太上皇英宗重定，將來論起迎復之功，肯定能加官進爵。野心勃勃的石亨和曹吉祥眼睛爲之一亮，頓時贊同。於是分頭準備，策劃復辟。

明代繪製的北京紫禁城圖。

正月十六日夜，石、徐、曹等人帶領一千軍卒闖入長安門，直奔南宮。在南宮守衛英宗的士兵嚇得不敢開門。於是，石、徐等人拼命破門毀牆而入。直奔英宗寢室。英宗問明所以，用力壓抑住心頭的驚喜與慌亂，答應了他們。這時天已大亮。奉天殿裏，文武百官正在朝堂等著皇帝視朝。忽然，徐、石帶兵趕到，將英宗扶上王位，大呼「上皇復辟了」。眾臣無奈只得列班朝賀。這場「奪門之變」就這樣成功了。

英宗復辟後，廢朱祁鈺爲王，把朱祁鈺重用的大臣都逮捕入獄。于謙被殺。石亨、徐有貞等大受寵任。幾天以後，朱祁鈺在西宮也死了。有人說是被害死的，但無從查證，成了千古疑案。明朝振興的希望至此破滅了。

10 明憲宗朱見深「小女婿」之謎

明憲宗朱見深十七歲即位伊始，就將其純眞的愛情都獻給了三十四歲的身邊侍女萬貞兒，從此演繹了一段老妻少夫的奇特戀情。這在中國歷代帝王中非常罕見，這其中的奧秘何在呢？

朱見深剛被立爲太子的時候，還是個整天被人背著、抱著、哄著、寵著的兩歲幼童。其母周氏身爲貴妃，難以給兒子尋常百姓家的那種母愛。十九歲的妙齡少女萬貞兒作爲周貴妃的侍女就充塡了這段感情空間，對他無比疼愛，他也對萬貞兒產生了無盡的依戀。經過「土木之變」和「奪門之變」，朱見深從被廢到被立，（朱見深十歲那年被重立太子，當時萬貞兒已二十七歲），對萬貞兒產生深深的愛戀，萬貞兒竟成爲太子身邊最受寵愛的侍女。此時，萬貞兒逐漸意識到朱見深的價値，於是，她處處迎合朱見深，努力養生以保持美麗，無微不至地照顧朱見深的衣食住行。

天順八年，朱見深登基，時年十七歲。此時的他，對萬貞兒的愛情中混雜著纏綿的「戀母情結」。這雙重的感情足以抵擋住任何女性對朱見深的吸引力。所以，儘管他身邊有后有妃，但這位三十四歲的萬貞兒在他心中是任何女性也取代不了的。面對著高貴貌美的皇后和妃嬪，萬貞兒不惜採取任何手段，保持自己受寵的地位。在她精心策劃下，上演了一幕幕宮中悲劇。

她先是以驕橫之態逼朱見深廢掉皇后吳氏。起因是皇后不滿萬貞兒的傲慢無禮，令宮女打了她一頓。朱見深對皇后本無感情，心裏全是萬貞兒，見到自己心愛的女人被打，豈能容忍？於是決定廢后。立后不到一個月就要廢后，且只因一件小事，很難令人心服。朱見深嫁禍於人，誣陷太監牛玉：「違先帝之命謀立吳氏爲皇后」，將牛玉發配邊疆，其親屬亦被革職停薪。這樣一來，朱見深就理所當然地廢掉了吳皇后，萬貞兒更加不可一世。之後，王氏被立爲皇后。萬貞兒出身卑微，但依仗皇上驕寵依然飛揚跋扈。她逼得王皇后委曲求全，看她的臉色行事。萬貞兒遂把持了後宮，使其他妃嬪難近皇帝。

威化二年，萬貞兒因生有一子，被冊封爲皇貴妃，朱見深欣喜之餘，將萬氏一門盡行封官，並賞賜萬氏大量金銀財寶。宮內外勢利者對萬氏趨之若鶩。萬氏趁機勾結內外勢力，不斷壯大自己的力量，鞏固自己的地位。這期間，她信任的太監汪直，是西廠的頭子，專權擅政，賊虐善良，搞得官員不安其位，商賈不安於途，庶民不安於業，無人敢惹。不學無術的大臣萬安，與萬氏認爲本家，以侄子自稱。他一切聽命宦官，雖爲閣臣對皇帝不敢陳奏國情，卻呈奏大量的「御女之術」，爲此做了十九年高官。還有一位劣跡斑斑的大臣劉臣，因有萬氏作後臺，屢次遭彈劾，不但彈不掉，反而，像彈棉花一樣，越彈越起，人稱「劉棉花」。

明憲宗朱見深正在一棵樹下欣賞小鳥。

萬貞兒四十歲那年，一歲多的兒子夭折了，對很難再生育的她打擊極大。爲了保住自己的前

《明憲宗行樂圖》。

途，她千方百計地阻撓嬪妃、宮女們與朱見深接近，發現有誰懷了孕，就想法兒將其胎兒打掉，因此，被其強逼飲藥胎墮者無數。威化七年，她毒死了賢妃柏氏生的皇子。威化十一年，紀宮人背著萬氏，偷偷把養在西內的小皇子領來與朱見深見面，爲無子嗣而鬱鬱不樂的朱見深大喜過望，百官齊來賀喜，紀宮人被封爲淑妃。可是，一個月後，紀氏被萬貞兒毒死，參與潛養皇子的太監張敏也被逼吞金自殺了。威化二十三年，萬貞兒患肝病而死。朱見深急忙趕來，悲痛欲絕，下令輟朝七日，按皇后禮儀將其安葬，從此鬱鬱寡歡，整日沈浸在對她的思念之中。不到一年，朱見深也一命嗚呼，追萬貞兒而去。可惜，他與生死相戀的萬貞兒卻魂各一方，不能同葬一處，九泉之下，難得再同衾共枕了。

11 嘉靖皇帝的「玉龜仙芝」之謎

嘉靖黃帝像。

嘉靖三十七年，因平倭無功受到指責的胡宗憲，為了討好朱厚熜，將一隻在舟山捕獲的白鹿獻上。按說，毛色全白的鹿，算不得什麼珍禽異獸，僅是世間少有罷了。朱厚熜卻以為是瑞祥之物，如獲至寶，而舉行了隆重的告廟禮，並親臨告謝天神和祖宗，百官也都紛紛稱賀。一時鬧得滿城風雨。

胡宗憲見聖心大悅，就又設法弄來兩隻白龜和五棵大靈芝獻進宮來。世宗一高興，就提拔了胡宗憲的官職，並賜賞給他。龜是長壽的象徵，靈芝據說是長生不老之藥，世宗以為這龜與芝都是老天恩賜給他的吉祥之物，肯定保佑他長生不老，國運亨通，於是將兩樣東西命名為「玉龜仙芝」。獻「瑞祥」能如此討好皇上，自然編造瑞祥的馬屁精就紛紛冒了出來。

這年八月，世宗突然在几案上和被子裏發現了一粒金丹和一顆桃子。問是誰放的？誰也不知道，那麼，當然是從天上掉下來的啦！朱厚熜趕忙跑到太極殿去拜謝天帝，又跑到太廟去稟告祖先，讓他們知道他得天獨厚，將長生不死了。碰巧宮裏養的白兔生了倆崽，白鹿生了倆仔。朱厚熜把這幾件事聯繫起來，以為天眷非常，大喜將至，下詔修了迎恩醮。官員們紛紛上表稱賀，宮裏熙熙攘攘，朝廷上下一時忙得一場糊塗。自此以後，督撫大吏爭上符瑞，禮宮動輒表賀。舉朝重臣明知這些愚蠢的舉動都是討取皇帝歡心的把戲，可是誰也不敢說半個「不」字，只是暗中訕笑。

偏偏有個不怕死的戶部主事海瑞，斗膽上了一疏，給世宗潑了一記涼水。這篇疏文，洋洋灑灑數百言，據理而談，直斥君非。疏文中說道：「陛下的錯誤太多了，最大的錯誤就是齋醮煉藥以求長生。陛下受長生之術於陶仲文，稱他爲『師』。可是，陶仲文後來不也死了嗎？他自己都長生不了，陛下又怎麼能單獨求到長生？至於仙桃天藥，尤其怪妄。桃必採而後得，藥必制而後成，現在無緣無故地就得到了，是它們有腳自己跑來的，還是天有手付給的？這都是陛下左右的奸人，僞造荒誕，用以欺騙陛下，而陛下卻信以爲眞，實在是大錯特錯了。」疏文中還指責朱厚熜種種無道之舉，並說：「今愚民傳說，『嘉者，家也；靖者，盡也』，『嘉靖』的意思就是民窮財盡，什麼也不剩。」

朱厚熜看了海瑞的疏文，差點氣死，他把疏文朝地上一扔，對左右說：「快把這個海瑞抓起來，別讓他跑了！」太監黃錦在一旁回答：「這個海主事根本沒想跑，聽說他連棺材都準備好了，還把後事做了安排。並把老僕人打發回家，免得僕人受到牽連。」朱厚熜聽完略有所思，又取疏奏看了一遍，怒氣稍平後，說：「海瑞說人不能長生，也可能是正確的。但我長時間生病，不能視事，吃點仙藥有什麼不可以？」又說：「這也怪我平常不愛惜身體，若能出御上殿，何至被他如此譭謗呢？」內閣首輔徐階答道：「海瑞雖然言過了，但心是好的，請陛下寬恕他吧。」世宗這時也不願多殺諫臣，命人將海瑞捕之入獄。

嘉靖四十四年冬，朱厚熜病重之時，閉著眼睛說：「細想想，海瑞的話是不錯的。可惜他講得太晚了。」臨死前，他在遺詔中有一句「現監者即釋復原職」，海瑞才被放了出來。後來因爲官清廉，爲民造福，官升至都御史，是明朝有名的「清官」。「玉龜仙芝」沒救了朱厚熜的命，朱厚熜終因長期服用劇毒丹藥一命歸陰，那些瑞祥之物也同他一起見鬼去了。

12 張居正死後藏金之謎

張居正生前榮光無限，死後卻被抄家滅族，這其中有何蹊蹺？

明萬曆年間，內閣首輔張居正在太后與宦官馮保的支援下，竭盡全力輔佐少年天子朱翊鈞，發揮自己卓越的政治才幹，大刀闊斧地作了一番整頓。爲了消除北方韃靼的威脅，他把抗倭名將戚繼光調到薊州，在長城上加修上千座堡壘，多次擊敗韃靼的進犯。後來雙方和好，很長時期邊境無戰事。

明朝在經過了張居正十年的大膽改革後，腐敗的明朝政治有了轉機，經濟也得到了發展，像太倉的積粟可支用十年，國庫錢財最多時達到四百多萬。張居正對國家的振興功不可沒。這個期間，朱翊鈞還是十幾歲的孩童，大部精力用在讀書上，並且有一股進取的銳氣，對張居正的一系列改革措施十分支援。如張居正提出「考成法」，逐級考核官員的政績，他就親自召見「廉能官員」，進行褒獎；張居正提出開源節流的主張，其中涉及到控制皇室費用，他就下令免了日講時的筵宴和元夕燈火等。後來當有人抓住張居正「父死不奔喪」的事，上書彈劾時，他竟下了一道鎮壓的詔令，廷杖了帶頭上書的官員。

凡此種種，足見他對張居正的信任非同一般。萬曆十年，張居正病逝。朱翊鈞下詔罷朝數日致哀，贈其「上柱國」榮銜，賜諡「文忠公」，賜銀千兩，並命專人護定歸葬江陵，簡直是恩崇備至。然而，不久之後，朱翊鈞卻翻臉不認人，對張居正家大肆查抄，希圖挖出巨金，並引出了一串冤案。這是怎麼回事呢？

萬曆初年，十二歲的朱翊鈞是把張居正當做嚴師對待的，既尊敬又畏懼，朝政大事處處依賴張居正，既沾沾自喜又無所事事，養成了懶惰貪玩的習性。一些太監引誘他在宮中胡鬧取樂，他也願意這樣打發時光。一次，鬧過了頭，他借酒勁無緣無故地把兩個小太監打了個半死。結果，他不但受到太后的責備，還由張居正作主，把他身邊哄他玩的太監全部趕走，並寫了「罪己詔」。從此以後，朱翊鈞對張居正由懼怕發展到懷恨。

一晃十年過去了，朱翊鈞長成了大人，但是，他想親臨朝政一試身手，卻因張居正在，一時施展不了。這種急於弄權的心理和懶散的習性，使他的性格發生了扭曲。所以當萬曆十年張居正一死，他馬上把大權攬在手中，首先對自己兒時的監護人，集掌印、提督特務機構東廠「重任」於一身的太監馮保開了刀。

當初，李太后對朱翊鈞讀書修行約束極嚴，處處監管，動輒罰跪、責打。其時，馮保作爲太后的耳目，常常向太后打小報告彙報朱翊鈞的毛病，太后則是每告必罰。爲此，朱翊鈞非常害怕馮保，有時還得討好馮保，但他內心深處卻埋下了對馮保仇恨的種子。如今他大權在握，立即抓住馮保的一些劣跡，將其逐出宮去。並聽信太監張誠的密告，從馮保家中搜出金銀一百餘萬，珠寶無數。朱翊鈞終於報了兒時之仇。嘗到了整人、查抄甜頭的朱翊鈞又把矛頭指向了死後的張居正。他想來個「一箭雙雕」，一方面能借此樹立自己的權威，總攬朝綱；另一方面，還想從張居正家中再斂聚一大筆錢財。

萬曆十一年三月，朱翊鈞借有人攻擊張居正爲官時專橫跋扈，以權謀私之際，下令追奪張居正「上柱國」、「太師」榮銜，又下令追奪「文忠公」謚，並罷免了一批當年與張居正關係密切的朝臣。張居正的兒子也被貶爲庶人。之後，他派人南下抄張居正家，害得張家子孫十幾人被關在屋子裏活活餓死。結果，僅查出黃金萬兩，白銀十幾萬兩。司禮太監張誠感到這個結果不好向皇上交待，遂把張居正的長子、禮部主事張敬修抓來嚴加拷問。酷刑之下，張敬修亂咬一通，說還有三十萬兩銀子藏在曾省吾等三人家裏，結果這三家也成了這次抄家的犧牲品，都被查抄。張居正的一個兒子被逼自盡，另一個兒子兩次自殺未遂，慘狀令朝野驚悸。

萬曆十二年八月，朱翊鈞下詔書宣佈張居正的所謂罪狀，並把其弟、子、孫統統發配邊地。至此，一場抄家鬧劇才算收場。朱翊鈞終於拂去了張居正在他心理上投下的陰影。這一來，那些在張居正改革中被抑制的豪強，被整治的官吏重新抬起了頭。張居正的改革措施遭到了破壞。而朱翊鈞卻把早年的進取心拋到了九霄雲外，驕奢淫逸，昏庸荒唐，幾十年後，竟把大明江山推到了崩潰的邊緣。

13 唐伯虎的「風流才子」之謎

唐伯虎在明代堪稱「江南第一風流才子」。

唐寅，字伯虎，又字子畏，號六如居士，又號桃花庵主，是明代著名的書畫家。他的詩、書、畫堪稱「三絕」，他的風流韻事也有許多傳說，如「唐解元一笑姻緣」，「唐伯虎三點秋香」、「江南第一風流才子」等，說得有聲有色，彷彿眞有其事似的，加上曲藝，戲劇等藝術形式的渲染，唐伯虎在人們的心目中，就成了個恃才好色，放蕩不羈，風流倜儻的人物了。

其實，唐寅是個失意的文人，一生大都處在苦澀之中，是才子，但卻不風流。唐寅自幼聰明好學，十六歲就考中了秀才。後來，其父去世，他的生活失去依靠。在好友祝允明的勸說下，苦練八股文，在二十九歲那年鄉試一舉高中，人稱「唐解元」。接著，他滿懷信心進京參加會試，誰知受到一場科考舞弊案的牽連，不僅沒求得功名，反而被逮下獄。儘管他不久就獲得了自由，卻永遠失去了再進考場的資格，從此入仕無望。

唐寅出獄之後，被分發到浙江為小吏。這個處置使唐寅大為不滿，認為「士可殺而不可辱」，拒絕去做小吏。他的妻子徐氏性喜奢華，見他沒有做官的希望，便悄悄委身他人，並把他的大部分家財席捲一空。唐寅當官不成，就想一心一意做學問，這時，南昌甯王朱宸濠聞知他的才華，用重金將他聘為幕僚。豈不知甯王早有造反之心，唐寅擔心禍牽己身，遂佯狂使酒，裝瘋露醜，想方設法回到了吳縣。從此，他看透了人世的炎涼，毅然開始了遊歷生活。後來，唐寅又返回老家吳縣，在城北桃花塢買地建屋，取名爲「桃花庵」，據說，也只不過是幾間茅屋而已。這時，他與一位名叫沈九娘的官妓成了婚，還生了一個女兒桃笙。不料，吳縣一帶連遭水災，唐寅的畫賣不出去，只好靠借貸度日。沈九娘也不堪勞苦，撒手歸西。幾年後，女兒嫁給一位商人。唐寅面對難耐的寂苦，曾一度皈依佛家。他的「六如居士」的別號即因此而生。五十四歲那年，唐寅走完了他命蹇時乖的一生。

人們不禁要問，像他這樣一生不得志的落魄文人，怎麼會有「江南第一風流才子」的雅稱？一是說，這一名號來源於他的一方圖章。說是他在絕意功名後，刻了一枚「江南第一風流才子」的圖章，用在他的一些繪畫作品上，著意不在「風流」，也非炫耀自己的才氣，而是抒發胸中不平，對功名的蔑視，是他的一種自慰，也是貧困中的寄趣。

二是說，唐寅精於仕女題材的繪畫，如《九美吟》、《簪花仕女圖》、《秋風紈扇圖》等，都有令人心動的美女，如此推斷，唐寅一定熟悉這些佳麗們的生活，否則不可能畫得如此傳神。三是說，在唐寅自築的居所「桃花庵」，只要他賣畫得了錢，就會邀請名士好友在此飲酒歌吟，不免留下「酒醒只在花前坐，酒醉還來花下眠」的忘形之態。四是說，唐寅接觸過官妓，又娶了蘇州名妓沈九娘爲妻，人們樂得移花接木，遂把金陵名妓「秋香」也「嫁」給了他，於是以訛傳詐，皆以爲眞。唐寅倘若泉下有知，恐怕也得啼笑皆非吧。

唐伯虎的代表作《孟蜀宮妓圖》。

14 戚繼光的「鴛鴦陣」之謎

明代抗倭名將戚繼光，他自幼隨父親在登州任所讀書習武，深受其父正直清廉的影響，十七歲時，其父逝世，他承襲了指揮僉事軍職，負責軍屯事務。當時，日本的海盜商人和明朝的土豪、奸商勾結起來，到處搶掠財物，殺害百姓，鬧得沿海不得安寧，人稱「倭寇」。沿海的官兵不敢抵抗，見了倭寇就逃。

戚繼光被升任調到山東後，大力加強海防建設，嚴明軍紀，使山東海防面貌煥然一新。倭寇幾次來擾，都被擊退。後來，倭寇轉而侵掠浙江，公然搶佔城池，與明軍對抗。浙江守將庸懦無能，坐視倭寇猖獗。戚繼光又被調到浙江。他招募新兵，嚴格訓練，組成了一支戰鬥力極強的「戚家軍」。這支軍隊雖然只有三千人，但是打起仗來，以一擋十，勝過千軍萬馬。在戚繼光的指揮下這支軍隊還用「鴛鴦陣」、「兩才陣」、「三才陣」等戰術，屢次把來犯的倭寇打得落花流水。

嘉靖四十年，一大票倭寇撲向台州，抵達台州東門外二十里的花街。這些倭寇戴著牛角樣子的頭盔，頭上披著五色長絲，個個臉上塗著油彩，兇惡猙獰，類似惡鬼。有的手裏拿著五尺長的雙刀，有的持著弓箭和鏢槍，「嗷嗷」叫著，向台州方向殺來。戚繼光率領著戚家軍，從台州東門出

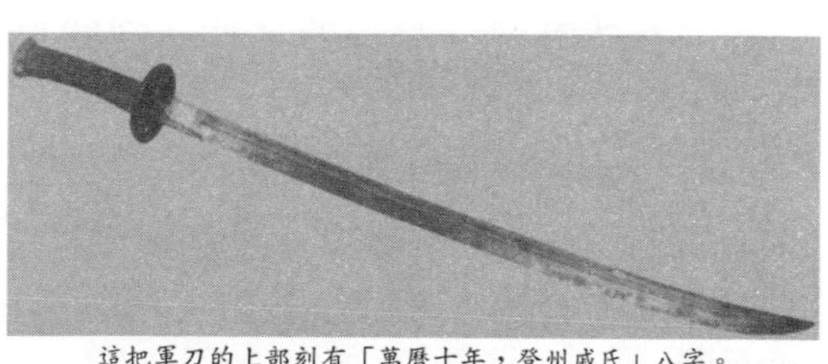

這把軍刀的上部刻有「萬曆十年，登州戚氏」八字。

走。隊伍一面跑步前進，一面逐步展開，構成了幾百個「鴛鴦陣」。在距城十五里的地方，和倭寇相遇，展開了殊死戰。一個個「鴛鴦陣」在戚繼光的指揮下，各自奮戰。只見每一小隊，一名隊長領頭右手執刀，左手拿旗指揮。兩旁是兩名戰士，右邊的持一個五角形的長藤牌，左邊的持一個圓形的大藤牌，把迎面敵人伸來的長箭和投來的鏢槍，統統擋住了。盾牌兵的後邊是兩個各持一把「狼筅」的戰士，兩支各有一丈三尺多長的「狼筅」把敵人掃得暈頭轉向。後面則是四個長槍兵，在後面的兩人拿著鐵製的「把」，作戰的僅十一人。「鴛鴦陣」雖小，但幾百個「鴛鴦陣」聯結起來，就成了一個大陣。這些小陣，前前後後，左左右右，既能獨立作戰，又能互相接應。倭寇被陷在陣中，只有招架之份，沒有還手之力，很快地被分割開來。

戰場是一大片水田，這裏到處響著戚家軍的吶喊聲和倭寇的怪叫呻吟聲。有的倭寇被「狼筅」掃到水田裏，剛爬起來便被「把」，當頭一下，腦漿迸裂。倭寇見勢不妙，狼狽逃竄，這時，戚家軍的號角一吹，「鴛鴦陣」一分為二，變成了「兩才陣」，繼續沿著田梗追擊敵人。一路上都是倭寇的屍體。一直追到澄江邊上，殘敵準備負隅頑抗，這時，戚家軍又化零爲整，組成了一個龐大的「雁列陣」，向敵人推去，前邊掃，後邊刺，倭寇無有退路，都被推進江裏淹死了。這一仗僅用了一個多時辰，便將來犯的倭寇全部殲滅，還解救了被倭寇擄去的百姓五千人。而戚家軍僅陣亡三人。

接著，戚家軍乘勝作戰，在健跳所、大田、上峰嶺，洋坑等地均大獲全勝。從此，「戚家軍」威名遠揚，倭寇聞風喪膽，望風而逃。

15《金瓶梅》作者之謎

《金瓶梅》是中國小說史上第一部以現實社會和家庭日常生活爲題材的長篇小說。該書初刊本名爲《金瓶梅詞話》。書中借《水滸傳》中惡霸西門慶私通潘金蓮的故事爲線索，刻劃了李瓶兒、春梅、吳月娘、李嬌兒、孟玉樓、孫雪娥、應伯爵、陳敬濟等一大批栩栩如生的人物，全面暴露了明代中期封建統治的腐朽黑暗。該書思想性和藝術性都達到較高水準，但因宣傳宿命論和色情描寫過多，被列爲禁書。不知何故，這部深刻的現實主義小說的作者署名「蘭陵笑笑生」，把眞實面目掩藏起來，令世人苦思不得其解。它的眞正作者是誰呢？

一說是明朝嘉靖年間的文史學家王鳳洲（世貞）。相傳王鳳洲父親王忬原是明代巡撫，奸臣嚴嵩得知王家有古畫《清明上河圖》，就強迫王忬獻畫。王把摹本代替眞品獻給了嚴嵩，卻被江右巡撫唐荊川識破。嚴嵩惱怒不已，誣陷王灤河失事將其殺死。

王鳳洲爲報父仇，幾次派人去殺唐荊川，都因防護極嚴而不能得手。有一次夜裏，唐荊川在書房讀書，忽然有刺客從後面拽住他的頭髮，把刀架在他的脖子上。唐荊川懇求刺客讓他寫封遺書給家人，剛寫幾行字，筆頭就脫落了，唐荊川把筆管伸到蠟燭旁烘烤，假裝修筆。誰知筆管藏有毒箭，受熱發射，刺穿刺客咽喉。王鳳洲十分失望，再想辦法替父報仇。王鳳洲得知唐荊川看書時，常用手指沾唾沫翻書頁，就花費三年功夫寫就奇書《金瓶梅》，把嚴嵩之子嚴世蕃作爲西門慶的原型，隱射了嚴世蕃作惡多端、遭致暴死的醜惡下場。

與例來說，嚴世蕃小名叫「慶」，西門慶也叫「慶」；嚴世蕃號「東樓」，該書就以「西門」對之。王鳳洲寫成此書後，把毒液灑在書邊角上。等到唐荊川坐車出門時，王鳳洲讓人拿書到街上叫賣：「看天下第一奇書！」唐荊川素愛讀書，聽見喊聲就接書細瞧，越看越入迷，而愛不釋手。唐荊川蘸著唾沫把書翻了一遍，再找賣書人早已無影無蹤。唐荊川暗叫不好，趕快自救，可是已經來不及了，最終毒發身亡。這個故事後來成了「寓意說」、「苦孝說」的根據，王鳳洲被許多人認爲是《金瓶梅》的作者。

然而，1932年在山西省發現的《金瓶梅詞話》，書前刻有「欣欣子序，蘭陵笑笑生作，明萬曆四十三年」字樣。由於此種版本成書最早，引起了史學家的關注。吳晗首先發表文章《〈金瓶梅〉的著作時代及其社會背景》，通過剖析《清明上河圖》與王氏家族的關係，得出歷史上的王鳳洲之父王忬並非獻假圖受害的結論。吳晗還從書中大量運用山東方言這一特點著眼，認爲王鳳洲雖在山東作官三年，但要如此熟練地運用山東方言是不可能的。因此，王鳳洲不會是《金瓶梅》的作者。同時代的文史學家王採石、趙景深等人也撰文贊同吳晗的意見。

那麼，這個「笑笑生」是誰呢？

一說是屠隆。眾多研究者分析認爲，《金瓶梅》成書時間爲明朝萬曆十年至三十年間，該書作者是熟悉京城官場路數，通曉縱欲享樂，看透世間萬象，仕途不順又有深厚文學功底之人。明朝萬曆年間文學家屠隆正與此情況相符。屠隆祖籍江蘇武進，而「蘭陵」即在江蘇常州西北。萬曆十二年，屠隆在京師被人揭發與西寧侯縱淫而罷官，他看清了世事險惡，更加縱情聲色，玩世不恭。

屠隆的經歷正有利於寫出《金瓶梅》這種揭露腐朽黑暗的明朝統治的現實小說。屠隆對人欲的認識是「既想治欲，又覺欲根難除」，他還認爲文學作品可以「善惡並采，淫雅雜存」，這與《金瓶梅》中對色情的由衷欣賞和過多描寫極爲吻合。屠隆還在他的《開卷一笑》中用過「笑笑先生」的筆名，讓人們不由得聯想起「笑笑生」這個名字。研究者們推測屠隆很可能是《金瓶梅》的眞正作者。

一說是賈三近。蘭陵作爲古代地名，一爲山東嶧縣，一爲江蘇常州。而明朝嘉靖萬曆年間的賈三近，正是山東嶧縣人。他的身世經歷、處世態度、文學素養、筆名都與《金瓶梅》一書的內容表現相符。因此，有些人認爲賈三近應是《金瓶梅》的作者。然而，有研究者發現《金瓶梅》作者多次運用吳語詞彙，且對山東地理情況不太瞭解，他不可能是山東人，倒像是江蘇人。

王婆子貧嘴說風情。

一說是民間藝人集體創作。有些研究者提出《金瓶梅》是由許多民間藝人參與、整理而成的作品。它原本叫做《金瓶梅說唱詞話》，後來又改作《金瓶梅詞話》，雖保留了詞話名稱，但已失掉詞話的風格，演變爲小說。因爲是爲多人所作，因此作者署名採用集體化名「蘭陵笑笑生」。

還有人推測《金瓶梅》也像《水滸傳》、《西遊記》那樣，先在民間流傳，後經人整理出版，這個編寫者就是李開先。李開先的生平經歷和對市井文學的縱深研究，都是他寫作《金瓶梅》的基礎。同時，他的《寶劍記》一書風格也與《金瓶梅》有許多相似之處。因此，李開先也很可能是《金瓶梅》的眞正作者。《金瓶梅》作爲中國古代「四大奇書」之一，在海內外都有深刻的影響。文史學者們一直在探究它的眞正作者，力圖揭示該書的眞實背景，我們也期待著此謎破解的那一天。

16 萬曆皇帝「玉盒密約」之謎

萬曆皇帝像。

萬曆六年，十六歲的萬曆皇帝行冠禮，加元服，舉行大婚。皇后王氏和劉昭妃都知書識禮，賢淑端莊，可是她倆雖然受到萬曆生母慈聖皇太后的喜愛，卻滿足不了生性風流的萬曆淫樂的需要，而且又都沒有生育，這令萬曆氣不打一處來，變得行爲乖張，動輒大怒。十九歲那年冬天，他偶然來到母后宮中，母后不在，只有一個姓王的宮女迎接他。他一時淫興大發，便跟這宮女發生了關係。後來，王宮女便有了身孕，但萬曆卻把這個事忘了一乾二淨。過了幾個月，王宮女肚子大起來了，慈聖太后一問，原來是跟皇帝有的，並有《起居注》爲證。萬曆不得不承認這個事實，太后不但不怪，反而大爲高興，立刻將王宮女封爲恭妃。不久，便生下一個男孩，這就是皇長子朱常洛。

然而，萬曆對王恭妃沒什麼感情，對朱常洛也態度冷淡。但是，對朱常洛的名分、地位並沒有什麼異議。過了幾年，鄭貴妃生的皇三子朱常洵出生了，一下子打破了昔日的平靜。萬曆十八年，大臣們提出應該立太子了。皇后沒生兒子，現在的皇子都算庶出，既然無「嫡」可立，那麼就理該立「長」。可是皇帝不幹，他要立朱常洵爲太子。這就引起了歷史上稱之爲「爭國本」的事件。「國本」指的是太子，以群臣爲一方，牢守著祖制，主張冊立長子；而皇帝自己爲一方，堅持立三子。雙方爭來爭去，竟延續了十五年。

萬曆爲什麼頑固地堅持非立三子不可呢？關鍵是他寵愛三子的生母鄭氏。鄭氏原爲淑嬪，容貌出眾，機智聰敏，她還愛讀書、有謀略，所以入宮後很快得寵，晉爲貴妃。她處處顯露出天眞少女的本色，敢和皇帝互訴衷腸，敢給皇帝出主意，敢跟皇帝要大把大把的珠寶……萬曆在她面前，才覺得是從「神」的地位上降下來，成了活生生的人，感到擺脫了孤獨感。他也就把鄭氏視爲知音，朝夕相伴。因此朱常洵一出生，萬曆馬上冊封鄭氏爲皇貴妃，比王恭妃高出兩級。群臣見此不公，紛紛爲王恭妃鳴不平。正在這時，又傳說萬曆和鄭貴妃曾在大高元殿謁神盟誓，把立朱常洵爲皇太子的誓言裝入玉盒中交給鄭貴妃。這就是所謂的「玉盒密約」。這個傳說在朝野中引起極大震動，群臣們認爲立皇三子是不顧祖宗禮法，爲了社稷，就是罷官掉腦袋也要堅決頂住。立儲之爭達到了白熱化。

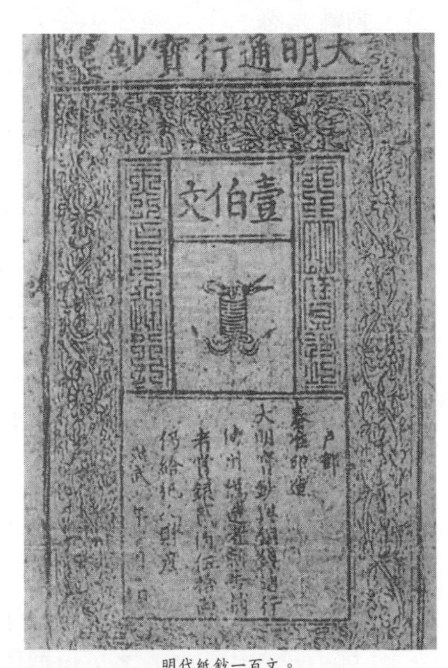

明代紙鈔一百文。

群臣們的立儲之疏數千百計地向萬曆拋去，令他招架不了，只好極力鎭壓。他把戶科給事姜應麟、吏部員外郎沈、刑部主事孫如法等都貶了官，治了罪。慈聖太后這才感到，兒子恐怕眞有「廢長立愛」的決心了，就質問萬曆。萬曆說：「他（指朱常洛）是宮女的兒子。」太后申斥說：「你不也是宮女的兒子嗎？」（萬曆的生母是宮娥李氏）嚇得萬曆惶恐萬分。於是，他就把冊立太子的事推遲，採取「拖」的辦法。理由是皇后還很年輕，說不定她會生個男孩，「立嫡」的原則是優先的，那時再立太子也不晚。其實，萬曆是耍花招，他根本不到皇后宮裏去住，皇后又怎麼會生出男孩來呢？萬曆還想了個辦法，把皇后廢了，另立鄭貴妃爲后，那時朱常洵就會變成「嫡子」，可以名正言順地立爲太子了。可是怎麼也找不到廢皇后的理由。他還希望皇后自己死去，可惜皇后偏偏病懨懨地活著，離死大老遠呢。

爲立太子的事，萬曆大傷腦筋，也大爲惱火。後來賭氣採取了跟大臣們消極對抗的辦法，從此不再上朝。皇帝竟罷了工，眞是亙古未有的奇聞。幸而官僚制度還有作用，內閣及部府仍然照常工作。有事呈奏上去，皇帝不批，就等於默許，便照章辦理。誰再上本去爭立太子的事，他就「留中」——又叫「不報」，讓那疏文自動作廢，外間就無法知道眞相了。直到萬曆二十九年，萬曆已經四十歲了，再不立太子，如果他一旦殯天，朝廷非大亂不可，於是決定冊立太子了。王景鄭貴妃沒忘「玉盒密約」，從錦匣中拿出萬曆的手諭。不料手諭卻被蟲子咬吃了一部分，偏偏「常洵」二字被蛀成一撮碎末。迷信的萬曆驚歎道：「這眞是天意啊！」終於把朱常洛立爲太子，皇三子朱常洵封爲福王。至此，「國本之爭」才算告一段落。爲「立愛廢長」白忙活了十五年，萬曆心中肯定不舒暢。

17 萬曆皇帝的「妖書案」之謎

由於明神宗的昏庸無道，宮廷內不同派別的官僚集團互相傾軋，爭鬥不息。萬曆三十一年發生的「妖書案」，竟把滿堂朝臣都捲入了空前紛亂的黨爭漩渦，釀成了一場大禍。

事情起自於刑部左侍郎呂坤寫的一本叫做《閨範圖說》的書。該書以繪圖解說的方式，記載了歷代一些賢德女人的故事。傳到宮中之後，鄭貴妃把自己也列入書中，並讓人刻印成書，傳出宮外。這本來不算件什麼了不起的事，至多有點標榜鄭貴妃自己的意味。但是，此事卻成了黨爭的藉口。禮科給事中戴士衡、全椒縣知縣樊玉衡接連上疏，彈劾呂坤和鄭貴妃。鄭貴妃見事不好，趕忙哭求萬曆，於是萬曆暗忖找機會處罰「二衡」。後來，有人爲《閨範圖說》作跋，名爲《憂危議》，矛頭直指鄭貴妃，說她刻書之意在於「奪嫡」，把自己的兒子朱常洵立爲太子製造輿論，一時朝野上下鬧得鼎鼎沸沸。萬曆一怒之下，派錦衣衛捉拿「二衡」，貶到兩廣了立宏事。

過了幾年，一本託名「鄭福成」寫的小冊子《續憂危議》冒了出來。此書以問答體寫成，說皇上冊立朱常洛爲太子是出於不得已，還說鄭貴妃與一些大臣勾結，欲廢朱常洛另立自己的兒子爲太子。整篇文章用詞閃爍詭妄，「鄭福成」的託名，也蘊含「鄭氏」的兒子「福王」朱常洵「當成」的意思，人稱「妖書」。萬曆一見此書，當即怒斥爲「胡鬧」，命錦衣衛速速查辦。一下子掀起了一股濫捕之風。許多人借此發洩黨爭仇隙、個人恩怨。這個與同僚不和，便說妖書是同僚搞的；那個看人不順眼，就報告說他是「妖人」；連和尚、醫生都被抓了起來，一時廷獄人滿爲患，京城人人自危。萬曆皇帝也被弄得糊裏糊塗，不明究理。

「浙黨」魁首、內閣首輔沈一貫善於排斥異己，這時他從中插了一腳。當時內閣次輔沈鯉曾做過萬曆的講官，入閣後很受器重，但與沈一貫始終不和。「妖書案」發生沈一貫便趁機上書萬曆，說是我手下人幹的。把沈鯉及其門生、東宮講官郭正域拋了出去。沈一貫還指使給事錢夢庚上疏，說：「妖書出現，不前不後，正在夢王上疏的時候，令人懷疑這中間必有瓜葛。郭正域是沈鯉的門生，而醫生沈令譽是正域的食客，胡化又是正域的同鄉同年，他們結成死黨，反對朝廷。還望皇上能控根治本，嚴懲正域，貶謫沈鯉。」

萬曆見疏，當即下詔，命郭正域回原籍聽候審查。沈一貫派人在半途截住郭正域回京拷問，並勸他自殺，郭正域卻說：「我是朝廷大臣，有罪也應明正陳屍法場，如何能不明不白地自殺死去？」太子朱常洛也幾次出面質問：「爲什麼想殺我的好講官？」使沈一貫不敢再下毒手。沈一貫又派人每天去沈鯉家中搜查，也未查個究竟。最後，把和尚達觀、醫生沈令譽、胡化等人折磨個半死，把個無賴生光當做眞凶凌遲處死了

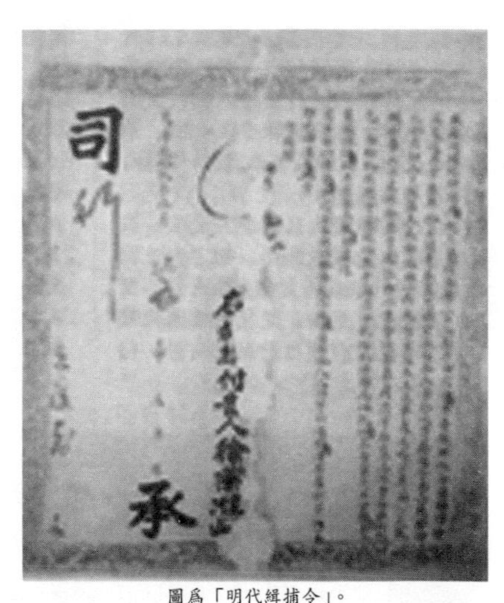

圖爲「明代緝捕令」。

事。

「妖書」之獄，令萬曆也感到悚然。他似乎才覺察到，由於他的昏庸、姑息，使黨派之爭達到了令人吃驚的程度。但是，內心深處，他又眞希望這些「浙黨」，能鉗制一下勢力強大的東林黨人。因爲東林黨人總說政治腐敗，要求改革弊政，動不動就彈劾大臣、抨擊太監，甚至連皇上也不放過。萬曆想坐山觀虎鬥，利用黨爭保住自己。這樣，「妖書案」才演成了一出荒唐的黨爭鬧劇。萬曆到死也沒想到，他縱容的黨爭後來竟越演越烈，給江山社稷留下了一道深深的傷痕。

18 明熹宗朱由校的皇后下落之謎

明熹宗朱由校的皇后是河南生員張國紀之女，長得丰姿綽約，美色天成。她知書達理，深明大義，善良賢慧，文靜端莊。按說朱由校娶此女爲妻是他的造化。然而朱由校卻是一付紈袴子弟的派頭，整天昏天暗地地玩，對做木工活又極其癡迷。他不理朝政，寵愛自己的奶媽客氏，信任狡詐的太監魏忠賢，大明江山成了客、魏的天下。兩人性格不合，情趣不同，氣質、修養和思想簡直有天壤之別，婚後不久就合不來了。

有一天，朱由校突然起了一個念頭，要與張皇后各率一軍玩「列陣對仗」遊戲。他請張皇后和他一起披掛上陣參加內操。他率太監三百人，執龍旗；張皇后率宮女三百人，執鳳旗。張皇后對這種明火執仗，鑼鼓喧天的玩樂不感興趣，推說自己身體不舒服，先辭別回宮去了，使得朱由校很掃興。後來他從宮女中挑出三人代替張皇后接著玩。只見他龍旗一揮，太監們發一聲吶喊衝入宮女陣中，互相打鬧取笑一回，他才盡興而歸。

朱由校很愛看戲，什麼過錦戲、打稻戲、傀儡戲，他是每晚必看，非常開心。戲班中有個丑角王跛子常常在演戲中插科打諢，諛諂魏忠賢，把個魏公公褒獎到天上。張皇后看了十分氣憤，指斥魏忠賢橫行霸道，亂國亂政，可是朱由校根本不聽她的。這樣的戲，她再也不想看了。一天，張皇后正在讀《史記》，朱由校玩得滿臉是汗地跑進來了，問張氏讀的是什麼書？張皇后說「趙高傳」。「趙高？誰是趙高？」朱由校不讀書，不懂史，怎麼會知道趙高是何許人也。「大奸似忠，毒如蛇蠍，指鹿爲馬，顛倒黑白，壞秦家錦繡天下的小人！」張皇后氣憤地一口氣說了一串話。可是，朱由校管他趙高什麼忠啊奸啊的，惟玩是命，只是似懂非懂地朝皇后一笑，就走掉了。

本來朱由校身體很健康，二十歲剛出頭，從沒得過病，可是不知什麼原因，從天啓六年開始，身體卻日漸虛弱起來，臉和身上都出現了浮腫。到了天啓七年，竟病倒在床，時發高燒，浮腫加重，飯量大減，說話有氣無力，朝野上下惶惶不安。這時，京師又傳出了魏忠賢欲謀篡位的謠言，鬧得滿城風雨。張皇后更是憂心忡忡。張皇后雖然也是二十幾歲的年輕女子，但作爲天下之母，她還是很有政治頭腦的。她清醒地認識到，面對形勢複雜的危急時刻，必須沈著冷靜，當務之急是解決皇位的嗣繼問題。絕不能再讓客、魏專權誤國。說起朱由校子嗣問題，就不能不提起客、魏二人費盡心機加害張皇后的事。

客氏和魏忠賢把朱由校玩弄在股掌之中，氣焰熏天，不可一世。客氏在宮中作威作福，橫行無忌。因此，常遭到張皇后當面斥責，並由此結下冤仇，客、魏二人開始陰謀將張皇后剷除。天啓三年，張皇后懷了孕。客氏將張皇后宮中下人一律換成她的心腹。一天，一個宮女給張皇后捶背時，故意用猛勁造成流產。一個未來的皇子就這樣在腹中夭折了。其他

《皇帝稱勝圖》。

妃子，如薛貴妃、容妃等生的孩子也都被客氏設法害死，故此，朱由校一生沒有子嗣。爲了達到潛移明祚的目的，客、魏二人又把毒手伸向了張皇后的父親張國紀，想以此牽扯張皇后、廢掉張皇后而立魏忠賢之侄魏良卿的女兒爲皇后。結果造出個謠來，說張皇后是被張國紀收養的一個在逃殺人犯的女兒。朱由校不辨黑白就下旨革去張國紀的爵祿，令其回籍了，然而並未動張皇后。客、魏二人陰謀雖未得逞，但其狼子野心已昭然若揭了。

如今，朱由校的病眼看無望再起，又無子嗣，張皇后就想到了朱由校同父異母之弟信王朱由檢。遵照「兄終弟及」的慣例，信王是可以名正言順地繼承皇位的，況且他素有賢名，能當此大任。於是，張皇后就對病中的朱由校提起了信王，說他可以託付大事，朱由校點頭同意。後來，趁魏忠賢疏於防範之際，張皇后安排了朱由校接見信王一面，確定了信王爲繼位之人。這是朱由校二十幾年來做的惟一的明白事。

天啓七年八月，朱由校駕崩，張皇后馬上傳旨，命人迎信王入宮，同時向天下宣告信王繼承大統的遺詔。次日，朱由檢登基，張皇后才放下心來。張皇后憑藉自己的機敏果斷，完成了一件力定社稷的驚人之舉。朱由檢登基後，封張皇后爲懿安皇后，尊養於宮中，其父張國紀也恢復了爵位。崇禎十七年，李自成農民軍攻下北京。朱由檢傳令張皇后自裁，張皇后即刻自縊而死。但是，後來的野史筆記中多謂張皇后未死，一說她歸順了李自成；一說她在李岩的保護下存活下來，後來才自殺；一說她流落於民間，淪爲賣水者之婦。但這些傳說皆不可信。依張氏的品格，她絕不會如此苟且偷生，壯烈殉國應該是她最好的選擇。

19 明景帝凶殺案之謎

明景帝朱祁鈺是明宣宗朱瞻基次子，與英宗朱祁鎮是同父異母兄弟。朱祁鎮即位稱帝後，封朱祁鈺爲王。正統十四年（1449）「土木之變」後，英宗被瓦剌軍打敗，成爲也先的階下囚；朱祁鈺即皇帝位，是爲代宗，年號景泰。次年，英宗還京師，尊爲太上皇，被代宗軟禁於南宮。

景泰八年（1457）趁代宗生病之機，英宗發動「奪門之變」奪回皇位，廢代宗爲王。不料，身體已經康復的代宗在一個月後竟突然死亡。他是無疾而終還是被害身亡？史書記載不一，給後人留下了一個歷史之謎。一是有疾而終說。據《英宗實錄》看，代宗是「有疾而終」的。說景泰七年十二月癸亥，代宗因疾臥床不起，遂免朝賀。將軍石亨至病榻前探視時，見代宗病勢沈重，即退出與太監曹吉祥陰謀發動政變，迎主英宗，以邀不世之功。從景泰七年十二月癸亥起至代宗去世，《英宗實錄》中竟有近二十處記載代宗病情狀況。使人相信，代宗之疾日益沈重，終於不治身亡。

令人疑惑的是，明人對代宗之死多有忌諱。李賢的《天順日錄》、楊瑄的《復辟錄》、尹守衡的《明史竊》、僅記代宗「薨」，而不說因何而「薨」。陳建的《皇明從信錄》、薛應旗的《憲章錄》也不記代宗死因。代宗死後，追諡爲「戾王」。英宗還令人將代宗生前營造的昌平壽宮拆毀，將代宗轉葬於金山，一說西山，同時，還賜紅帛，令代宗身邊之唐妃等人殉葬。上述事實不能不使人感到，在代宗之死的問題上，英宗作了許多文章。官方史籍上不厭其煩記載的代宗「有疾而終」是否有欲蓋彌彰之嫌？二是被害身亡說。此說雖鮮見於史書，但言之鑿鑿，發人深省。陸釴的《病逸漫記》載：「景泰帝之崩，爲宦官蔣安以帛勒死。」

當初，英宗被也先的瓦刺軍俘獲後，因國不可一日無主，留在北京的眾臣請郕王朱祁鈺監國，不久即皇帝位。代宗即位後，廢英宗之子朱見深的皇太子之位，而立自己的兒子朱見濟爲皇太子。但朱見濟在景泰四年死去。代宗臥病之時，眾臣請建太子，代宗不允，說：「偶有寒疾，十七日當早朝。」不料，十六日夜間，石亨與曹吉祥就帶人發動了蓄謀已久的政變。他們到南宮迎出了英宗，然後簇擁著英宗往東華山。東華山衛士拒不開門，英宗大呼：「吾太上皇也。」待衛士確認是英宗，才打開大門，放政變人馬進入。行至奉天門，又是英宗上前叱退守衛，進入皇宮。英宗兵不血刃，實現了「南宮復辟」。十七日早朝上，不是病癒的代宗露面，而是太上皇英宗重新上臺！

英宗復辟後，改元天順。他對失去帝位，軟禁八年的生活耿耿於懷，積恨難消，但他以其自身的教訓，決不能讓廢爲郕王的代宗也發生「復辟」，於是令人將代宗活活勒死。爲斬草除根，又賜紅帛令唐妃等殉葬。這樣一來，他徹底消滅了一個強大的政敵，哪管什麼骨肉兄弟？哪管什麼後世非議？到了成化十一年，明憲宗朱見深才爲代宗恢復了帝號，諡景帝。更有說服力的是，乾隆十四年，清高宗弘曆在爲景泰陵碑題辭中說：「子亦隨死，終於殺，禮西山，實所自取耳。」既肯定代宗系遇害身亡，又歎惜代宗養虎遺患，沒有防備居於南宮的英宗的東山再起。看來，明景帝被害身亡還是眞實的，但英宗時代的史書上誰人敢寫！

20 崇禎皇帝爲何沒有「南遷」

崇禎十七年，是個多事之秋，內憂外患令崇禎長嘘短歎。清軍攻佔了山東、畿南八十八個州縣，攝政王統領十部幾萬大兵虎視眈眈；張獻忠一路沿湖北、湖南奪關佔地，準備全面佔領四川；更嚴重的是李自成已西進潼關，佔領西安，控制了西北，並整頓兵馬要直取北京，大有稱王建國之勢。國家社稷危在旦夕，如果此時崇禎皇帝權衡利弊，當機立斷，遷都南京，尚可保住江南半壁江山，明朝或許不會早亡。但是崇禎卻遲遲沒有南遷，放棄了一條生路，親手斷送了大明江山，自己也吊死煤山赴了黃泉。其實，崇禎皇帝何嘗不想南遷？

這一年的正月初四，崇禎急召大學士及首輔大臣陳演、魏藻德、丘瑜及兵部尙書到御書房議事，討論兵部兵科給事中吳麟征、陝西總督余應桂和薊遼總督王永吉三人提出的速調吳三桂入京勤王的三道緊急奏摺。這本是一個拯救危亡的方略，雖然放棄了山海關，但能免得京城落入李自成之手。然而，崇禎卻躊躇再三：面對外患的清軍鐵騎，如果棄地守京，就會落下丟失國土的千古罪名；面對內憂，揮師東指的李自成大軍，坐以待斃，又會蒙受失政於寇的奇恥大辱，因此，他把這個皮球踢給了這些大臣們，想讓諸大臣們正式提出動議，他再順水推舟，免得承擔歷史責任。

可是，這幫老奸巨猾的傢伙們似乎猜透了崇禎心裏打的小算盤，竟無一人表態！最終決定「早朝廷議公而決之」。於是，正月初九的早朝上，眾朝臣展開了唇槍舌劍的爭論，一派主張棄地守京，另一派主張決不棄地，結果相持不下，不歡而散。那麼，主張決不放棄一寸國土的臣子們，眞的是心口如一以死報國的忠臣嗎？不然。當朝宰相、首輔大臣陳演就懷著一副不可告人的鬼胎。他想，自己當廷表態不棄國土，就逃脫了丟失國土的罪名。而他後來又不公開反對「棄地守京」，則是崇禎對他的囑咐。他想，說不定有朝一日，秋後算賬，這個剛愎自用又心胸狹窄的皇帝，便會找一個因棄地守京而丟失國土罪名的替罪羔羊，而他陳演則明哲保身，不擔任何關係。試想，靠這種滿肚子爲己打算的人把持朝政，再加上個優柔寡斷，只顧虛名的皇上，哪裡會定下個萬全之策？退朝不久，左中允李明睿求見皇上，爲崇禎獻上南遷之計。他認爲即使棄地也難保京，大敵當前應該效仿晉元，宋廷南遷，以後再圖恢復北方，以緩目前之急。實事求是地說，這個新思路是當時確保朱明王朝的上策。崇禎心裏也是贊同的。但是，他又認爲南遷是丟棄宗廟社稷的大罪，比「棄地守京」更甚，他可不願承擔這個千古罪名，於是，這個適時的策略便被擱置一邊了。

至三月初，李自成勢如破竹，攻克了甯武，明軍一敗塗地，京城已岌岌可危之時，崇禎又連夜召諸大臣商議對策。這時，李明睿又奏請南遷。崇禎想，這次如果沒人反對，他就可以下決心南遷了。不承想，左都御史李邦華竟說，皇上應該守京師，讓太子下江南。崇禎見自己的如意算盤被打亂，便怒斥道：「朕經營天下十幾年尚不能濟，孩子家做得了什麼大事？」眾人頓時嚇得啞口無言，其實人人心裏都明白，崇禎是既想當婊子又想立貞節牌坊，自己本想南逃，卻要從大臣口中說出來，死要面子。他們又一想，如果皇上南遷，一些大臣們便會留在京師輔佐太子，變成替死鬼；而那些隨駕南遷的人，說不定一旦京師失守，又因力主南遷而替人受過。眾人都看透了崇禎的心理，於是個個沈默不語。崇禎卻不知眾人在心裏想些什麼，見南遷無人再表態，遂似很有決心地說：「諸位愛卿，今夜只講戰守之策，此外不必再言。」結果，只是下了個「入京勤王」的聖旨，等待各路大軍來京護駕。

但是，此後的幾天，勤王的軍隊沒到，敵情卻像雪片一樣飛來，如再猶豫就什麼都來不及了。這時，李明睿又來緊急求見，勸崇禎南遷。崇禎是怎麼想的呢？他是急切地盼望著眾大臣都一致贊成南遷，甚至伏地痛哭，一起奏請他離京，而自己則最好是半推半就地哀而受之，而成就一代明君的形象。因此，在這最後關頭，他不禁想到這次大臣們會眾口一詞奏請他逃往南京的，待召來大臣後，眾人仍是各懷心腹事地一言不發。正在尷尬無奈之時，有人來報，「保定失陷」。這樣一來，南遷的路被掐斷了，往南逃跑的可能性很小了。再議南遷之策，只不過是癡人說夢了。崇禎呆坐在那裏，「啊」了一聲，隨即兩行清淚從雙頰滾滾而下。

三月十八日，在一片震天的喊殺聲中，李自成攻陷了北京城。崇禎在煤山自縊身亡。一直到死，崇禎自己也想不通，爲什麼自己自登基以來，不誤早朝、不貪聲色、不絕直諫，勵精圖治，嘔心瀝血卻保不住大明江山？爲什麼在臨危之時，文官武將們只求自保，毫無鬥志，全都束手無策？爲什麼自己的軍卒不戰自敗，而一個小小的李自成竟成了燎原之火，愈撲愈熾，最終燒毀了朱家二百多年的煌煌大廈？

21 清初崇禎太子之謎

崇禎太子朱慈烺在李自成大軍攻破北京前一天，匆忙化裝潛逃出宮。雖然明朝滅亡了，但是這位活著的崇禎太子仍是各種政治勢力虎視眈眈的對象。按中國封建社會傳統的觀念，有太子在，就他代表的那個王朝有死灰復燃的希望。因此，當時佔領北京稱帝的農民起義軍領袖李自成，後來鐵蹄踏入關內的清王朝，以及偏安南京的南明小朝廷都關注朱慈烺的下落。朱慈烺的歸宿究竟如何？後人均有不同的說法，成爲明末清初的一大疑案。幾種說法如下：

一是被李自成俘獲。《明史・諸王五》等史書記載：「京師陷，賊獲太子，僞封宋王。」據說李自成攻進北京城後，見崇禎皇帝自縊於煤山，其后妃、女兒皆死，惟不見其三個兒子的下落，於是派人四處搜尋。後來，太監栗宗周將太子獻出。李自成爲了籠絡人心，將朱慈烺暫留軍中，由大將劉宗敏監管。李自成兵敗離京西撤時，仍將其隨軍帶走，後來不知所終。

二是在廣東出家。據廣東嘉應（今梅縣）地區傳說，朱慈烺與李士淳在隨李自成西去途中逃走，後來到廣東嘉應州陰那山靈光寺削髮爲僧。李士淳原籍嘉應州陰那山，曾充當東宮侍讀，與太子朱慈烺相交甚篤。明滅之時，他與朱慈烺一同被李自成俘獲，但均被收留，並加封官職。李自成西奔時，劉宗敏不幸身負重傷，自顧不暇，因此，李士淳帶朱慈烺趁機逃跑。據李士淳的後裔李大中在《二何先生事略》中說，李士淳「年六十，遭闖禍，身受刑笞，不汙為命。攜王潛遁南歸。……顧勢已無可奈何，乃請某王削髮為僧。在陰那半山人跡罕到之處，築室以居之，名之曰『紫殿』，又曰『聖壽寺』，並為王取法名曰『和尚』。在中秋佳節，偕『和尚』登塔賦詩，情深言遠，感愴傷懷，至今仍見諸塔中勒石。」據說『和尚』死後，靈光寺內供「太子菩薩」神位，並雇人攜「太子菩薩」神牌四處化緣。辛亥革命後，清王朝覆滅，人們才知道，當年的和尚就是崇禎太子朱慈烺。

三是逃奔南明小朝廷。還有人說，朱慈烺出宮後，顛沛流離隱姓埋名，終於輾轉逃至南京。當時偏安南京的南明小朝廷由福王朱由崧主政，朱由崧是朱慈烺的叔父，崇禎太子的存在對福王帝位是個威脅。因此，朱由崧命大臣們對朱慈烺嚴加盤問，自然對答如流，連從北京南逃來的原宮中內監也對他不疑。後來從一些疑點中，有人認為他是假冒太子，經過酷刑拷問，斷定他是一位駙馬的侄孫，名叫王元明。這個結果使一些文武官員極為不滿，鎮守長江中游的大將左良玉因此領兵東下，造成極大內亂，從而加速了南明王朝的滅亡。後來，江南百姓因不滿福王政權，趁清兵南下尚未到達南京，而福王逃離的間隙之時，擁立其為王監國。清兵攻破南京後，多鐸把他擄至北京，從此不知所終，想必死於清廷之手。

四是被清廷處死。有人說，朱慈烺化裝出宮後，被一民間老太收留，藏匿三個月之久。後因老太家貧，實在無力收養，遂被送至其親屬周奎家。周奎膽小怕事，惟恐惹火燒身，聽到清廷的搜捕令後，便將朱慈烺上交刑部。清廷恐其存在影響政權的穩定，決定斬草除根，下令將他處死。此外，還有許多說法流傳於民間。有的說朱慈烺在清兵入京前，李自成將其獻予吳三桂，後來朱慈烺在吳三桂軍中逃出，先在皇姑寺暫住，後與太監高起潛從天津乘海船南下。有的說，朱慈烺在逃亡時死於亂軍之中。

據說，在清初，順治、康熙兩朝還不斷出現自稱爲崇禎太子的人。其中在各地號召人民起兵抗清的事例頗多，大多是人民不滿清廷統治，借其名義反清。也有個別的人，自稱太子，一直鬧到北京，多方審理，竟眞假難辯，最後被清廷處死了事。最令人稱奇的是，康熙年間，三藩之亂時，北京有人自稱是崇禎三子，趁勢聚眾回應吳三桂，兩廣一帶有人自稱崇禎太子，招兵應和吳三桂，待到事敗，兩人被捕在北京公堂對質時，竟互不認識，後均被處死。時至今日，崇禎太子的下落仍是個未解之謎。

22 徐霞客的「千古奇人」之謎

徐霞客名弘祖，字振之，江蘇江陰人。霞客是他的號。他自幼勤奮好學，博覽群書，尤其喜愛閱讀地理、歷史方面書籍，對探險遊記一類更是情有獨鍾，讀起來常常廢寢忘食。這些書對他影響極深：西漢時的張騫，出使西域，開闢了「絲綢之路」；東晉的高僧法顯遠赴印度，成爲「西天取經」的第一人；北魏的酈道元勇於探險，用畢生精力寫出了地理巨著《水經注》；唐代的玄奘大師爲了求得佛教眞諦，歷經艱險，矢志西行，終於從天竺國取來眞經；還有「盲僧」鑒眞五次東渡日本失敗，仍不灰心，最終在六十六歲那年，不顧雙目失明，第六次東渡成功，爲中日友好作出了巨大貢獻……這一切，都使徐霞客敬慕不已。這些探險家成爲他心中的偶像，他也想像他們一樣，做個探險家，考察祖國的壯麗河山，決心爲地理事業貢獻一生。

徐霞客二十二歲那年，帶上母親爲他準備的行裝，告別了新婚的妻子，踏上了探險考察的征程。一開始，他主要是到名山大川去尋訪名勝古蹟。他先後遊歷了太湖、洞庭山、天臺山、雁蕩山、泰山、武夷山和北方的五臺山、恒山等名山。每次遊歷回家，他跟親友談起各地奇

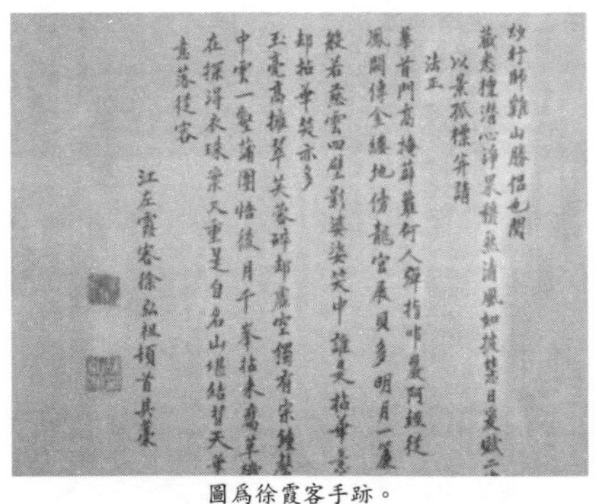

圖爲徐霞客手跡。

風異俗和遊歷中遇到的驚險情景，別人都嚇得說不出話來。據他說，有一次，他到廣西融縣眞仙岩旁的暗洞去探險，洞口住著一條大蟒蛇，這蛇大得出奇，看不見首尾，橫臥在洞中。徐霞客毫不畏懼，竟從大蟒的身上爬過去進了洞裏，夜間就睡在洞中……。他第一次攀登雁蕩山的時候，在陡峭的山脊上，他把包腳布解下來結成一條帶子，讓僕人抓住一端，自己則繫著帶子懸空而下，結果帶子斷了，幸虧他機敏地抓住岩石爬了上來，才沒有墜入萬丈深淵中。在探察完雲南一座險峰上的山洞準備下山的時候，來時的路因太危險不能再走。但換個方向也都是懸崖峭壁，使人眼暈心跳。情急之下，他找了一處草多的地方，兩手緊緊抓住草根，懸空溜了下去，萬幸的是竟沒有翻一個筋斗。徐霞客就是這樣不畏艱險，奔波大江南北，探索著大自然的奧秘。

後來，他的母親去世了，徐霞客就把全部精力用在探察研究地理地質上。在他五十歲那年，開始了一次路程很長的旅行。他花了整整四年時間遊歷了湖南、廣西、貴州、雲南四省，一直到中國邊境騰衝。他從江西到湖南，再從湖南到雲南的途中，對沿途的山崖的構成、岩石的性質，顏色等都進行了詳細的考察。並前後探察了一百多個石灰岩洞。洞穴都是萬丈深淵，洞中曲折多岔，萬一迷了路，就難以生還。洞中暗河交錯分佈，一不小心就會喪命。他舉著火把，孤身一人進入可怕的岩洞之中進行測量。他的許多研究成果，與現代科學也是一致的。

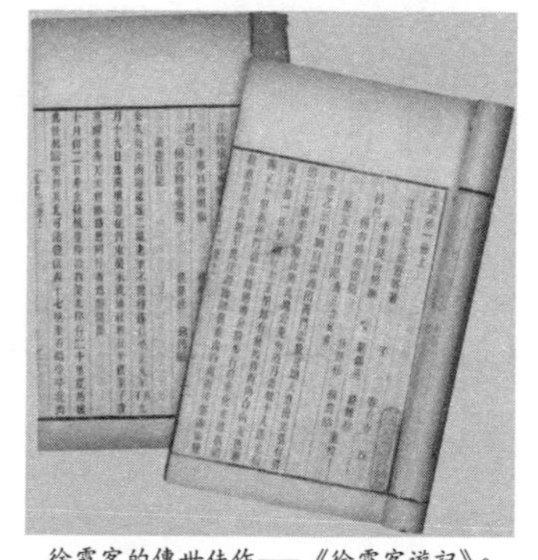

徐霞客的傳世佳作——《徐霞客遊記》。

再說，他在地質學方面，也研究

出了重要的科學成果。他聽人傳說，在雲南騰越的打鷹山上，有四處深不可測的龍潭，時常會噴出氣體。還傳說，在三十年前的一天，打鷹山上突然發出震天動地的轟鳴聲，五六百隻羊和牧羊人都神奇地死掉了，一場大火突如其來，把林木全都燒光了……這引起了他的好奇心，決心探出個究竟來，於是，他奮力登上頂峰，對當地的情形做了詳細的筆錄。根據他記載的情狀分析，這實際上是一次火山爆發現象，而騰越正是中國近代火山活動地帶。他的判斷和解釋都是符合科學的。在湖南，他根據三分石的傳說，又進行了實地探察，結果驗證了長江的發源地。他既尊重古人調查研究的成果，又不迷信古人，他的考察成果都有科學根據，具有重要的科學價値。

在旅途中，不管怎樣勞累，他也要在晚上堅持記錄下白天的所見所聞。經過三十四年的艱苦卓絕的奮鬥歷程，他終於開闢了有系統的觀察、探索大自然的新方向。五十四歲那年，他才結束了萬里征途回到家鄉，從此便一病不起。第二年他握著遊記手稿與世長辭了。後人將他的手稿整理成聞名世界的《徐霞客遊記》，經過他的實地考察後，糾正了過去地理書上記載的錯誤，發現了過去沒被發現的地理現象，例如弄清了長江的上游不是岷江，而是金沙江。他對岩溶地貌的記載，比西方早二百年。

《徐霞客遊記》不僅是一部有價値的地理名著，而且也是一部出色的文學著作。它以清新優美的文字，描繪了中國的壯麗山河，給人以美的享受。這部書被稱爲「千古奇書」，徐霞客也就被稱爲「千古奇人」。

23 李時珍修本草之謎

李時珍字東璧，號瀕湖，蘄州人。他家世代行醫，其父李言聞醫術高明，曾著有《醫學八脈法》、《四診發明》等醫學專著。不過，那時社會上把醫生列入「方伎」類，被人瞧不起，所以李言聞就想讓兒子改換門庭，放棄醫業，讀書應科舉考試。李時珍在父親的督促下，十四歲那年考中秀才，但此後三次參加舉人考試都沒有考中。其父見他不願走仕宦之路，便要他學醫。豈不知李時珍對醫道情有獨鍾，正中下懷，於是，他就一心一意跟父親學起醫來。

李時珍學醫，特別用心鑽研，他認爲醫術重要，但藥學也同樣重要，僅有良醫卻無良藥，同樣治不好病。於是，在研究醫術的同時，他還花了很多力氣來研究藥物。他在自家後園建了一個小藥圃，試種各種藥材，並認眞研讀《神農本草經》、《本草經集》、《新修本草》、《證類本草》等古代藥學著述。經過在實踐中的深入探究，他發現這些前人『本草』書的內容，不論是漢代的，還是唐宋的，都存著品類不全、分類雜亂，甚至還有的說明有誤的缺點，因此，他下定決心，要把這些「本草」書

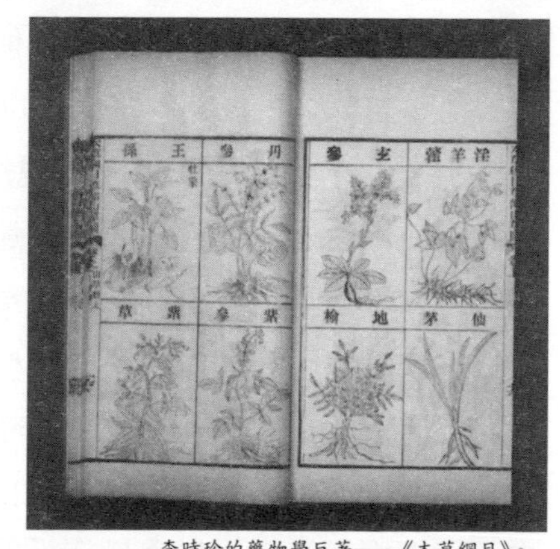

李時珍的藥物學巨著——《本草綱目》。

籍，重新修補增訂，編出一本新的，可靠的《本草》書來。

然而，這樣浩繁的工作談何容易！就以宋朝的《證類本草》爲例，是當時朝廷派出幾十人，用十幾年時間才編撰完成，而李時珍要一個人單槍匹馬地幹，眞有點異想天開。不過，李時珍立下大志，不修成「本草」誓不罷休。在行醫的同時，還爲修「本草」做準備工作。有一次，楚王的兒子得了一種抽風的病，遍請名醫也沒治好。有人就把當時已經很有名氣的李時珍推薦給楚王。結果，李時珍一劑見效，三劑痊愈，一下子就把小王子的怪病治好了。楚王十分高興，再三挽留李時珍在楚王府待下來。沒有多少日子，正碰上朝廷徵求人才。楚王爲了討好明世宗，就把李時珍薦到北京太醫院去了。

太醫院本來是國家的最高的醫療機構，可是那時候，明世宗正迷信方士，在宮中做道場，煉金丹，乞求長生不老，對眞正的醫學並不重視。李時珍看不慣這種烏煙瘴氣的環境，在太醫院僅待了一年，就藉故辭職回家了。但他在太醫院的御藥房考查了全部藏藥，又在聖濟殿裏考查了全部藥書，還算有些收穫。李時珍無官一身輕，在回家的路上，順便遊歷了許多名山勝地。每到一處，都尋訪草藥，研究各種草木的藥性。

有一次，他到揚州去，聽說那裏產一種「仙果」，叫榔梅，吃了能使人返老還童。官場上的達官貴人都視其爲寶，年年要地方官進貢，並且嚴禁百姓採摘。爲了弄清「仙果」的眞相，李時珍臨崖登峭壁，終於採到了一顆榔梅，帶回家鄉進行研究，結果發現這種果子確有一種生津止渴的作用，並無大用。

還有一次，他與徒弟在武當山上採到了許多珍奇、罕見的植物，卻被兩個道士誤以爲是盜採藥材的藥販子將藥材扣下，並要將其治罪。後來老住持聽說他要編「本草」，不但放他下山，還特意送他一些珍稀藥草。就這樣，李時珍前後用了二十七年時間，走遍了湖廣、江西、浙江、河南等地的高山峻嶺，涉過長江和湘江、贛江、漢水等河流。寒來暑往，頭髮漸漸的白了，腰也漸漸佝僂，但決心仍不動搖。有時錢用完了，便回家行醫，待積攢了些路費，便又出發了。

後來，在幾千里的行程中，他向千萬個農民漁人、獵戶、樵夫、和尚、道士和藥農求教，參閱了八百多部醫學著作和古代書籍，經過三次較大的修改，終於完成了一部輝煌的藥學巨著《本草綱目》，全書共一百九十多萬字，收藏藥物一千八百九十二種，載入藥方一萬一千零九十六個，插圖一千一百一十幅。這部給人類造福的書上，每個字，每幅圖都凝聚著李時珍的血汗。《本草綱目》出版以後，一直流傳到全世界，已經被翻譯成日、德、英、法、俄、拉丁文等多種文字，在世界醫藥界中佔有重要地位。

24 張獻忠藏寶今在何方

張獻忠，字秉吾，號敬軒，自稱「八大王」，明末著名的農民起義領袖。他作戰勇敢，兼有謀略，曾率軍與高迎祥東征，轉戰豫、陝、鄂、皖各地，後又率軍，兩次攻入四川，在成都即皇帝位，稱大西國，年號大順。後來清軍南下，他在西充鳳凰山下迎戰，因麻痹輕敵，在外出偵察清軍動向時，中箭而死，時年四十歲。他死之後，人們傳說他有一千船金銀財寶埋藏在錦江江底。三百多年來，圍繞這千船寶物，發生出許多故事來。

清人吳偉業的《鹿樵紀聞・獻忠屠蜀》和彭孫貽的《平寇志》都記載了張獻忠藏寶之事。據其說：（張獻忠）用法移錦江，涸其流，穿數仞，實以精金及珍寶累萬萬，下土石築之，然後決堤放水，名曰『銅（錮）金』。」還說，爲了保住億萬財富，竟將藏寶的人全部殺掉。乾隆年間進士彭遵泗在其《蜀碧》一書中，也提到了張獻忠「錮金」之事。《明史》張獻忠本傳中則記爲「又用法移錦江，涸而闕之，深數丈，埋金寶億萬計，然後決堤放流，名『水藏』，曰：『無爲後人有也。』」連官修史書也這樣說，可見就不是傳言了。另外，清軍入川後，張獻忠在撤離成都時殺了不少宮妃、太監和雜役，恐怕也是擔心他們洩露藏寶地址，而殺人滅口。然而，張獻忠突然死掉，知情人又不露面，這藏寶之事就成了一團謎。

這一千船沈江的金銀財寶，該有多麼大的誘惑力！不僅是想暴富的財迷們垂涎欲滴，就連堂堂的清朝政府也兩次動過打撈沈寶的主意。一次是道光十八年，清宣宗專門派一名熟悉蜀地的道員，去錦江一路尋查。但是花了不少錢財，費了不少功夫，也沒找到藏寶之處，只得悻悻而歸。另一次是咸豐年間，咸豐帝給成都將軍裕瑞發出一道諭旨，命其「按照所呈各情形，悉心訪察，是否能知其處，設法撈掘，博采輿論，酌量籌辦。」然而，這位對地理、佛經、外語皆有研究的將軍，也一無所獲，此事也不了了之。

民國初期，四川省政府秘書長楊白鹿，將一張「藏寶秘圖」拿出來，與曾任過川軍師長的馬昆山商議尋寶。二人一拍即合，主即成立個「錦江淘金公司」，由當過「政洲處長」的幸蜀峰任經理，讓熟悉土木工程的楊永思任總工程師，又從川軍某部拉來百多名青壯士兵費了九牛二虎之力，只撈出三籮筐古代銅錢，未見什麼財寶。幾個人都洩了氣，這場挖寶鬧劇也狼狽收場了。

有人認爲，所謂張獻忠錦江藏寶之事很可能是聳人聽聞或故弄玄虛。仔細分析，就知其難以令人相信實有其事。江底藏寶是個有計劃有步驟的大工程，需要經過截流清底、開挖石穴、安排裝運、嚴密填實、設置標記等許多必不可少的工作，尤需大量人力，假以時日方能完成。張獻忠撤退成都是迫不得已的倉促而成，他又意外遇難，退一步說，即使有藏寶計劃，也不可能有條不紊地實施。

張獻忠遇難不久，清軍即佔領了成都，俘獲了大西國的一些宮人和大臣。當時，清廷也進行過「追贓」活動，拷掠威逼，無所不用其極，但收穫甚微。倘若眞有「錦江藏寶」這樣招人物議的大事，難保都能守口如瓶，何必拖到幾百年之後再來尋寶？還有人認爲，現代科技發達，勘測錦江水底之物，並不費力。如果淺淺的錦江眞有大量藏寶，何愁它不能重見天日？

總而言之，張獻忠藏寶之謎一時還不會解開，也許以後還會有許多故事出現。

25 史可法下落之謎

史可法，字憲之，號道鄰，祥符縣人，崇禎進士在朝中，他遭到把持朝政的奸黨馬士英、阮大鋮等排擠，以督師之名，被遣往揚州。順治二年，清軍攻圍揚州，他困守孤城，英勇抗擊，立誓「城存爲存，城亡與亡」。四月二十五日，清兵攻破揚州，屠城十日，無數百姓及守城將士慘遭殺害，而督師史可法的結局卻其說不一。

一、殉難於揚州之役。一些官修史書和野史稗乘的記載，都說史可法是被俘不屈而死的。《清實錄》說「攻克揚州城，獲其閣部史可法，斬於軍前。」《明史》則說，城破時，史可法自刎未果，被部將擁至小東門而執，「可法大呼曰：『我史督師也』。遂殺之。」野史裏，《雪交亭正氣錄》、《史外》等也都有相似的記載。還有史可法的嗣子史德威，曾與史可法一起在揚州守城，又一起被俘，他所著《維揚殉節紀略》說得更爲詳盡，書中寫道：「揚州城陷時，史可法自刎未遂被執，清軍統帥多鐸對其相待如賓，口稱先生，並誘之以『爲我收拾江南，當不惜重任也』，史可法大聲怒斥：『我爲天朝重臣，豈肯苟且偷生，作萬世罪人哉。我頭可斷，身不可屈……城亡與亡，我意己決，即劈屍萬段，甘之如飴』，遂遭殺害。」還有一些當事人和目擊者的記述也是如此。如原史可法的幕下楊遇蕃及清軍將領安珠護皆親眼目睹史可法被殺支解的情形，《自靖錄》和《池北偶談》和《青磷屑》等也都記載史可法是被俘不屈而死的。特別值得一提的是，史可法在揚州屠城前寫下的五封遺書給其母和其妻的遺筆中，都抱定了「一死以報國家」的決心。他後來不屈而死的實際行動對此作了證明。

二、縋城出走、不知所終。計六奇在《明季南略》裏記載了史可法縋城出走的情況：「陰曆4月25日，即城破當日，大清兵詐稱黃蜚兵到，史可法乃准蜚兵一千從西山入城。及進，而反戈擊殺。史可法立於城上見之，即拔劍自刎，左右持救，乃同總兵劉肇基縋城潛去。《石匱書後集》則說，史可法「過鈔關」「走安慶」。《江都志》則說城破時，史可法騎白騾出南門。《聖安本記》認爲，城破時，史可法「不知所在」。這個「縋城出走」說，經考證，根據不足，且與事實不符。那麼，此說怎麼出現的呢？

（一）疑其爲僞。城破之時，兩軍白刃相見，當史可法被執時，人們一時不知眞假。事後，經向史德威、楊遇蕃等人查詢才證實史可法殉難。（二）屍骨無著。《乙酉揚州城守紀略》載，史可法是「屍裂而死」。當時揚州被清兵血洗，屍積如山，血流成河，加之天氣炎熱，屍骨腐敗、臭氣熏天，無法一一辨認。直到次年清明，史德威才將史可法的衣冠袍笏等遺物葬於梅花嶺旁。（三）希冀其倖免於難。人們痛恨清軍，懷念史可法的堅貞不屈，有不願言其死的情緒。「大江南北，遂謂忠烈未死」，後來，鹽城、廬州等地百姓都托史可法之名，樹旗抗清。「戰死說」見於《石匱書後集》，「史可法自殺未遂後，與部將逸於離城數里的寶城寺，清兵跟蹤而來，急決戰，不勝，一時盡敗歿。」「沈江說」則說在城破時，史可法出城，渡河因馬蹶溺死。《桃花扇》則把史可法寫成投江而死。但後二說更無據可考，雖也流傳下來，終非眞相。

26 南明「㴁蟆天子」之謎

明朝滅亡之後，福王朱由崧在實權人物馬士英等人的操縱下，於南京登基，建立了南明政權。此時，正值明王朝危急存亡之秋。朱由崧本應勵精圖治，完成光復大業，然而他卻以光復爲藉口，大肆搜刮民財，盡情享樂。他把朝政大事都交與馬士英、阮大鋮等人去辦。這樣一來，馬、阮閹黨集團便橫徵暴斂，貪污賄賂，朝野上下一片黑暗。朱由崧終日沈溺在聲色犬馬之中，修宮殿、選淑女、蓄男寵、看戲、酗酒，荒淫無度，腐敗透頂。

即位當年的除夕晚上，在新建的興甯宮裏，本應歡度佳節，朱由崧卻爲戲班裏沒有美人而鬱鬱不樂。以後，馬、阮之流不斷爲他找好幾個戲班，輪流入宮演戲，供他玩樂。弘光元年正月，他邊看戲，邊飲酒，醉意朦朧中竟大發獸性，接連淫死童女二人。二女俱是雛妓，由老鴇領走屍體了事。此後，這類禍害雛妓的事時有發生，宦官們怕張揚出去壞事，就隨便將屍體在宮中埋掉。

一天夜裏，宮中大鐘忽然響了起來，宦官們以爲出了什麼大事，都驚慌失措地湧入內宮，結果是數十個戲班子的人裝扮成鬼，在那裏胡鬧。因爲是朱由崧允許的，大家哭笑不得，只得散去。蘇州醫生鄭三山向朱由崧進獻春藥，深受朱由崧鍾愛，被選進宮來，講房中術，供春藥，竟當了官。到了端午節，朱由崧不上朝，卻下旨命人四處捕蟆配房中藥，令百官啼笑皆非。人們都稱朱由崧是「㴁蟆天子」。爲了滿足自己貪得無厭的淫欲，朱由崧令太監「選淑女」入宮。這些如狼似虎的太監們，在街上見誰家少女美貌，便在其額上貼上黃紙，帶著就走。他們還挨家挨戶訪查，或由地方官選定。隱匿者要治罪，選的姿色差的也要治罪，並限定數目，必須完成。這樣一來，弄得百姓人心惶惶，有女之家不分晝夜，倉促找婿，趕緊來個「拉郎配」，官宦人家也忙著「搶新郎」，一時間鬧得雞犬不寧，民怨沸騰。

朱由崧整天由那些搶來的美女陪伴，把往日的舊妃拋在一邊。他的原妻童妃帶著六歲的兒子來南京，朱由崧竟拒不相認，反將童妃打入大獄嚴刑拷打。連馬、阮等人都不敢相勸，眼睜睜看著皇妃被折磨致死。玩夠了女人，朱由崧又開始蓄男寵。有一個十九歲的太監張執中，長得面如桃花，聲音甜美，一顰一笑如同少女。朱由崧把他留在身邊，同食同寢，鍾愛非常。張執中倚仗朱由崧，把朝臣都不放在眼裏，一般大臣他都不見。只有馬士英才能登門，但他也只以一杯清茶待之，傲慢十足。

由於朱由崧這樣昏庸無道，馬、阮之流就放膽胡作非爲起來，他們常常打著朱由崧的旗號搜刮民財。原來，府州縣學的廩生都由官府供給飯食，到了朱由崧這朝，每人則需納銀三百兩，後又增加六百兩，最後竟再附加七百兩。他們還公開賣官鬻爵，明碼標價：武英殿中書九百兩；文華殿中書一千五百兩；內閣中書兩千兩；待詔三千兩；各級官職都待價而沽。這樣一來，有錢便高官得坐，駿馬得騎。南明政權的官僚隊伍迅速膨脹起來。這些官吏上任之後，不問政事，瘋狂地勒索百姓，弄得民不聊生。當時，有一首民謠說：「都督多如狗，職方滿街走；相公只愛錢，皇上但吃酒。」朱由崧終因腐敗無能，被南下清軍俘獲，斬於北京宣武門外的菜市，當了刀下之鬼。

27 劉永福的「黑旗軍」之謎

黑旗軍是由近代民族英雄劉永福領導的，驍勇善戰，屢敗法、日侵略軍的功勳部隊。1865年，廣西農民起義軍首領劉永福率部加入了吳亞忠爲首的廣西天地會起義軍，在廣西安德北帝廟舉行祭旗儀式，以七星黑旗爲軍旗，故稱「黑旗軍」。因清政府重兵圍剿，1867年，黑旗軍轉移到中越邊境保勝一帶駐紮。1873年，法軍攻佔越南河內，黑旗軍應越國政府之邀抗擊法寇。黑旗軍先後擊斃法軍統帥安鄴、李威利，令法軍聞風喪膽。1884年黑旗軍接受清政府的指揮，成爲中國在越南戰場的重要抗法力量，屢敗法軍。中法戰爭後，黑族軍入關，被裁軍縮編。甲午戰爭期間，黑旗軍與臺灣的百姓並肩戰鬥，反抗日軍佔領臺灣。戰爭中，黑旗兵彈盡糧絕，絕大部分英勇犧牲，威名赫赫三十年的光榮之旅爲保衛祖國領土完整而流盡鮮血。

1873年，法國國王派他的女婿安鄴上尉率「遠征軍」進犯越南北部，攻佔了河內，控制了紅河三角洲一帶。劉永福在越南國王阮福的請求下，率一千餘名黑旗軍將士翻過宣光大嶺，進入六安州，與越軍趕往河內，抗擊法軍。1873年12月21日，黑旗軍在河內城西同法軍激戰，法軍敗退。劉永福乘勝追擊，逃軍亂作一團爭搶進城，安鄴被黑旗軍先鋒吳鳳典擊斃。黑旗軍攻入河內，殲敵數百，繳獲槍彈無數，殘餘法軍被迫退出紅河三角洲。但怯懦的阮氏王朝暗地裏與法國談判，同意由法國保護，允許法國船隻進入紅河。阮福又任命劉永福爲三宣副提督，轄宣化、興化、山西三省扼守紅河上游，封英勇將軍。

法帝國主義侵略之心不死，再次撥軍費二百四十萬法郎，作好了侵略越南的準備。1882年，法國海軍司令李威利攻佔河內，北進南定省，並圖謀中國廣西邊境。劉永福受越南國王之命，率三千黑旗軍向河內發起反攻。1883年5月19日，雙方在河內城西二裏處紙橋展開激戰。劉永福命黃守忠扼守大道，楊著恩、吳鳳典分別在關帝廟附近和大道南側設伏。法軍通過紙橋西進，被楊著恩伏擊，被迫退回橋東。法軍用連環槍的密集火力壓制黑旗軍，黑旗軍拼死抵抗，戰鬥慘烈。楊著恩兩股中彈，鮮血噴湧，仍堅持指揮戰鬥，力戰到最後胸部中彈犧牲。吳鳳典也多處負傷，黑旗軍傷亡慘重。

劉永福命令前營與親兵一併出擊，法軍慌忙後退。法軍統帥李威利命令集中炮火轟擊黑旗軍陣地，劉永福命令士兵就地臥倒，待法軍靠近，將士們一躍而起，揮舞大刀砍向敵人。法軍猝不及防，被殺死二百餘人，李威利被當場擊斃，黑旗軍經過浴血奮戰，換來紙橋戰役勝利。法軍心驚膽戰，瑟縮在河內城中。劉永福因功被升爲三宣正提督，一等義良男爵，後來，劉永福率領黑旗軍在懷德、丹鳳等地多次打敗法軍的分路進犯，令法軍聞風喪膽。

1884年8月，中法戰爭爆發後，劉永福被清政府授予「記名提督」，劉永福正式由越南官員轉爲清朝官員。年底，劉永福率黑旗軍與西線清軍聯合作戰，將法軍盤距的宣光城包圍。劉永福在宣光附近的左旭預埋一萬公斤炸藥，先爲河內方面的法國援軍準備好墳場。次年3月，河內法軍趕來救援宣光，黑旗軍假裝敗退，將法軍引入爆炸地帶，法軍傷亡四百多人，抱頭鼠竄。1885年3

月，黑旗軍會同越南義軍，雲南農民軍和滇軍一部，在臨洮大敗法軍，收復廣威府，黃岡屯等十餘州縣。與此同時，老將馮子材在鎮南關、諒山一帶大敗法軍。這一系列勝利沈重地打擊了法軍的囂張氣焰。扭轉了中法戰爭的戰局，導致主戰的法國茹費理內閣垮臺。然而，腐敗的清政府卻「乘勝即收」，派李鴻章簽訂了不平等的中法《會訂越南條約》，從此法國侵略勢力伸入雲南和廣西。對於抗敵有功的黑旗軍，清政府按法國的意思去辦，調回廣東南澳，年年裁減，僅剩三百餘人。

1894年，甲午戰爭爆發，清政府調遣劉永福率黑旗軍到臺灣幫辦軍務，駐守台南。1895年4月，清政府簽訂了恥辱的《馬關條約》，把臺灣、澎湖列島割讓給日本。撤走臺灣巡撫唐景崧等官員，與日方辦理交割手續。劉永福和臺灣人民堅決反對割讓臺灣，組織抗日義軍，抗擊日寇侵略。1885年6月，臺灣各界推舉劉永福爲總統，請他領導抗日。年近六旬的劉永福慷慨陳詞：「守土保民，疆埸殺敵，責無旁貸。既受推舉，萬死不辭，惟願戮力同心，打敗日寇！」爲團結臺灣各派共同抗日，劉永福把黑旗軍編排在各路義軍的最前面，多次擊退日軍進犯台南。8月，在彰化城東戰役中，劉永福指揮義軍斃敵千餘，打死日軍少將山根信成。在嘉義戰役中，重擊日軍，日軍中將北白川能久傷重而亡。在劉永福黑旗軍的頑強抵抗下，日軍傷亡慘重，久攻台南不下。

正值臺灣軍民浴血奮戰，誓死捍衛祖國領土完整之時，腐朽透頂的清政府卻嚴令全國：「不得絲毫接濟台南。」致使黑旗軍和各路義軍在彈盡糧絕的險惡條件下孤軍奮戰，情況十分危急。1895年10月，日軍分水路、陸路兩路大舉進攻台南。饑餓不堪的黑旗軍將士頑強抵抗，絕大部分壯烈殉國。台南勢必失守，劉永福無奈搭乘英輪返回廈門。英勇的黑旗軍全軍覆沒，血灑寶島臺灣。黑旗軍屢敗法國侵略軍，沈重地打擊了日本侵略軍，是中國近代戰爭史上的驕傲。它的英勇事跡被載入史冊，黑旗軍將士永遠活在人民的心中。

28 鄭成功的「黑人部隊」之謎

鄭成功的像。

鄭成功，明清之際抗清名將，原籍福建南安，他胸有韜略，智勇雙全，才思過人，忠烈剛毅，誓作大明子民，堅持抗清到底，受到後世的敬仰。1661年，鄭成功率領二萬五千名軍士，數百艘戰船駛向臺灣，以收復被荷蘭殖民者佔據了四十年的寶島，建立長期抗清的軍事基地。在臺灣人民的有力支援下，鄭成功水陸齊進，先後攻陷赤嵌臺灣城，趕跑了荷蘭侵略者。據說，在打擊荷蘭殖民者的大軍中有一支黑人部隊，他們熟練使用槍械，作戰勇敢，屢立戰功。這到底是怎麼回事呢？

鄭成功祖居福建泉州南安縣，他的父親鄭芝龍到日本經商娶日本女子田川翁子爲妻，1624年在日本平戶生下鄭成功。鄭成功自幼聰明過人，七歲返回安平從師學習，立下報國之志。二十歲時，他又入南京國子監讀書，博覽群書，鍛造報國之才，此時，清兵大舉入關，崇禎皇帝自縊身死，明朝已經滅亡。南明小朝廷在南京建立弘光政權，一年後又被清兵覆滅，唐王朱聿鍵在福州建都，建元「隆武」。鄭成功見破碎的大明江山，無比悲憤，他立志抗清復明，投奔到隆武帝麾下。隆武帝見他胸懷壯志，有勇有謀，忠貞剛烈，一身英雄氣概，十分器重他，賜他姓朱，封忠孝伯，掛招討大將軍印，鎭守仙霞關等軍事重地。鄭成功徵召抗清勇士，屢敗清軍。

1648年，鄭成功率部攻克同安縣，兩年後，計殺鄭聯，佔領廈門爲抗清陣地。1653年，清軍進犯海澄，鄭成功沈著指揮擊退清軍。清廷對鄭成功又懼又怕，準備用高官厚祿招降他。清廷先是遣使者攜帶「海澄公」大印來招撫鄭成功，被嚴辭拒絕；後又讓鄭成功的兩個弟弟鄭渡、鄭萌前來勸降，又被鄭成功怒斥遣回。鄭成功的父親早在1646年就投降了清軍，勸說兒子歸降清廷，結果父子反目，分道揚鑣。鄭成功堅決抗清，被南明永曆帝冊封爲延平王，征討大將軍，積極準備北伐復明。

1659年，鄭成功率大軍由舟山出發，連克瓜洲、鎭江，進逼南京。長江下游的太平、甯國、池州、徽州等四府三州二十二縣紛紛歸附，江南、皖南地區再次燃起抗清烽火。駐南京的清朝總督郎廷佐看出鄭成功屢克清軍滋生輕敵思想，便寫信要求暫緩攻城，一個月後清軍開城投降。鄭成功果然輕敵相信謊言。結果，清軍暗中集結，突然襲擊，鄭成功大敗，退回廈門。1660年，清廷派達素糾集三省兵力，進攻廈門，鄭成功奮起反擊。此時，清廷已基本統一中國，重重大兵圍剿廈門。鄭成功決計退出大陸，收復被荷蘭人佔據的臺灣，建立長期穩定的抗清基地。臺灣於1624年和1626年先後遭到荷蘭殖民者與西班牙殖民者入侵。1642年，荷蘭打敗西班牙，佔領全島，實行殖民統治。

1661年3月，鄭成功率兩萬五千名官兵，大小戰船數百艘，從福建金門料羅灣出發，經澎湖，到達臺灣西南海岸，在赤嵌（今台南）附近禾寮港登陸。在海戰中，鄭成功軍隊用火船擊沈荷蘭主要艦隻赫克托號；在陸戰中，又擊斃荷蘭侵略軍頭目湯瑪斯・貝德爾。鄭成功收復臺灣，得到了臺灣民眾的大力支持。在荷蘭軍隊當翻譯的何廷斌把荷蘭軍隊的軍事機密透露給鄭成功，使攻台大軍繞過荷蘭海軍設置的海上障礙，順利登陸。在攻打赤嵌城時，臺灣當地人就告訴鄭成功，城中無水，如果切斷城外高地的水流，荷蘭人必會不戰自亂。鄭成功採納此計，荷蘭守將描難實果眞舉白旗出城來降。赤嵌城順利攻克。

5月，鄭成功大軍揮師攻打荷蘭殖民者首府臺灣城（今臺灣安平），殖民總督揆一頑固抵抗，臺灣城久攻不下。鄭成功打垮了荷蘭海上援兵，繼續圍困臺灣城。12月初，鄭成功炮轟臺灣城東的烏特利支堡，佔領制高點，繼續攻打臺灣城。13日，揆一堅持不住，舉白旗投降。荷蘭殖民者簽署了十八條款的投降書，終於撤出了他們盤踞了四十年的臺灣島。

鄭成功嘉獎有功軍士，其中有一支五百人的黑人部隊立下赫赫戰功，備受誇讚。他們被殖民者騙賣到臺灣，成爲荷蘭人的奴隸，受盡了欺壓和奴役，戰時又被押送前線，爲殖民者賣命。許多黑人奴隸投奔鄭成功，受到友善的接待。他們瞭解荷蘭軍隊情況，又懂洋槍洋炮的使用，個個勇敢作戰，給荷蘭軍隊沈重的打擊。黑人部隊爲鄭成功收復臺灣作出積極貢獻。鄭成功收復臺灣後，按原有編制，設置管理機構；推廣農耕，發展貿易，舉辦教育，使臺灣人民過安定的生活。黑人士兵們獲得了自由，參加生產勞動，用自己的雙手創造富裕的生活。

29 鄭成功死因之謎

收復臺灣的民族英雄鄭成功，英年早逝。死時年僅三十八歲，令人深爲惋惜。關於他的死因，後人的筆記中記載極爲簡單，又有可疑之處，因而導致了種種猜測，且各執一詞，更使之撲朔迷離，令人費解。

一是病死說。李光地的《榕村語錄續集》、林時對的《荷鍤叢談》、夏琳的《閩海紀要》說鄭成功的死是「偶感傷寒」、「感冒風寒」、還有人說他得的結核病，惡性瘧疾、流感等等。外國學者喬治·菲力蒲在《國姓爺的一生》中，竟說他得了「瘋狂病」。但這些說法都缺乏直接確鑿的證據，令人難以相信。

二是心力交瘁說。李騰岳在《鄭成功死因考》一文中，分析了當時的社會環境和鄭成功心理、精神上的壓力，認爲當時發生的幾件令人痛心的國事、家事使鄭成功受到巨大的精神刺激。一是，鄭成功之子鄭經與其乳母通姦生子，使性格剛強，崇尚禮教的鄭成功震怒不已，下令處死鄭經，而鄭經在恐懼之下竟欲與清軍妥協，斷送大業；二是臺灣孤島糧食發生恐慌，清廷實行海禁，封鎖海路，造成危機；三是永曆皇帝蒙難，鄭成功的忠君思想失去依託，精神極度空虛；四是鄭氏祖墳被清廷掘毀，其父和弟輩十餘人被處死於北京，他悲痛欲絕。凡此種種，令鄭成功心力交瘁，極度虛弱，而偶感風寒僅是個「導火線」，使他終於不堪一擊，猝然逝去。

三是毒死說。有人根據鄭成功臨終前的異常表現，聯想到當時鄭氏集團內部激烈鬥爭的背景，推測他是被人投毒謀殺而死。林時對說他「驟發顛狂」、「咬盡手指死」，李光地說「馬信薦一醫生以爲中暑，投以涼劑，是晚而殂。」這些記載無疑使人感到，他臨終前的行爲異常，絕非一般病死之象。特別是夏琳在《閩海紀聞》中記述，鄭成功臨終前，都督洪秉誠調藥以進，被鄭成功投之於地，然後他竟「頓足撫胸，大呼而卒，」說明當時鄭成功已察覺到有人謀害他，可惜爲時已晚。

奇怪的是，鄭成功死後僅僅兩天，他的親信馬信也突然無病而死。馬信是清降將，鄭成功臨終前，他曾薦一醫師投藥一帖，結果鄭成功當晚即歿。這使人推測，馬信是參與了謀害鄭成功的活動，他的神秘死亡是有人殺他滅口。再從鄭氏集團內部的矛盾，也可以推測島內一直有人企圖謀害他。鄭成功性情暴烈，用法嚴峻，被他處以極刑的有其部下，有其長輩親族。他身邊的一些鄭姓高官對鄭成功極爲不滿，心懷鬼胎，如鄭泰即是。

黃梓畫筆下的鄭成功凝神棋枰，儒雅倜儻。令人難以想像他曾經叱吒沙場的英姿。

鄭泰長期掌握鄭氏集團的財政大權，曾極力反對鄭成功收復臺灣，一直和鄭成功貌合神離。在鄭成功收復臺灣之初，鄭氏集團財政極爲困難之時，他卻把三十多萬兩白銀暗中存在日本以備他用。鄭成功去世後，他夥同鄭襲、鄭鳴駿等人僞造遺命誅討鄭經，並把傀儡式野心家鄭襲抬出來繼承鄭成功之位。後來陰謀失敗，鄭泰入獄而死，鄭鳴駿等則率眾投清，並倦走大量公帑。由此推斷，鄭成功之死，很可能是鄭泰等人謀殺所致。據夏琳等人的記載，鄭成功患病初期，病情並不嚴重，常常出屋登臺觀望，或坐下看書，有時還飲些酒。但鄭成功不肯服藥，估計他們是在酒中下了毒，幾天後毒性發作，他們又在那帖涼劑裏再次下毒，終於得逞。

那麼，這樣一件很易於偵破的謀殺案，爲何當時沒弄個水落石出呢？按當時局勢來分析就可知曉。鄭經在其父死後，立即投入對付鄭泰的叛亂活動，關乎自家生死存亡，豈能有暇分身破案？鄭泰事敗，鄭經發現了他存入日本的三十萬兩鉅款，必須趁熱打鐵，千方百計追回；鄭經本人因姦情險些被其父處死，可能暗中慶幸其父之死，而不急於爲鄭成功弄清死因眞相。這就是鄭成功死因在當時未能認眞追究的背景和原因。客觀地說，鄭成功死去這年，無論對臺灣，對鄭成功本人，都是危機四伏的多事之秋，形勢嚴峻複雜。他的死，種種說法令人似乎都不能不信，又不能全信，成爲一個難解之謎也並不奇怪。

30 努爾哈赤殺害胞弟之謎

清太祖努爾哈赤，是女真酋長猛哥帖木兒的後裔。他歷經三十餘年，統一女真各部，創建「八旗制度」，建立了大金國（史稱後金）。今人閒話清史，都把創業功勞歸於努爾哈赤，其實，在清帝國的締造者中，還有他的三弟舒爾哈齊。為什麼舒爾哈齊身後竟寂寥無聞呢？

這其中原來有一段同室操戈、骨肉相殘的公案。努爾哈赤弟兄五人，同胞中只有三弟舒爾哈齊與他情同手足。他們的祖父和父親被明軍誤殺之時，努爾哈赤和舒爾哈齊才二十多歲，後來，明朝遼寧鎮帥李成梁糾正錯案，讓努爾哈赤繼父祖領建州左衛都指揮，給還敕書、馬匹，兄弟倆從此時來運轉。但他倆卻胸懷野心，秣馬厲兵，不幾年間，建州異軍突起，令女真各部刮目相看。兩人在開創帝業的三十年間，經常於密室策劃軍國大事，精誠合作，南征北戰，終於鯨吞女真，成為明朝北邊的一個強敵。就在帝業的基礎已經打好的時候，舒爾哈齊卻無疾而亡，死時才四十八歲。耐人尋味的是，清代的官修史書中，對舒爾哈齊的豐功偉績卻無人提及。

努爾哈赤為何會殺害自己的兄弟？

推測當時情狀，舒爾哈齊身為都督崇階，手下有精兵勁卒逾萬，不可能束手就擒。因此，努爾哈赤用計將他囚禁起來，並殺死他的親信，震懾其族黨，而後將其所屬之軍民一併收入自己帳下，應該是意料之中的事。至於舒爾哈齊兩年後才死去，不是被戮而亡，就是自斃於囚室。總之，他是被努爾哈赤所囚殺，應該是不爭的事實。那麼，一對相依爲命的親兄弟，爲何要自相殘殺呢？有人認爲是權力之爭造成的。當時，他二人都是明廷任命的管理建州女貞的官員，又分別握有重兵。舒爾哈齊的兵馬雖不如努爾哈赤的強大，但是因其桀驁難制，處處要分庭抗禮，甚至要離兄出走，另立山頭，這是努爾哈赤所不能容忍的，於是火拼舒爾哈齊。還有人認爲，他二人之間的矛盾，是「擁明」與「叛明」的鬥爭。當時，舒爾哈齊是「擁明」派，受明廷挾持，欲在遼寧鐵嶺東南裏扯木重建建州右衛以削弱「叛明」派的努爾哈赤，於是努爾哈赤只得不顧兄弟情誼，對舒爾哈齊下了毒手。

那麼，清代官方史籍爲何不敢言明舒爾哈齊之死的來龍去脈呢？這一方面是努爾哈赤的子孫們不想把殺弟的惡名加到其祖努爾哈赤的頭上，另一方面，在清人看來，不殺舒爾哈齊則不能維護帝業。因此，不必爲其翻案。史籍雖不記載這段不光彩的歷史，但是，舒爾哈齊的後人卻世襲王爵，俗稱「鐵帽子王」。直到清朝滅亡前夜，他的八世孫端華仍爲鄭親王，肅順爲尚書，不能不說這算是清廷對舒爾哈齊開創之功的一種酬答。清初諸王冤案中，後來被清帝昭雪者，何止舒爾哈齊一人，只不過舒爾哈齊之死更加殘酷罷了。

31 康熙皇帝是被毒死的嗎

康熙皇帝常服像。

康熙皇帝在位六十一年，文治武功，名垂青史，他一生精明，卻糊里糊塗死去，給後人留下不解的謎團。據說，他在六十九歲那年，到南苑狩獵，不到半月因身體不適回京到暢春園休養，十月十三日病情突然惡化，在身邊侍奉的皇四子胤禎給他進了一碗人參湯，不知何因，當日夜裏康熙就一命嗚呼了。次日大殮。不久，胤禎即位，年號「雍正」。有人認爲是胤禎把他毒死的，有人認爲他是病重而死，爭議不休，至今未有定論。

康熙死後，有人列舉雍正十大罪狀：「謀父，逐母，弒兄，屠弟，貪財，好色，誅忠，任佞。把「謀父」列爲他的頭條罪狀。其理由是：本來康熙死前一日，病情已經穩定，第二天卻突生變故，驟然死去，而胤禎的一碗參湯怎能不令人生疑？據說，當時有個義大利人馬國賢曾置身其中，認爲即使不是毒害，也是出現了非常事變。又推測說，暢春園內擔任警衛的是隆科多的部下，而隆科多又是胤禎的親舅舅，能接近康熙的僅此二人，很難排除胤禎與隆科多聯手下毒的可能性。還有人說，康熙死後，是隆科多擅自篡改了遺詔，把「傳位十四阿哥」，改爲「傳位于四阿哥，」使雍正依詔登基，順理成章。令人生疑的還有雍正初年，胤禎藉口殺了隆科多，是不是爲了殺人滅口，讓謀父篡位成爲永遠的秘密呢？

還有人推斷，雍正之所以在皇十四子胤禵返京之前，匆匆下手毒死康熙，是怕受康熙分外垂青且又擁有兵權的胤禎禎回京後另生枝節，影響自己順利登基。還有一說認爲雍正即位理所當然，是康熙的合法繼承人。認爲有種種跡象表明，康熙欲傳位給四子胤禎。一是在康熙病重期間，胤禎被委以重任。如十一月九日，康熙命胤禎齋戒，代皇帝行南郊大祀。十三日康熙帝改派鎮國公吳爾占代行祭天，而讓胤禎三次進宮。雖詳情無人所知，但此舉在齋戒期間是非同尋常的，對其信任不容置疑。

二是據《清聖祖實錄》所記，康熙臨終那天，曾召集皇子允祉和隆科多近前，說：「皇四子人品貴重，深省朕躬，必能克承大統，著繼朕登基，即皇帝位。」還有據朝鮮國《李朝實錄》記載，康熙病劇之時，曾解下項上念珠送給胤禎，並說：「此乃順治帝臨終時贈朕之物，今我贈爾，有意存焉，爾其知之。」足見康熙早已屬意於胤禎，胤禎既然皇位在握，何必下毒弒父？

康熙皇帝是被毒死的嗎？

再有關於「改詔」之說，有人認爲也純屬無稽之談。康熙生前已將遺詔用滿漢兩種文字寫就，放於大殿「正大光明」匾額之後。漢文內容，自清以來，從無有「于」字夾於其中。即使漢文內容改動，滿文也絕難更改。還有，史學界認爲，康熙本來選中胤禎和胤禛兩人爲繼位人選，但病危期間必選其一，而胤禎近在咫尺，則佔了頭籌。還有人推測，即使康熙有意立胤禛爲繼承人，但胤禛此時遠在千里之外，須二十多天才能到京。康熙深知「國不可一日無君」，否則身邊的眾皇子爲爭帝位互相殘殺起來，將國無寧日，家無寧日。這樣的先例比比皆是。何況在康熙眼中，胤禎也是個有勇有謀能擔大任之人。於是，順水推舟，把皇位傳給了胤禎，免除了不堪設想的後果。照此看來，「毒死」一說似無道理，那就只能是「病死」了。

古往今來，爲爭奪皇位而進行的宮廷鬥爭觸目驚心。康熙被鴆毒的是是非非，不就是對這個問題的生動寫照？

32 鼇拜「造反」之謎

鼇拜，鑲黃旗人，是清朝開國元勳費英東的姪子。顯赫的門第和卓著的戰功使他青雲直上，位至公爵。康熙帝即位時，不滿八歲，朝政由索尼、蘇克薩哈、遏必隆和鼇拜四大臣執掌。後來，索尼年老體弱，力不從心；遏必隆為人怯懦，沒有主見；蘇克薩哈資望甚淺，勢單力孤。協商輔政的局面不久便被打破，大權逐漸落到了獨攬朝權的鼇拜手中。

鼇拜野心勃勃，善於玩弄權術，驕橫跋扈，人多憚之。他任人惟親，廣置黨羽，不斷擴大自己的勢力。大學士班布爾善、吏部尚書噶褚哈、工部尚書濟世都是他安插在要害位置的親信。遇到政事，他們常常私定對策，然後再上奏康熙甚至攔截奏章，阻塞康熙同臣下直接聯繫，以便把持朝政，架空幼帝。為了進一步獨攬大權，康熙五年，鼇拜借鑲黃旗與正白旗調換土地之事發難，攪得朝野不安。旗民等待調地，漢族百姓懼怕土地被圈，一時人心惶惶，無心耕種，田野一片荒蕪。被派去調圈土地的戶部尚書蘇納海等人見狀，上書要求停止調圈土地。鼇拜竟欺皇上年幼，矯旨將不順從其意的蘇納海等人以藐視聖旨的罪名處以絞刑，還沒收了他們的家產。反對調圈土地的其他大臣，有的被降職，有的被治罪，無一倖免，根本不把康熙放在眼裏。淫威之盛，令人咋舌。

康熙親政伊始，鼇拜為了佔據索尼死後宰相的位置，竟羅織了蘇克薩哈數條的罪狀，連日在金殿上瞪目揮臂，強逼康熙下了絞死蘇克薩哈的命令。後來，鼇拜見康熙對他的惡行予以抵制，權勢也受到了一些限制，他與康熙的矛盾就日趨明朗化了。他以託病不上朝爲要挾，而在暗中策劃陰謀。一次，康熙帶著隨從親自去鼇拜府上探病，竟在他床席下發現了兇器。可是，當時康熙卻不動聲色地說：「刀不離身是滿洲人的老風俗，不必大驚小怪。」穩住了鼇拜。

康熙深知鼇拜黨羽眾多，勢力很大，而且鼇拜本人「有膂力，常挽強弓，以鐵矢貫正陽門上，侍衛十餘人拔之不能出」；雖然對他恨之入骨，但又不能輕易動手捕拿，於是，他佯裝不理朝政，一切國事均交由鼇拜辦理。自己則從各王府中挑選了上百名親王子弟做他的侍衛，組成「善撲營」，整天做「布庫之戲」。鼇拜見康熙每天和這些小孩子一起玩摔跤，並未放在心上，就是在入朝奏事時，見到有習布庫之人站在康熙身邊，他也不以爲然。

一兩年後，這些習布庫者個個練得身強力壯，拳棒皆精，都能以一當十。這時，索尼的兒子索額圖已在康熙身邊擔任一等侍衛，他同康熙以下棋爲名，制定了擒拿鼇拜的具體方案。爲了保證行動萬無一失，康熙事前把鼇拜的黨羽先後差遣出京。臨行動前，康熙向善撲營的成員說：「你們懼怕皇上還是鼇拜？」這些人齊聲答道：「獨畏皇上！」據說，擒鼇拜那天，康熙帝在南書房召鼇拜進講。內侍拿一把缺腿的椅子給他坐，一個內侍在鼇拜身後作扶椅狀。康熙命人賜茶，預先已將茶碗煮得燙手，結果，鼇拜手一被燙，茶碗頓時砰然墜地，扶椅的內侍乘勢一推，鼇拜猝不及防，跌了個嘴啃地。康熙帝大呼一聲：「鼇拜大不敬！」周圍的健兒一擁而上，將鼇拜生擒了。

鼇拜被捕後，交有關衙門勘審。諸王、大臣也紛紛上奏，請速將其正法。但康熙念其效力年久，有功於社稷，不忍加誅，從寬革職籍沒，同其子一併拘禁，直至病死獄中。鼇拜一倒臺，他的黨羽都被嚴加處置，有的被處死，有的被革職。受他誣陷的蘇納海等人得到了昭雪。蘇克薩哈的後人承襲了他的爵位和世職。康熙還下達了《聖諭十六條》，對各級官員進行了大規模調換，至此，徹底清除了鼇拜的惡劣影響。老謀深算的鼇拜做夢也沒想到會栽在一個小孩子手裏。

年僅十六歲的康熙，在戰勝鼇拜集團的鬥爭中，顯示了驚人的才智和魅力。據說，康熙這一招，滿朝文武都沒看出其用心，只有他的祖母孝莊文皇后有所察覺並暗中給予了支援。此後，每逢年節宴樂，宮中必有「布庫之戲」。當然，這只是以逗玩爲主。博得眾人一樂一笑而已，倒眞成了「戲」了。

33 雍正皇帝改過遺詔嗎？

雍正登上皇位，是靠「不正當」手段得來的嗎？

1722年10月，六十九歲的康熙在南苑狩獵的歸途中，病逝于京師西部的暢春園。14日大殯，20日他的第四個兒子胤禛繼位登基，是爲雍正。康熙帝在位六十一年，正是清初隆盛時期，國內的經濟文化發展到一個新的頂點，他的逝世和雍正繼承皇位，是震撼全國的重大事件。而此時，也正是諸皇子奪嫡之爭非常激烈之時，因此，雍正能拔得頭籌，一躍登上龍座，必然引起了當代人的矚目，也惹來了沸沸揚揚的議論和傳說，時至今日，還有人認爲他是改詔篡位的呢。

有人說，康熙臨死前曾手書遺詔，傳位「皇十四子」，而第四皇子串通了舅舅隆科多等人，把遺詔中的「十」字改成「於」字，即了皇帝位。也有人說，康熙臨死前並沒有立什麼遺詔，而是隆科多耍了手腕，將康熙死前宣召十四子篡改成宣詔四子。按此說法，還振振有詞地列舉了三點理由：

一、康熙的意圖是「將來神器之所歸者，十四阿哥胤禵。」從康熙讓胤禵禵主持西陲軍務上可以看出，康熙選擇他是爲了提高他的威信，使群臣傾心悅服，這是培養皇太子的重要一環。還因爲西征之役關係到中國半壁江山誰屬和清廷今後安危的重大問題，讓胤禵禵出任大將軍，意義非同尋常。這等於代父親征，不是康熙最信任又有能力的人能勝任嗎？以此說明雍正不是康熙心目中的皇太子的人選，他的繼位是不合情理的。

二、西征之役即將結束時，胤禵返京即位已成定局，胤禛因此採取斷然手段，於十一月十二日晚，在嚴密控制暢春園的情況下，他進了一碗參湯，結果，康熙突然駕崩。還有的說，在康熙垂危之時，眾多皇子都不在身邊，只有胤禛一人隨侍在側，康熙想宣召重臣入宮託付後事，可是無人前來。心急有變，氣惱之下，取下手中一串玉石念珠朝胤禛擲去，沒有擊中。胤禛假意跪下謝罪，不久，深宮傳出消息，康熙「龍馭上賓」。這一說法指出，康熙暴亡，雍正脫不了干系，而後他又繼位決非偶然。

三、遺詔是由隆科多獨自宣佈的，完全可以將「十」字改為「於」字。隆科多是這一歷史疑案的關鍵人物，為了殺人滅口，雍正即位不久，就絞盡腦汁將其處死。另外，康熙晚年的貼身侍衛趙昌，常傳達康熙的使命，雍正把他也殺掉，肯定是因為他也可能知道雍正「矯詔篡立」的內幕。當事人和知情人都被殺掉，這能不令人懷疑是別有隱情嗎？此說法被後人議論得最多。然而，官方記載歷來都稱遺詔中所立的就是皇四子胤禛。

理由也有若干：

一、《清聖祖實錄》記載，康熙病危前夕，曾將幾位皇子和大臣召至禦榻前說：「皇四胤禛人品貴重，深省朕躬，必能克承大統，著繼朕登基，即皇帝位。」《東華錄》說，當時皇三子，皇七子、皇八子、皇九子、皇十子、皇十二子、皇十三子以及步軍統領，理藩院尚書隆科多等八人都在場。還有人說，胤禛在康熙四十八年被晉封為親王後，在皇子中的地位逐步提高，先後二十二次參與祭祀活動，次數之多，居眾皇子之冠，尤其是最後一次的祭祀活動，是代替父皇去的，足見康熙對他是信任有加。

還屢次讓他參與政務，賜給他圓明園和獅子園，並常去他的花園內遊玩，這是對他的特殊恩遇。此外，康熙還非常喜歡胤禛之子弘曆，稱讚其母是「有福之人」。上述種種事實，都說明了雍正是後來居上的皇太子候選人，而他的登基也確有遺詔爲據。

二、康熙是久病纏身，因感冒引起並發症導致死亡。在臨危之前，尚能說話，「告以病勢日增之故」，頭腦清醒。他的身邊警衛森嚴，時有提防，不可能被暗害。他的死和「一碗參湯」只是被別人偶然聯繫在一起，不足爲信。

三、矯詔一說，不可能存在。因爲，康熙遺詔是用滿文寫成，用滿語宣讀的，故改詔根本辦不到。退一步說，即使用漢字的「十」字，也無法加一橫改成「於」字，那時的「於」字的寫法是「於」。而且，清朝皇帝的兒子，一定稱爲皇子，第幾個兒子則稱爲「皇某子」，這是規矩，違錯不得的。倘若眞將「十」字改成「於」字，那就成了「皇於四子」，語法不通。另外，把原文「皇位傳十四阿哥」改爲「皇位傳於四阿哥」不符合清廷稱皇太子爲「皇某子」的規矩。倘若將「皇位傳皇十四阿哥「改爲」皇位傳皇於四阿哥」，語法仍不通。總之，改詔之說是現代人強加給雍正的，純屬不實之詞。

兩種說法，水火不容。到底雍正即位有無陰謀，至今仍是個懸案。在沒發現任何的可信的史料之前，眞相只能是一團謎。

需要說明的是，官方史料與雍正政敵所記雖然大相徑庭，以封建倫理標準衡量當然是個尖銳問題，但是，今天以歷史的眼光看待這類問題，對這位皇帝的評價，則應看他稱帝後的建樹了。人們對歷代帝王的看法不都是如此？

34 雍正是被江湖女俠所殺嗎？

清世宗胤禛，即雍正帝，爲康熙第四子。初封雍親王，康熙死後，他得年羹堯、隆科多之助，登上了帝位。他在位期間，推行了「地丁合一」的賦役制度，與沙俄締結了《恰克圖條約》，劃定了中俄中段的邊界。他還在西南少數民族地區推行「改土歸流」政策，加強了各族人民之間經濟與文化的交流。但因他爲鞏固皇權，大肆清除政敵，使清朝政權波瀾起伏，血肉相殘，後世之人對其評價褒貶不一。

《胤禛妃行樂圖》。

雍正十三年，他猝死于京郊離宮圓明園內。本來他生前就有許多事籠罩著層層神秘的面紗，他的死因更是說法各異，猜測紛紛，成了一樁奇案。據清廷官方史籍，如《清史稿》等，都記載了他因病而亡。說他從患病到去世僅僅三天，發病當天還處理政務，晚上病情發作，終於不治。有人推測是一種急症，可能是中風。據說雍正執政期間，事必躬親，日理萬機，面對父皇晚年留下的內外憂患和皇室內部的激烈矛盾，常常帶病處理政事，積勞成疾，心力交瘁。因而突發腦病，驟然病故是在情理之中。

還有一說是因爲雍正陰險毒辣，民間傳說他曾「謀反、逼母、弒兄、屠弟」，尤其是清廷採取民族高壓政策，各地不斷出現反清活動，一些人千方百計要報復他。因而傳說他是被女俠呂四娘行刺而亡。

呂四娘是明末學者呂留良的孫女。明亡之後，呂留良參加反清鬥爭沒有成功，就在家鄉教書爲生。清朝官員勸他出來爲朝廷作事，他堅決拒絕了。後來竟跑到寺院裏當了和尚，遠離塵世。在寺院裏，他專心致志著書立說，書裏面雖然有些反清內容，但沒流傳出去。不料，他死之後，他的文稿引出了一段「文字獄」。看過他文稿的湖南人曾靜入獄後，供稱是受呂留良著作和學說的影響才萌發反清之志的。結果，雍正大怒，下令掘呂留良及其長子呂葆中之墓，戮屍示眾，並將呂留良次子呂毅中斬首，呂氏一門都被發配邊疆。呂四娘恰好不在家，倖免於難。

雍正爲了斬草除根，曾下諭令「外邊傳有呂氏孤兒之說，當密加訪察根究，倘或呂留良子孫有隱匿致漏網者，在幹匪輕。」呂四娘爲報這不共戴天之仇，隱身

這是外國人眼中的大清皇帝。

名山，拜師學藝，練成絕技，廣交豪傑義士。終於被她找機會潛入深宮，刺殺了雍正，提其首級而遁。

因此事僅見《滿清外史》和《清宮遺聞》等野史或民間傳說，令人不敢全信。有人認爲呂四娘不可能在「呂留良案」中僥倖逃生，至於到戒備森嚴的圓明園行刺更是很難成功的。因而認爲「被刺」說不能成立。

也有人據來自清室中的檔案資料分析，雍正是長期服用丹藥，毒發而亡。據說，雍正非常迷信鬼神，崇佛通道。道士婁近垣爲他入宮練丹，得到鉅額賞金。道士張太虛、王定乾也入宮大獻方術，登壇作法。從雍正四年起，他就開始服用道士爲他練製的「既濟丹」，雍正八年患大病後，又服丹藥療疾，到了雍正十三年八月，他又傳旨讓道士在圓明園內用牛舌頭黑鉛二百斤練煮。他的死，極有可能是鉛在體內長期積聚，毒發致命。此說有據可查，又符合科學道理，較爲可信。但是，至今這三種說法仍無定論，只能算作疑案，需要繼續考證了。

35 曹雪芹家門敗落之謎

傳世名著《紅樓夢》的作者曹雪芹本是高俸厚祿的大家子弟。他祖父曹寅曾充任康熙帝的侍讀，襲任江甯織造等職。兩個姑姑被選爲王妃。康熙帝六次南巡，有四次駐蹕江甯織造署內。署院坐落在南京會城內利濟巷大街，是座外有圍牆，內分三路的豪宅，院內亭臺樓閣鱗次櫛比，在江南也是「紅塵中一、二等富貴風流之地。」其父曹頫除襲任江甯織造外，還兼巡視江淮鹽政之職。品秩雖然不高，但卻是令人眼羨的肥差，可謂權利雙得。

曹雪芹取名頫爲「霑」，意即沾了皇家雨露甘霖之恩，期望日後更加發達。然而，雍正五年，曹突然獲罪被革職，家產當即被抄，家道由此敗落。到了曹雪芹成年之後，日子更加難過，已經到了「舉家食粥酒常賒」，無衣無食的地步。曹雪芹死後，連塊墳地都沒有，他嘔心瀝血創作的驚世之作《石頭記》(即《紅樓夢》)，是他去世後27年才刊刻行世的。人們不禁要問，曹家究竟因何敗落？

紅樓夢人物圖——紫絹。

據說，曹頫獲罪起因是他得罪了山東巡撫塞楞額。雍正五年十一月，塞楞額向朝廷告了一狀，說曹頫「騷擾驛站」，並有勒索等事，沒等曹頫寫本申辯，雍正即下令嚴審，並派隋赫德代替其織造職務，查封其家產，嚴拿其家人，絲毫沒有通融的餘地。至此，曹家正式結束了五十八年的錦繡歲月，離開了已曆三世的織造衙門。據雍正諭旨所言，其獲罪原因是「(曹頫）行為不端，織造款項虧空甚多」，「將家中財物暗移他處。」有人認為，這不是曹家被查封的主要原因，主要是雍正帝愛玩弄權術，千方百計排斥異己，是出於打擊「朋黨」分子的目的，才懲治曹頫的，純粹是政治問題。依此看來，就得考查曹頫算不算「朋黨」分子？是不是雍正重點整治的物件？曹頫的「虧空」到底是怎麼回事？曹頫還有什麼其他重大問題？考查的結果是：

雍正上臺後，政治清洗的重點是威脅其皇位的胤禩祺、胤禎禎等天潢貴胄和外戚世家。曹頫的先人僅僅是康熙帝的奴僕，根本沒有資格進入貴戚朋黨的圈子，與朋黨分子又沒有政治上的勾結，所以不在雍正的政治清洗範圍之內。雍正上臺之後，決心糾正康熙晚年吏治的積弊，大力推行「耗羨歸公」，「改土歸流」等項政策，特意委派心腹胤禎祥管領清厘錢糧，諭道：「凡有虧空，無論已經參出及未經參出者，三年之內務如期數補足，毋得苛派民間，毋得藉端掩飾。如限滿不完，定行從重治罪。三年補完之後，若再有虧空者，決不寬貸！」當時，舉國上下清查虧空，朝野內外鮮有遺漏。而

紅樓夢的人物──平兒。

曹頫的織造衙門採買任務很重，頂不過皇宮內廷的屢屢索取，銀錢出多入少，自然難免虧空，再加上他本人不善理財，被查出虧空三萬多兩銀子完全是咎由自取。

關於曹頫「將家中財物暗移他處」，也是事出有因的。有兩項重大責任事故使他出此下策。其一是雍正四年，他購置的綢緞「粗糙而分量輕」，被停發一年俸祿，並勒令賠償；其二是雍正五年，他採購的御用石青褂嚴重褪色，被再罰一年俸祿。到了這種地步，曹頫眞是無招架之功了。從被查抄的實際情況看，他是在財源乾涸的困境下，想多撈幾個外快，因此「騷擾」了山東長清一帶，被不講情面的山東巡撫彈劾，但他受的處分僅僅是革職抄家，而且雍正還讓曹頫一家進了北京，給了住房，並酌量撥給養家之資，並沒有判他入獄，也沒有株連別人。以此看來，曹頫獲罪純屬經濟上的過失。

綜上所述，曹的垮臺，是他撞在了雍正「整頓吏治」的槍口上了。曹頫家關門，勢所必然。從此以後，曹家只能靠內務府的賜銀和朋友們的接濟維持生活。乾隆登基後，曹頫又沐皇恩，再入內務府任職。不料五年後，受莊親王逆謀案株連，舉家再次罹難，從此一蹶不振。曹雪芹後來雖然以皇族內親的身分掛了個「內廷侍衛」的虛名，又在右翼宗學當了「瑟夫」（相當於今天的大學助教），但因其不善投機鑽營受別人歧視，憤而辭職回家。他這個昔日的闊少在家裏又不會安排生活，自然窮困潦倒。然而，正是由於他親歷曹家由盛到衰的巨大變故，尤其是晚年經歷的種種坷坎磨難，竟造就了他這個天才。「披閱十載，增刪五次」，用血和淚寫成了《紅樓夢》這部石破天驚的偉大作品。

36 乾隆皇帝是漢人之子嗎？

乾隆像。

「浙江海甯陳家有個兒子當了清朝的皇帝。」這是清朝末年社會上普遍流傳的一個傳說。上自官紳，下至百姓，人人皆知。他們說的這位皇帝就是乾隆。在私家所寫的稗官野史中，如《清朝野史大觀》與《高宗之與海甯陳家》裏，描述得有鼻子有眼的。

說是雍正帝胤禛當皇子時，與海甯陳氏一家來往密切。有一年，恰巧兩家都生孩子，竟是同月同日同時生的。巧得不能再巧。於是胤禛命人將陳家男嬰抱去看看，不料孩子抱回陳家時，竟成了女嬰，陳家人不敢聲張，獨吞了一顆苦果。不久，康熙去世，胤禛即位，立即擢撥陳氏一門數人爲高官。以後乾隆即位，更對陳氏一家優遇有加。據說，乾隆六次下江浙巡遊，竟有四次到海甯陳家，垂詢家世。待最後一次臨走時步至陳家中門，乾隆開金口：「以後除非天子臨幸，這門不要輕易開戶。」從此，這扇門就一直鎖住不開。這些記述使人頓感陳氏與乾隆的關係非同一般。於是有人推測，當年陳氏之子被抱進雍親王府時，王妃偷梁換柱，連雍正也不知眞相，等到乾隆即位後，懷疑自己是陳氏所生。故數度南巡察訪，想弄個明明白白。也有人傳說，乾隆自知自己不是滿人，所以在宮中經常著漢人服裝。有一天召近侍問：「朕似漢人否？」答曰：「皇上於漢誠似矣。而于滿則非也。」《清史要略》也有同樣記載。

另外，有人對陳氏宅堂的「愛日堂」和「春暉堂」兩方匾額作以推測。認爲二匾均爲乾隆手筆，大有深意。「愛日」一詞原出處漢楊雄的《孝至》一文：「孝子愛日」，後世演繹成兒子奉侍父母之日爲「愛日」。唐代一些著名詩人，如李商隱、駱賓王都引用「愛日」作「恩德」解。而「春暉」一詞，則取之於唐孟郊的《遊子吟》：「誰言寸草心，報得三春暉」，後人以春暉比喻慈母之恩情。如此看來，乾隆親筆題之匾額，都是兒子尊敬和孝敬父母之意，是不是他以此表示對陳氏生養之恩的深情呢？更有意思的是，《乾隆與海甯陳閣老》一文還說，清皇室以女易男後，這個女孩在陳家長大，嫁與江蘇常熟蔣氏，蔣氏受寵若驚，專爲此女築了一座小樓，名爲「公主樓」。不過，上述種種傳說，都經不起認眞考證，有人逐一批駁，終於使眞相大白於天下。

一是以女易男說，實在荒謬。因爲雍正帝有十個皇子，六個公主，乾隆是其第四子，從哪方面來說，於情於理都不必抱一個外姓孩子來繼承皇位。

二是清代皇室與海甯陳家，純是君臣之誼，並無神秘之處。這是有事實爲據的。從陳氏的發跡史來看，陳氏在清初就是名門望族，從康熙至乾隆，三朝顯赫。康熙年間，陳氏兩度出現兄弟子姪三人同榜，均以科考入仕，憑才幹升遷。以後，陳詵任湖北巡撫，工部尙書，其子陳世倌爲乾隆時相國。乾隆二十二年，陳世倌以大學士退休，到皇宮辭行，乾隆賜銀五千兩，命其歸家頤養天年，並賜詩

《乾隆射箭圖》。

《乾隆南巡圖》局部。

道：「老成歸告能無惜，皇祖朝臣有幾人？」以示尊重之意。

乾隆南巡，經考證，完全是爲了巡視海塘工程。本來在雍正初年，就爲了錢塘江下游的國計民生，大舉修建了浙江海塘，但雍正忙於軍國大事未能南下出巡。到了乾隆時期，海潮沖刷堤岸已造成危害，整修海塘成了當務之急，於是乾隆六下江浙。其中有四次到海寧落腳。陳氏的「隅園」是當地的名勝，環境幽雅，如同離宮，自然被乾隆選中，並令改隅園爲「安瀾園」有水波不興之意，足見乾隆和陳氏一門的往來，並無隱秘之處。

三是關於匾額一說，經查證是張冠李戴。陳家確有「愛日堂」、「春暉堂」二匾，但都與康熙有關。據《陳元龍傳》載，康熙三十九年四月，康熙帝在便殿召集群臣，說：「爾等家中各有堂名，不妨直言，當書以賜。」時任吏部左侍郎的陳元龍奏稱，其父年逾八十，擬「愛日堂」三字。康熙帝遂書寫賜之。在封建社會，由皇帝親筆賜書是極爲榮耀之事，由此建立的君臣關係似乎比其他人更親密。《海寧州志》載，康熙五十四年六月，康熙帝因陳元龍胞弟陳維坤的妻子守寡四十一年，御書「節孝」二字賜之，又賜「春暉堂」匾額一方。把上述兩事強加到乾隆頭上，眞有些貽笑大方。

看來，乾隆決非漢人之子是不容置疑的了。令人不解的是，這麼一個不爭的事實怎麼會弄出一些荒誕不經的傳說來？編造這個傳說到底有何意圖？有無什麼背景？怎麼會越傳越廣？倒讓人們不得不深思了。

37 乾隆帝與和珅同性戀之謎

乾隆爲何如此放任和珅貪污腐敗，難道他眞與這個俊美的和珅發生了「同性戀」嗎？

和珅是乾隆朝第一權臣，結黨營私，弄權害政，吏治敗壞，貪污納賄，柄權在手達二十多年，他之所以能驕橫跋扈，自然是深受乾隆帝寵信所致。但是，乾隆帝並不昏庸，治國安邦剛毅老練，能對和珅的劣跡毫無察覺嗎？乾隆帝長期寵信和珅奧秘何在呢？事情還得從乾隆頭一次提升和珅的前二十年說起。

原來，乾隆帝在二十來歲當太子的時候，進宮後悄悄地與父皇雍正的一個妃子開玩笑，被母后發覺，懷疑這個美豔的女子調戲太子，賜此女自盡。乾隆帝又愧又悲，用手指在妃子頸上按上珅印，默默許諾：「是我害了你，魂如有靈，等二十年後再來與我相聚。」

乾隆中期，有一天，他到圓明園中去閒逛，發現隨從中一個唇紅齒白的美貌少年似曾相識，怎麼也想不起來在哪見過。回宮後忽然想到，這個少年與20年前屈死的妃子極爲相似。於是密召少年入宮，反覆端詳，不但面貌相似，這個少年的頸上也有個痣，宛如手指的印記。乾隆信奉佛教，相信「生死輪回」，他認定該少年就是那個妃子轉世，備加憐愛。經詢問，知道此人名叫和珅，是滿洲正紅旗出身，還是個官學生，頗通文墨，因此，乾隆立即把和珅提升爲宮中總管。

自此，和珅驟升要職，自然十分感激，侍奉乾隆格外盡心。乾隆帝常令他跟在身邊，有問必答，句句稱旨，令乾隆十分滿意。和珅日受寵任，乾隆帝似乎日夜都少他不得，愛戀之深甚至比漢哀帝對男寵董賢都甚。乾隆帝似乎感到，對和珅寵愛一分，就能減輕一分對那位妃子的負罪感。在和珅身上多施恩惠，就等於是對那妃子的報答。乾隆帝待和珅超過了一般妃子，無論到哪裡去，總要把和珅帶在身邊，有時晚上還讓他在御書房陪寢。正是有了這種異常的親密關係，和珅才直步青雲。

乾隆皇冠的甲冑。

和珅從一名侍衛，升至戶部侍郎，軍機大臣，直到文華殿大學士，封一等公。他的弟弟和琳也沾了他的光，飛黃騰達，當上了兵部尚書。後來，乾隆帝還把自己的第十個女兒和孝公主嫁給了和珅的兒子豐紳殷德，和珅與乾隆帝成了兒女親家。在外人眼中，和珅一家與乾隆皇帝簡直就是一家人，對和珅誰敢說半個不字！朝臣們都爭相趨炎附勢，巴結和珅。朝中大臣亦多是和珅黨羽。他勢盛一時，他的家奴爲非作歹無人敢管。直到乾隆晚年，和珅一直受寵不衰。

乾隆六十年，乾隆帝要禪位給太子，自己稱太上皇，和珅大爲吃驚，怕太子登極後自己要遭禍，便極力勸阻。以前，和珅怎麼說，乾隆便怎麼行，但這次卻堅執不從。乾隆帝對他說：「我這次決心已定，不用再多說了。我和你有緣分，所以能這樣長久

大清皇帝檢閱清軍。

相處。如果換別的人，恐怕就不許你這樣了。以後你檢點一些爲好。」這話明擺著，他對和珅貪贓枉法、弄權害政的所作所爲不是不知道，而是睜一隻眼閉一隻眼罷了，況且和珅並未威脅到他帝位的安全。

四年以後，乾隆帝以八十八歲高齡壽終正寢。他的兒子嘉慶帝立即宣佈和珅有二十條大罪，將其逮捕入獄，並令其自盡。和珅被抄家產數額之巨，令朝野上下大爲吃驚。珍珠寶石不計其數，金銀數百萬兩，當鋪錢莊數十處，房屋上千間，良田上千頃，大車幾十輛……和珅確實是個巨貪。後人對此大加渲染，說和珅家財過八億多兩白銀，並語之曰：「和珅跌倒，嘉慶吃飽。」

38 嘉慶皇帝遇刺之謎

嘉慶皇帝為何被廚役謀刺？

嘉慶八年閏二月二十日早晨，正當嘉慶皇帝坐轎從西郊回宮，路過神武門將要進入順貞門之際，驀地從西廂房山牆後面衝出了一位四十多歲的披頭散髮、手持利刃的漢子，直朝御輦撲去。當此危急之時，神武門內輦道東西兩側持械肅立的一百多名侍衛、護軍章京、護軍校、護軍，竟無一人上前阻攔。隨御輦而行的文武大臣、太監和隨從侍衛也個個呆若木雞，只有禦前大臣、定親王綿恩、御前侍衛紮克塔爾等六人迎前攔擋。嘉慶大驚失色，慌忙下了禦輦，急急逃入順貞門。刺客追不上皇上，遂揮刀左紮右刺，奮力拼搏，終因力竭被縛。

這是有清以來皇帝第一次遇到謀刺，是清代歷史上罕見的大案要案，在朝野內外引起了極大的恐慌，也出現了一些難解的謎團。經查，刺客名叫陳德，原名陳岳，年四十七歲，鑲黃旗人。原為山東青州府海防同知松年之契買家奴。早年曾在山東青州、濟南府一帶做過家奴、傭工。曾歲，投靠在北京任護軍的外甥，跟官服役。並在內務府服役，得有機會出入宮中。後來，他與妻子一同到一個官吏的家人孟明家做廚役。這期間，他妻子病故，岳母癱瘓，兩個小兒都待撫養，因此常以酒澆愁，因常常酒後胡鬧，被孟家解雇。此後無以生產，先閑住在外甥家，後寄居在舊友黃五福家。看來是個窮困潦倒的百姓。陳德被捕後，因是「欽犯」，被連夜審訊，施用種種酷刑。嘉慶下旨，一定要追問出其幕後主使人以及同謀和黨羽來。然而，陳德的供述，卻使人不能相信。

陳德在供詞中說：「我因爲窮苦不過，往後難過日子，心裏氣惱」，遂「起意驚駕，要想因禍得福」，「本月十六日，知道皇上於二十日進京，我就定了主意。」若得手「砍退幾人，直奔轎前，驚了聖駕，皇上自然諸事都由我了。」這番供述漏洞百出，疑點甚多：

其一，行刺的動機是「因禍得福」？驚駕是死罪，福從何來？這點簡單常識，誰都懂得，況且陳德還跟官服役多年，豈能用此說矇混搪塞！至於說「因窮苦不過」而爲，更是無稽之談！

其二，皇帝行蹤屬國家機密，神武門又是皇帝出行的必經之路，所以戒備極其森嚴，而且此處建築高達三十一米，常人進不得前，可是陳德卻能持刀並帶著他的兒子陳祿兒潛入神武門，豈不是見鬼？

其三，陳德行刺之時，上百名軍校和眾多隨行之人，眼睜睜看著皇帝有殺身之禍，爲何都作壁上觀？種種跡象表明，陳德一人絕做不了這天大的事兒來，背後

這是18世紀繪製的油畫《覲見嘉慶皇帝》。

必定大有人在。

然而，無論如何訊問，陳德都一口咬定是他一人所爲，並無主謀。他辯稱，自己是在前幾天見街上墊道，才得知皇帝的進宮日期的。又說，他與其子陳祿兒是在東安門附近喝完酒後，拐彎抹角繞至神武門的。再把陳德的兩個兒子及交往密切之人抓來一一拷問，也沒供出什麼有價值的線索來。其子說，「實不知伊父者謀逆情事，平日未見有同謀之人往來」；黃五福說，「實不知他鬧事是何主意」；陳德服役的家主說，「陳德素常原是安靜」，「平日並無閒人來往。」經過四天四夜的酷刑訊問，也未問出主謀與同謀來，會審官遂定擬具奏，嘉慶傳諭：「若一味刑求，反肆狂吠，所言之人如何存活？即不究問，終成疑團，所損者大矣！」於是，陳德被淩遲處死，其二子處絞。

事後，嘉慶仍在懷疑：一個家奴怎會有如此膽識私闖宮廷禁地圖謀不軌？肯定在朝廷官員中有同謀主使者。聯想到當時他正在整頓吏治，對朝延內外腐敗現象嚴加懲治，說不定身邊也有異心之人。但「主謀」未見別無他法，只得以「失察」之罪，將十七名文武官員予以處分，將守衛神武門的護軍章京、護軍校、護軍分別革職枷示或交大臣嚴懲，又將肅親王永錫交宗人府議處。一樁震動朝野的重案，至此了結。但這到底是怎麼引起來的，有何隱秘至今仍無人能予破解，眞成了千古疑案了。

39 鄭板橋的「難得糊塗」之謎

鄭板橋，名燮，是清代著名畫家，揚州「八怪」之首。作爲一個讀書人，他剛直不阿，見義勇爲，寧受貧困折磨，不向權貴折腰。他的高風亮節，爲世人所欽仰。他的字和畫也爲世人所青睞。

但是，在乾隆十六年，他五十九歲時寫的「難得糊塗」，卻使人一頭霧水，猜不透他本意何在，於是產生了許多猜測。

一種猜測是他的自我解嘲。《廣陵奇才——鄭板橋傳》說這句話「眞乃絕頂聰明人吐露的無可奈何語，是對喧囂人生，炎涼世態內心迸出的憤激詞。」據說，一天，他在悵然無聊之時，不覺想到，一生碌碌，半世蕭蕭，人生難道就是如此嗎？那些爭名奪利的人，到頭來又如何呢？看來人還是糊塗一些的好，萬事都作糊塗觀，無所謂失，也無所謂得，心靈大約也就寧靜了。於是大筆一揮，「難得糊塗」便如他的心聲躍然紙上了。

另一種猜測是他的激憤之言。據說有一年秋天，鄭板橋任山東濰縣知縣之時，恰逢大旱，欽差姚耀宗不問災情，卻向鄭板橋索畫。鄭板橋心生憤懣，畫了一幅鬼圖給他。姚見鄭用畫諷刺他，頓起歹心，指使財主囤糧，使百姓餓死，以使鄭板橋獲罪。鄭板橋左右爲難，他的妻子勸他，既然皇上不問，欽差不理，你就裝糊塗吧！鄭板橋憤憤道：「裝糊塗我鄭板橋裝不起來。你可知道，聰明難，糊塗難，由聰明變糊塗更難，難得糊塗。」說著說著竟自覺思路大開，於是就以「拯救萬民，在所不惜」來激勵自己，果斷決定開官倉賑濟災民。後來，這句話還成了「難得糊塗」

四字下的自注：「聰明難，糊塗難，由聰明而轉入糊塗更難，放一著，退一步，當下心安，非圖後來福報也。」有人認為這段題書，「其中有段非常感性的心路歷程，也是知識份子從政、在專制腐敗政海中無法展現職志的一種抗議之聲。

還有一說是他心安理得之言。據說鄭板橋任濰縣知縣其間，接到堂弟鄭墨的一封信，托他幫忙求興化知縣，打贏一場與鄰里關於一段祖房牆基的官司。鄭板橋當即回信：「千里捎書為一牆，讓他幾尺又何妨？萬里長城今猶在，怎麼不見秦始皇！」接著他又寫了「難得糊塗」，「吃虧是福」兩幅大字，並在其下加了注。在「吃虧是福」下加的注是「滿者損之機，虧者盈之漸，損於已則盈於彼，各得心情之半。而得我心安即平，且安福即在是矣。」這裏是將「難得糊塗」比喻為就是聰明，結果就是福，凡事都如此去想，不就心安理得了嗎？

最後一種猜測是說他在暗喻清醒。有人認為，鄭板橋嘴上說「難得糊塗」，實則並不糊塗，而是心裏非常清醒。正因為他清醒，正派，面對讒言卻無能為力時才發出了「難得糊塗」的慨歎。他的「難」就難在對惡勢力難以視而不見，對百姓疾苦難以無動於衷，只有假裝「糊塗」。他表面淡然，內心卻很痛苦。這種清醒之人卻裝作「糊塗」更難。上述各說，無論是望文生義，解釋詞語，還是探討內涵，總之是智者見智，仁者見仁。鄭板橋的心態和處世的文化環境是複雜的，對「難得糊塗」的認識有待於進一步考證。

40 年羹堯死因之謎

年羹堯出身進士，雍正年間，官至撫遠大將軍，一時位極人臣，權勢顯赫。不但他本人被封爲一等公，就連其父也封爲一等公加太傅銜，其二子分封子爵、男爵，其家仆皆封四品頂戴副將。雍正在朱批中，稱年羹堯爲忠臣、功臣、恩人，對其在平定西藏、青海回民叛亂，大加讚賞。可是，在他入京覲見不到兩月，雍正即屢屢下旨嚴斥，不到一年便被雍正盡削所有官職，列九十二大罪，終賜自殺。年羹堯的大起大落，被史家列爲「雍正八案」之首。他被殺的原因，也成爲眾說紛紜的謎案。

一說年羹堯是雍正奪鏑的知情者，殺他是爲了滅口。《清代史》、《清世宗奪嫡考實》都持此說。認爲康熙本意指定皇十四子胤禎爲皇太子，其時在四川任撫遠大將軍，本可將兵爭位。可是胤禎串通了時任川督的年羹堯和鄂爾泰、隆科多等重臣，矯詔篡立。雍正即位後，爲報答年羹堯擁立之功，大加恩賞，但內心早已有了殺其嚴滅其口的打算，最後，找了種種藉口，羅織許多罪名，將年羹堯殺掉，除了心頭之患。反對此說者認爲，雍正初寵年羹堯，主要是因其是自己的藩邸舊屬，又有郎舅之親，且死命效忠輔弼，故對其恩賞有加，絕非是虛情假意。而且，當時年羹堯正在四川平亂，根本不可能參與奪嫡之爭。

一說年羹堯驕橫貪暴，恃功自傲，爲雍正所不容以致被殺。《清史稿》載：「羹堯才氣凌厲，恃上眷遇，師出屢有功，驕傲，……入覲，令總督李維鈞、巡撫范時捷跪道迎送。」「公卿跪接于廣寧門外，年策馬過，毫不動容；王公有下馬問候者，年頷之而已。」世宗之前，亦箕無坐人臣禮。據說，年羹堯還亂劾賢吏，妄薦親信。

他的親信胡期恒爲甘肅巡撫，岳周爲西安布政使，劉延琛爲廣西布政使。年羹堯圖謀建立一個以他爲首、以川陝甘官員爲骨幹的年家班底。凡是由他舉薦的、任命的官員統稱「年選」，根本不把朝廷的吏部、兵部放在眼裏。甚至連他的家奴也當了知府或將軍，無視奴僕未出籍不得做官的規定。結果，年羹堯的親信們佔據了各個要害部門，他的「年黨」居然霸佔了大清帝國四分之一的地盤，雍正豈能容他？

年羹堯貪贓受賄，侵呑軍餉也肆無忌憚。凡經「年選」得到一官半職的，都必須給他進獻厚禮，來者不拒，多多益善，有的一次送白銀達二萬餘兩。那時的一品大員的歲俸才一百八十兩銀子，而年羹堯人事安排一項就收謝儀四十萬兩，能抵得上一萬個八品官全年的收入。他侵呑的軍貟餉折合白銀一百萬兩，這簡直是在砸雍正的飯碗！雍正曾有朱批：「大凡才不可恃，年羹堯爲一榜樣，終罹殺身之禍。」

還有一說年羹堯被殺，是雍正「鳥盡弓藏」的必然結果。持此說者認爲，雍正爲人陰鷙多疑，不能容人，尤其不能容忍有功之臣。據說他派去監視年羹堯的心腹被年羹堯收買，大爲惱火，再加上年堯羹挾擁戴之功，有功高蓋主之虞，必予除之而心安，所以在翦滅其兄弟胤禛等後，借題發揮，以其所上賀章字爲潦草，並把「朝乾夕愓」顚倒爲「夕愓朝乾」作爲藉口，暗喻臣下劾奏。連降其十八級，罰至杭州看守城門，最終羅織一大堆罪名，令其自盡，抄沒家產。因此有人認爲，雍正所爲，與歷代帝王「鳥盡弓藏」如出一撤，年堯羹被殺是遲早的事。

也有人說年羹堯欲自立爲帝，所以難逃一死。《永憲錄》中說，年羹堯曾與靜一道人和占象人鄒魯都密談過做皇帝的事。《清代軼聞》則記載了年羹堯失寵被奪去兵權後，當時身邊的心腹勸其反叛朝廷，他沈默許久，夜觀天象，最後長歎一聲說：「不諧矣。始改就臣節。」以爲他確有稱帝之心，但自知天命難違，又條件不成熟，機會不到，所以只得稱臣。試想，雍正得知年羹堯內心深處竟有此野心，豈能相容？肯定必除之以後快。

綜上所述，年羹堯招致殺身之禍的因素紛紜複雜，其中一條即難逃一死，倘若諸條兼而有之，不是罪更當誅了嗎？不過值得一說的是，作爲功臣，不管有多大功勞，一旦擅作威福，恣意妄爲，肯定會晚節不保，如果再遇上猜忌心重、難以容人的主子，身敗名裂的下場就是不可必免了。年羹堯的大起大落值得人們深思。

41 蒲松齡屢試不第之謎

《聊齋誌異》的作者蒲松齡一生著作頗豐，除了這部驚世駭俗的小說集外，還有文集十三卷、詩六卷、詞一卷、雜著五種、戲三齣、俚曲十四種和一部名爲《醒世姻緣》的長篇小說，是個「觀書如月，運筆如風」的才華非凡的俊傑。然而，命運跟他開了個殘酷的大玩笑：他從十九歲參加科考，辛辛苦苦地進出考場，反反覆覆考了四十四年，竟連個舉人也沒考上！直到他七十一歲那年，才按例補了個歲貢生；四年以後，他就與世長辭了。這位才高八斗的文章大家，一生矚目金榜，卻始終無出頭之日，這究竟是怎麼回事呢？

蒲松齡自幼聰穎好學，十九歲那年，他以縣、府、道三個第一的一紙考卷，一舉中了秀才，一時才名遠播。此後卻科考連連失意，朝廷的考試辦法改過來改過去，他一次次名落孫山；四十八歲那年，他決心背水一戰，誓登黃榜，可是只顧埋頭答卷，文章超過了規定的字數，悔之無及；下一次抖擻精神再去應考，不料進入二場後突然病倒，筆都握不住了，又痛失了機遇。這樣直到六十三歲仍和舉人無緣。他想，就算下一科僥倖得中，自己也快進入古稀之年，即使有了一官半職，也無精力擔當了。故而至此打住，留下了終生遺憾。

那麼，蒲松齡是才力不濟？還是有人使壞？抑或天意爲之？不但他本人百思不得其解，別人也都覺得疑雲重重。有人認爲，蒲松齡在《聊齋誌異》裏十分逼真地描繪出了各種鬼狐的形象，惹惱了他們，於是這些妖怪在考場裏攪鬧他，就算他的文章天下第一，也永遠考不了舉人。這當然都是無稽之談。

又有人認爲，科場內的考官都是些不學無術的草包，不認得文章的好歹。這種說法也失之偏頗，因爲主持考試的官員不可能個個都是外行，蒲松齡幾十年間也不會每場皆遇不稱職的考官。另外，還有人認爲，蒲松齡沒有賄賂試官，沒有打通關節，因而他的考卷不被重視，並分析了其中的兩個原因，一個是蒲松齡本人不願做「袖金輸璧」這種見不得人的勾當，再一個是他囊中羞澀，拿不出多餘的銀兩。據說他成家之後，只有二十畝薄田和三間破屋，勉強維持生活。他雖然當過師爺和塾師，但進項不多。膝下又有四子一女，經濟拮据可想而知。然而，這似乎也算不上他落第的理由，因爲考官並非個個愛財，而且考上的人也不是都靠銀子才踏上仕宦之路的。

比較普遍的看法是，蒲松齡的八股文章不到家，達不到錄取的要求。那時，科舉制度規定，答卷必須用「八股文」，即全篇由破題、承題、起講、入手、起股、中股、後股、東股八部分組成；後四部分是文章議論的中心，各有兩股對偶文字，共八股；其題材、內容限於「四書五經」，不許作者自由發揮，字數也有嚴格規定，不許超過五百五十字。而蒲松齡可能沒有很好地掌握八股文的寫作技巧，試卷中還可能流露出譏世、憤懣或嘲諷時事的言論，缺少考官們所希望的深意和格調；尤其是，他一生致力於《聊齋誌異》等等著作的寫作，分散了應試的精力和才氣。他的好友就認爲論他的才氣，別說是考個普普通通的舉人，就是再考進士也如囊中取物，並且可以成爲「第一流人物」，關鍵是他沒有盡力對舉業專攻。

蒲松齡自己則認為是命運不濟，數奇不偶。每次落第都垂頭喪氣，怨天尤人。看來他本人並沒有明白箇中原因。蒲松齡的故居裏，有這樣一副對聯：「一世無緣附驥尾，三生有幸落孫山。」這眞是對蒲松齡一生絕妙的總結和概括。他雖然滿腹才學，苦熬四十餘年居然沒有考上舉人，卻為中國的文學寶庫留下一部不朽的傑作《聊齋誌異》，這又何嘗不是一件天大的幸事！在無數人的心裏，蒲松齡是一顆永遠不會殞落的文學巨星。

42 金聖歎被殺之謎

金聖歎，原名喟，蘇州長州人，明亡後，改名人瑞，字聖歎。他是中國十七世紀著名的文學批評家和文學理論家，評批了《水滸全傳》、《西廂記》、《史記》等「六才子書」，影響深遠，意義重大。尤其是他腰斬了一百二十回《忠義水滸全傳》的十二分之五，使全書內容更加精練，在最精彩的「梁山泊英雄排座次」之處落了幕。受到了廣大讀者的歡迎。他寫的評語蘊含著機智與才情，極富感人的丰姿，被稱爲「金評」；他的評改本成爲風靡海內的傳世之作。可以說，他不愧是位文學批評大家。

然而，這位名聞遐邇的大才子金聖歎一生倜儻不群，佯狂傲世，不屑幹謁鑽營，竟三十年科場不得意，到死時仍是一介布衣。五十四歲那年，他因親自參與了轟動江南的「哭廟案」，命喪法場。一代奇才就這樣被斷送了。《哭廟異聞》、《遭難自述》、《哭廟紀略》、《蘇州府志》等都詳細記載了「哭廟案」的經過。

順治十六年，蘇州一帶發生災荒，收成大減，本爲富庶之地的江南水鄉，變成了饑民遍地的災區。朝廷本應減免田糧，救濟災民，可是，江蘇巡撫朱國治和新任吳縣縣令任維初，卻不顧人民死活，照常催糧逼稅。誰要是拖欠不交，則以「抗糧」之罪論處。不論縉紳還是百姓，「受責者皆鮮血淋漓，俯伏而出，不能起立。」更可惡的是，縣令任維初竟監守自盜，私吞公糧，中飽私囊，數額高達三千多石，而其虧空之額卻要災民悉數補償。百姓對任維初恨之入骨，倪用賓、金聖歎等諸多生員更是怒火中燒，決心把這些貪官污吏趕走。遂暗中串連，等待時機。這個機會不久就來到了。

順治十八年二月初一，清世祖福臨駕崩，哀詔傳到蘇州，蘇州府巡撫以下官員各在府堂設立奠幕，並按規定哭靈三天。倪用賓、金聖歎等人認爲，正好借哭廟之機，控告任維初等人的貪污殘暴，惹起眾怒，達到驅逐貪官的目的。據《哭廟紀略》記載：初四這天，「諸生百餘人至廟，鳴鐘擊鼓，即並至府堂」，一時從者上千人，號呼奔走，群情激昂，震動了整個蘇州城，釀成了一場大規模的抗議示威活動。撫臣見報，不但不體恤民意，相反卻立即派兵捉拿。示威群眾經不住刀砍馬踏，譁然而散，金聖歎等十一人被當場捉拿，下入獄中。當時的會審記錄稱：「姚剛、丁子偉、金聖歎稱鳴鐘擊鼓。伊等亦說，在倪用賓家聚會，丁子偉、金聖歎、姚剛爲首，鳴鐘擊鼓聚眾倡亂是實。」江蘇巡撫朱國治見此案非同小可，害怕再審下去會牽連自己，於是連忙秘密塗改口供，並爲任維初開脫罪責，接著就匆匆具文上報。他在參奏哭廟者的摺子上，列舉了金聖歎等人的三大罪狀：震驚先帝之靈，罪不容赦；扛打朝廷命官，目無朝廷；書寫匿名揭貼，違反大清律令。

他列舉的三條中的任意一條，都可置哭廟者於死地。朱國治恨不得馬上將他們處死。恰巧，當時反清鬥爭此伏彼起，鄭成功率領的抗清軍隊又一度連連攻克瓜州、鎭江等地，引起了全國震動。面對這種嚴重局勢，清廷決定採取嚴厲的鎭壓手段，因此，就決定以「哭廟案」懲一儆百，御旨定讞：金聖歎等八人斬決，家產籍沒，妻子充軍，其餘十人也處以死刑，淩遲斬絞於南京的三山街。金聖歎坦然引頸就戮。

人們對金聖歎的慘死非常惋惜，《菽園贅談》長歎曰：「所可惜者，以一卓犖不群之士，竟死於昏庸冗闒之夫；即謂天不忌才，安可得耶？」金聖歎死後，葬于蘇州城外五峰下。因爲當時他是被砍頭的朝廷要犯，人們不敢憑吊他，三百多年來，他的墳丘隱於荒草野荊之中。有關他的生平身世也很少有人敢去撰寫，即使有人涉獵，也大都是一些傳說或趣聞，眞是可惜可歎。不過，人們在欣賞他評批的名著時，還會記起這位白眼觀人、痛砭時世的名士來，對他獨具慧眼的才情讚美不已。

43 懿貴妃（慈禧太后）受寵之謎

慈禧的受寵與她喜愛美容術有關嗎？

慈禧太后從二十六歲時守寡，度過了四十多年的孤獨歲月。在皇帝年幼的時候，她垂簾聽政，以一道薄幕遮擋自己人盡皆知的野心。皇帝成年的時候，她退居深宮，在幕後操縱國政。她政治上昏聵，生活上腐化，殃民禍國，使大清江山百孔千瘡。那麼，這個遭萬人唾罵的女人是怎樣一步步爬上高位的呢？這還得從她偶然得幸，繼而受寵說起。

她是滿洲鑲黃旗人，姓葉赫那拉氏，小名蘭兒。她從小聰穎過人，胸懷大志，以爲入宮之後前程必然燦爛。然而，後宮美女如雲，她入宮很久竟連皇上的面都未見過。一天，她在圓明園憑欄遠眺，不禁哼起了一首江南小調，流露出一股幽怨之情。恰好此時咸豐帝乘涼輿在園中遊玩，被歌聲打動。杏花、春雨、江南、美人，咸豐帝一下子對蘭兒生出了百般憐愛。從此，蘭兒得幸，不久被封爲貴人。蘭貴人二十一歲那年，懷上了龍子，被封爲懿嬪。次年四月，生下載淳（即未來的同治皇帝）。滿足了咸豐帝盼子心切的願望，更是如魚得水，因子而貴，再晉升爲懿妃，第二年又晉升爲懿貴妃。

在那個封建宗法制度十分嚴格的時代，嫡庶之分也涇渭分明，不可越雷池一步。歷史上皇后奪取庶出的兒子爲己有，親生

年屆六旬的慈禧太后，依舊不忘塗脂抹粉，沈溺吃喝玩樂。

母親遭受廢黜甚至被殺之事比比皆是，然而，懿貴妃卻很幸運，比她還小兩歲的皇后鈕祜祿氏並不爭風吃醋，善良本分，加上懿貴妃處心積慮，曲意逢迎，就博得了皇后的好感，甚至在皇帝面前爲她美言，這也使懿貴妃得以一帆風順地朝上爬去。由於她爲咸豐帝生下了唯一的兒子，她就掛起了金字招牌，握住了尚方寶劍，擁有了政治資本。被晉封爲懿貴妃後，她就常侍咸豐帝左右，有時竟代皇帝批答奏摺，參理軍機，在積累從政經驗的同時也膨脹了掌權的野心。所以，當咸豐帝病重之時，她憂慮的不是夫君的身體，而是自家的前途。

話再說回來，爲什麼懿貴妃生的是咸豐帝唯一的兒子呢（而且她生的這位載淳竟是在紫禁城內誕生的最後一位皇帝）？翻開清王朝的史冊，追溯前朝，太祖努爾哈赤有十六子，八女；太宗皇太極有十一子，十四女；順治有八子，六女；康熙有三十五子，二十女；雍正有十子，四女；乾隆有十七子，十女；嘉慶有五子，九女；道光有九子，十女。爲什麼咸豐的子嗣卻少得可憐呢？恐怕還得先從他所處的時代和環境找原因。

咸豐即位後，國勢日衰，內憂外患，使他常懷驚恐過日子，甚至被逼逃亡。咸豐三年夏，太平天國北伐軍打到直隸，朝廷危急；咸豐十年，英法聯軍兵臨北京城下，咸豐逃往熱河行宮。在這樣的危急形勢下，他的心境極其緊張，惶恐，自然不利於性生活和受孕。再加上，皇室內母子間、婆媳間、帝后間、後妃間皆矛盾重重，隔閡深深，雖同處一宮卻互相防範，爭鬥不已，如此環境下，咸豐心情壓抑，異常鬱悶，同樣不利於性生活和受孕。

再有，咸豐生活放縱，縱欲無度，身心受到摧殘，也影響了他正常的生育機能。咸豐帝雖有眾多嬪妃卻仍不滿足，又蓄四名漢族美女在圓明園中，命名為「杏花春」、「武陵春」、「海棠春」、「牡丹春」；後見一山西籍的曹氏寡婦頗有風韻，三寸金蓮纖小可愛，也召入宮中；又有一京城雛妓朱蓮芳，花容月貌，唱曲、做詩皆精，也被咸豐常常召來身邊侍候。為了滿足性慾需要，他還大量服用春藥。結果，弄垮了身體，在載淳六歲時，他就撒手西歸了，死時才三十二歲。

此後，二十六歲的年輕寡婦攜著一個懵懂無知的孤兒，挑起了帝國首腦的重任。她以一個女人少有的膽識、謀略和才幹，聯合皇后、恭親王發動政變，除掉了八位顧命大臣，垂簾聽政，把握權柄。她成天在一些瑣屑的禮儀、後宮糾葛的漩渦裏打轉，目光日益短淺，心胸日益狹窄，性格日益陰鷙。在此後的四十八年的統治生涯裏，同治、光緒兩個皇帝都成了她手中的傀儡。她則待在紫禁城裏，閉關鎖國，只琢磨怎樣排斥異己，吃喝玩樂，將社稷江山當成自己的小家去料理。

每天淩晨三點，她住的儲秀宮裏，宮女、太監就忙碌開了。撤燈罩的、熬銀耳的、送熱水的、整理臥具的，人來人往，絡繹不絕。接著有人為她理鬢、敷粉、點胭脂、梳頭，再換上蓮花底的鳳履，戴上兩把頭的鳳冠，綴上珍珠串的絡子，插上時令的宮花，上轎前往乾清宮或養心殿，開始了一天的政治生活。上朝回來，她又回到淨室，用她那保養得極好的指甲在奏摺上批寫、打叉、打勾……。日復一日，年復一年，她就是這樣度過的。

爲了打發寂寞的時光，她沈溺在看戲、繪畫、遊玩之中。爲了遊玩，她不惜挪用築路費用和海軍經費七八千萬兩白銀，歷時三年，建成了規模龐大、古典園林式的頤和園。結果，造成中國在與日本海戰中慘敗，被迫簽訂了喪權辱國的《馬關條約》。這樣的例子，令人觸目驚心，扼腕長歎。她的政績卻沒有一樁。她是造成清王朝歷史悲劇的罪魁禍首，死有餘辜。其實，她的私生活也是一齣悲劇，瘋狂的權利慾火，使她到死也不得安心。

44 同治皇帝死於「花柳病」之謎

同治皇帝是慈禧太后的親生子，親政不到三年，突然駕崩。死時年僅十九歲。這樣一個風華正茂的青年，怎麼會早早地撒手人寰？他死之後，流行許多不同的說法。

有的說他死於「花柳病」，即性病，是因爲他生活不檢點造成的。《清朝野史大觀》對此說記載較爲詳細。說同治生前，很喜愛孝哲皇后，她端莊貞靜，容貌秀麗，賢慧有德。兩人感情融洽，生活美滿。可是慈禧太后雖表面上還政于同治，其實在宮中仍大權在握，甚至連宮闈之事也橫加干涉。在她的淫威之下，同治與孝哲竟不敢過分親近。而慈禧偏偏看中了將軍鳳秀之女，令同治將其納爲妃嬪，硬要同治同此妃在一起，使同治極爲反感。作爲一個貴爲天子的人，竟不能愛自己所愛之人，反倒要勉強愛己所不愛之人，心裏的苦悶可想而知。爲消解精神的空虛，同治就偷偷跑到宮外去消遣，找私娼取樂。在燈紅酒綠、放蕩淫欲中尋求安慰。久而久之，染上了花柳病，開始僅有下部不適，並不在意。後來毒發，在臉上、背上都長了毒瘡才請太醫診治。太醫明知此爲性病，但不敢言說。以治痘藥治之，豈能對症？終於一命嗚呼。

也有的說他死於「癰」，即毒瘡。李慈銘在《越縵堂日記》中說：「同治十三年十二月酉刻，上崩。先是十一月朔，……上旋患癰，項皆皆一，皆膿潰，先十日已屢昏，殆不知人。」按現代醫學解釋，癰又名癰疽。發病原因是葡萄狀球菌侵入毛囊汗腺的周圍所引起。多生於項背及臀部，小的如栗子，大的如手掌，瘡口甚多，疼痛異常。此症在初起時，須速就醫診治，遲則陷於危險。同治所患之癰，甚爲兇險，終因藥效不力，一命歸天。

清·任頤《賞蘭圖》。同治皇帝的花柳病不知是從何人身上染得。

還有的說他死於天花。同治帝的授讀師傅，弘德殿行走翁同和在日記中寫道：「十一月初二日，入至內務府大臣處，………見御醫李德立、莊守和脈按言：『天花三日，脈細口渴，腰疼耳膿，四日不得大便，項頸稠密色滯幹豔，證屬重險，不思食，咽痛作嘔。』」「初八日，兩宮皇太后在御榻上持燭令諸臣上前瞻仰。上舒臂令觀，微語曰：『誰來此？』伏見天顏，溫醉偃臥向外，花極稠密，目光微露。」翁同和從同治帝發病到去世，多次奉命前往探視。他的親眼所見，應該是絕對眞實可靠的。另外，當月末，慈安太后所生之女，大公主，也因患天花而亡，可見當時宮中流行天花病。天花是一種烈性傳染病，在當時的醫學條件下，患者生還的可能性極小。因此說，同治患天花不治而亡，是比較可信的。

除上述「病死說」外，還有一說：同治是慈禧害死的。《慈禧傳信錄·穆宗致命》一節中說：「王慶祺（同治帝師傅，昭仁殿行走）革斥後，輒語人雲，穆宗親政後，太后仍多干涉，乃請修園爲頤養計，意在禁隔，使勿再幹政耳，竟爲太后時覺，遂致奇變。」人們從慈禧太后一生專制獨裁，兇狠毒辣，以及她後來造成光緒一生不幸的遭遇來看，這個說法頗有一定道理。但此說

這是18世紀晚期繪製的大清皇帝《御苑晉謁圖》。

並無事實根據，只是臆測。況且按當時宮內情勢，她干涉朝政是免不了的，但還不至於到非親手殺死自己親生兒子不可的地步。看來此說不可採信。

同治之死，牽扯宮闈內幕，當朝人諱莫如深，後世人只能按一些蛛絲馬跡去考證了。孰是孰非，尚待繼續研究。

45 光緒皇帝突然駕崩之謎

光緒皇帝爲何突然駕崩？

清德宗載湉，即光緒帝，年幼即位，大權完全掌握在慈禧太后手中。雖然十四歲開始親政，但內外大事仍取決於慈禧，這一切均激起他的不滿。中日甲午戰爭後，敗於日本的中國，民族危機空前嚴重，光緒帝很想改革朝政，振興國勢，於是採納了維新派的變法主張，但慈禧發動了戊戌政變，將他幽禁在瀛台，歷時九年，在慈禧病故前一日，突然駕崩。

他死之後，揣測繁多，遂成疑案。光緒皇帝到底是怎麼死的呢？有的說他是被慈禧毒死，有的說他被袁世凱毒死，有的人說被李蓮英毒死，有的說他病重不治而死。如此等等，不一而足。有人據《慈禧光緒醫方選議》等資料，認爲光緒自幼就痼疾纏身，患有結核病，波及到肺、腎及其他器官，還有嚴重的遺精病。又據光緒親筆所寫《起居注》說，「腰胯左邊疼痛甚重，稍一動轉即牽制滿腰極痛難忍。」認爲光緒之死是癆病日久，最終五臟六腑處處皆病，陰陽俱衰。他可能是死於心肺功能的慢性衰竭並合併成急性感染。

也有人認爲，光緒自親政以來，被國事家事弄得焦頭爛額，尤其是戊戌政變後，被慈禧幽禁，過著如同囚徒一般的生活。抱負不能施展，心情苦悶到了極點，茶飯不思，寢居難安，使其原本有病的身體，更加衰弱，並出現了多種病症，氣血雙虧，病勢逐漸加劇，直到臥床不起，行動艱難，已經病入膏肓，難以救治。另外，據光緒死前脈案記載：「皇上脈息如絲欲絕，肢冷氣陷，二目上翻，神識已迷，牙關緊閉，勢已將脫，謹勉以生脈飲以盡血忱。」按上述說法，光緒是久病難醫，死得合情合理。

有人據光緒去世前後的所見所聞，認為他的死很蹊蹺，絕不像是病重而亡，而是疑點頗多，另有隱情。據說當時清廷內務府三席大臣增崇之子察存耆回憶，在光緒突然駕崩的前兩天，御醫給光緒請脈時，光緒還在外屋站著，只不過臉色較平日灰白些。當時光緒只覺得疾重，想叫大夫給他去祛疾。這哪裡是病勢沈重，臥床不起呢？再有，關於「脈案」問題，光緒的脈案與病情根本不符，大夫是據慈禧的「臉色」行事。據察存耆之父增崇的家書說，「脈案一紙，奉閱可也，據醫士雲，此症不甚重……其脈案上話語，系由春季所有的病症，均奉旨不准撤，全叫寫上，其實病症不是那樣。

要是那樣，人就不能動了……。」察存耆還回憶說，有位初學當差的太醫，在慈禧

《光緒帝讀書像》。年輕的光緒皇帝深感山河破碎，決心變法維新。

面前對答光緒請脈案時，說了句行話「舒肝順氣」。慈禧頓時把臉一沈，說：「誰叫皇上的肝不舒了？氣兒怎麼不順了？「嚇得那位太醫連連叩頭，忙稱自己罪該萬死。此後，誰也不敢應承請脈的差使了。從那以後，誰爲光緒請脈，下方子，總是說『和肝調氣』、『理肺益元』，甚至把肝的病硬挪到肺上去。「連脈象病情都能造假，攥在慈禧手中的光緒的小命還能保得住嗎？

據說，光緒的入殮也極爲反常。按清廷的規矩，皇帝死了，要有內務府大臣傳用專爲「請」遺體的萬年吉祥轎，按一定程式入殮，而對光緒屍體是怎麼處置的呢？據察存耆回憶，一天他的父親在即將吃晚飯的時辰，突然內宮使來口頭「知會」，說「萬歲爺病重」，要他和他的兩位在內務府供職的弟弟進宮準備給光緒帝料理後事。但當時並未接到太醫院的「發抄」（如同今之「病危通知書」），而且屍體也早已由太監悄悄運回宮內入殮完畢。此舉令人大惑不解，光緒爲什麼死得這麼突然？入殮爲什麼這般神秘？

於是，有人傳說，慈禧太后一生專橫跋扈，病危之時，仍不放過光緒，派人送藥毒死了光緒；有人傳說是當時手握兵權野心勃勃的袁世凱見慈禧病危，怕她歸天後光緒上臺對他進行報復，遂賄賂內宦害死光緒；有人傳說是大太監李蓮英得悉光緒日記中載有慈禧太后死後要將他和袁世凱一併誅殺的消息，於是，決定先下手爲強，與慈禧合謀將毒藥放於光緒食物中，致使光緒身亡。到底哪個說法可信？

46 林則徐暴亡之謎

林則徐為何暴亡？

林則徐，字少穆，福建侯官人。嘉慶進士，歷任道員，巡撫、總督等職。他爲官清正，辦事認眞，具有強烈的愛國思想，在帝國主義列強侵入中國大門時，他是抵抗派領袖，第一個奮起組織抵抗，堅持嚴禁鴉片，懲辦走私活動，從而揭開了近代中國反侵略鬥爭的序幕。在任欽差大臣赴廣州查禁鴉片時，迫使英美鴉片販子繳出二百三十七萬多斤鴉片，在虎門當眾銷毀。他又是最早放眼世界，探求新知的開明朝廷大員，他爲反抗外國列強，挽救民族危機，不囿於傳統舊習，「日日使人刺探西事，翻譯西書，又購其新聞紙」。後來受投降派的誣陷，被革流放新疆。在新疆，他既重視發展生產，又關心民間疾苦，整頓河工，興修水利，救災放賑，爲了開發邊遠地區作出了很大貢獻。被重新起用後，仍恪盡職守，剛直不阿。六十六歲那年，任欽差大臣，在赴廣西上任途中，不幸突然死亡。他的死震動了朝野，咸豐皇帝特別頒發了《御祭文》和《御賜碑文》，盛讚其一生的業績，士大夫們也紛紛以各種形式悼念他。

這樣一位既愛國又幹練的邊疆大員，一位名震中外，譽滿海內的大人物竟突然在奉旨赴任的途中亡故，不能不使人產生種種猜疑和傳說。《清史稿》與《閩雜記》都認爲他是因病而死的。

說他患痔很久，體質衰弱不堪，抵潮州時又患痢疾，醫治無效，死於普寧行館。林則徐的《訃文》和林則徐的兒子林汝舟《致陳子茂書》則說，因當時林則徐奉旨趕路，日夜兼程，沒有服藥，所以，途中吐瀉情況很嚴重，後來又轉爲「胸次結脹」、「痰喘發厥」，引發了心肺舊疾，元氣大虧。病危時，本來脾虛胃寒，庸臣卻以參桂熱藥進補，結果，喘咳加劇，舌蹇氣促，不幸病亡。一般官書記載也持病死說。

還有人認爲林則徐是被洋商買通了廚子投毒謀害致死。《果庵隨筆》說，自從廣州禁煙，當地的洋行不法商人，對林則徐恨之入骨。後來聽說林則徐任欽差大臣赴廣西，不法商人怕再遭他的打擊，不能從事違法勾當，於是花重金買通了林則徐家的廚師，設法在食物中下毒。到了普甯時，這個廚子在粥中放入了巴豆，巴豆劇毒，能使人大瀉，結果林則徐腹瀉不已，委頓而亡。別人勸林則徐的兒子追究其事，但按清例，凡毒死者須開棺驗視，家人不忍心這樣做，只得作罷。當地的官員雖也有耳聞，但不願多事，也未予以追究。《東莞縣誌・逸事餘錄》更明確指出，這個謀殺案的主謀是廣東十三洋行總商伍某，他在林則徐查禁鴉片時曾被鎖拿于越華書院，故而忌恨在心，特派親信攜鉅款賄賂林則徐的廚師下毒，終於得逞。

另外，據說林則徐臨死前曾三次呼喊「星斗南」，認爲「星斗南」是福建方言，與廣東的「新豆欄」發音相同。林則徐爲何這樣喊叫呢？人們推測，是因爲新豆欄是廣東要地，是洋商聚居地區，他在臨死前已發覺自己是被洋商所害，但爲時已晚。況且當時人們還猜解不出「星斗南」是何含意，錯過了破案的機會。持這一說法的，有《今傳星樓詩話》、《拜林文忠小像》及《林則

這是晚清時的鴉片煙具，不知它害死了多少中國人。

徐傳》等。

有人認爲，林則徐臨終前大呼「星斗南」，不是「新豆欗」的同音字誤，而是他對星相的極大憂慮。據說林則徐在赴任途中看見一顆亮星閃耀，以爲是「亂民」興旺的兆頭。他呼「星斗南」是寄託「出師未捷身先死」的憾恨。還有人說，林則徐臨死前的那天晚上，彌留之際的林則徐恰好看到夜空中一顆巨星墜於北辰星位，這種異常天象令他震驚不已。他知道中國居星斗之南，此方的俄羅斯將成爲中國的最大威脅，因此掙扎著大呼，是在提醒國人要防範沙皇俄國的侵略。

這些說法，迷信成分很重，有些牽強附會，不足使人信服。雖然至今「病死說」與「毒死說」仍未能弄個水落石出，但人們對林則徐的崇敬之情是念念不忘的，詩云：「痛惜林文忠，將星隕閩漳。天若遣此老，鼠賊安足當！」

47 洪秀全死因之謎

天王洪秀全因何而死？

太平天國革命領袖洪秀全，原名火秀，又名仁坤，廣東花縣官祿村人。他首創「拜上帝會」，提出推翻清朝統治，建立人人平等的天國的主張。1851年在廣西桂平縣金田村起義，建號太平天國，稱天王。他領導的這次大規模的農民革命戰爭，整整堅持了十四年。這次革命動員了千百萬農民起來與清王朝和外國侵略者進行殊死的搏鬥，把清軍打得七零八落，把不可一世的資本主義外國侵略軍打得「不敢與我見仗」，足跡遍及十八個省，先後攻克六百多個城鎮，解放了中國南部大片領土，建立革命政權達十一年之久。太平天國革命雖然失敗了，但它沈重地打擊了中外反動勢力，表現了中國人民不屈服於帝國主義的反抗精神，爲中國近代史寫下了光輝的一頁。

1864年，天京（今南京）淪陷前，洪秀全因病去世，終年五十一歲。然而，一百多年來太平天國史的研究者，大多認爲洪秀全是「服毒自殺」的，這是怎麼回事呢？一是根據當時鎮壓太平天國革命的清軍兩江總督曾國藩一則奏報：「首逆洪秀全實系本年5月間，官軍猛攻時，服毒而死。」一是根據曾國藩另一則奏稿：稱洪秀全「四月二十七日，因官軍急攻，服毒身亡，秘不發喪。」

洪秀全頒布的「減稅詔旨。」

另一個是根據曾國藩刊刻的《李秀成自述》的記載：「天王斯時焦急，日日煩躁，即以四月二十七日服毒身亡。」因爲曾國藩是攻陷天京的知情者，又是清廷的主將，因而，他之所言，被人認爲絕對可靠，史學界的大部分人即以其說當成正史，而把洪秀全之子幼天王洪福瑱承認其父病死一說羅列於正史之後作爲存疑，不予肯定。曾國藩的一家之言，一直暢行了一百多年。上世紀六十年代初，洪秀全死因才眞相大白。原來，藏在曾國藩家中的《李秀成親供手跡》（即《李秀成自述》）得以正式影印發行。

洪秀全死因的第一手資料公之於眾，曾國藩篡改並僞造眞相的醜惡嘴臉大白於天下，還原了歷史的本來面目。洪秀全是病死的！現將眞僞兩段摘錄如下：《李秀成自述》原稿影印本：「此時大概三月將尾，四月將初之候。……天王斯時已病甚重，四月二十一日而故。」「此人之病，不食藥方，任病任好，不好亦不服藥，是以四月二十一日而亡。」曾國藩在刊刻《李秀成自述》時將上述實錄篡改成：「天王斯時焦急，日日煩躁，即以四月二十一日服毒而亡。」這裏應該著重說明的是，李秀成是被洪秀全封爲忠王的太平軍最高軍事統帥，天京陷落後突圍時被俘，寫供詞數萬言，（即《李秀成自述》）後被曾國藩殺死於南京。他的「自述」是本人親供，眞實可靠。

另外，《洪福瑱自述》也說，「本年四月十九日，老天王病

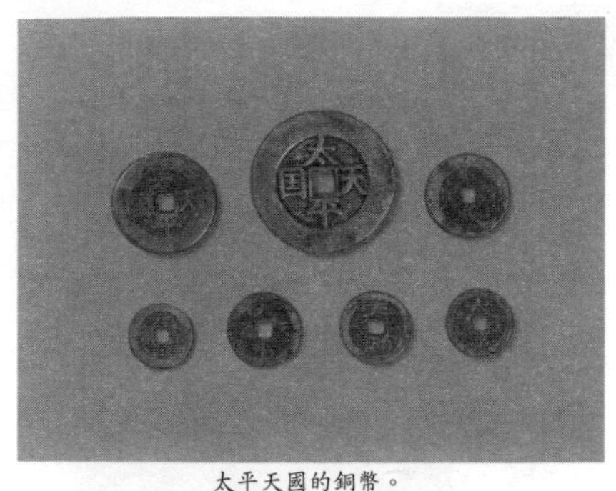

太平天國的銅幣。

死了。」幹王洪仁玕在《洪仁玕自述》中也曾說「至今年四月十九，我主老天王臥病二旬升天。」還有曾國藩的幕僚趙烈文《能靜居士日記》中也記道：「聞探報稟稱，逆首洪秀全已於四月二十八日病死。「彼中之四月二十日，」這些都是以證明洪秀全病死是確實無疑的。

那麼，曾國藩爲何要篡改《李秀成自述》中關於洪秀全病死的說法呢？主要是使其與前兩次奏報的「服毒而亡」的說法一致。這樣，他把李秀成親供抄送至軍機處時，才不致出現前後矛盾，受到質疑。那麼，前兩次的奏報，他爲什麼謊報軍情，說洪秀全是「服毒而亡」呢？只有一個解釋，是他爲了要向清廷報功。把洪秀全之死說成是被他圍困而自殺，不是更能說明他有本事嗎？這段史實的撥亂反正，不僅揭露了曾國藩的虛僞、陰險和醜惡，也爲洪秀全正了名，抹掉了強塗在他臉上的污點。

48 珍妃墜井眞相之謎

珍妃性格活潑，聰明有才，深受光緒皇帝的寵愛。

珍妃，他他拉氏，滿洲鑲紅旗人，禮部侍郎長敘之女，生於清光緒二年。光緒十四年，十三歲時與其姐瑾妃同時進宮。次年光緒帝大婚，姐妹倆同時被封爲嬪。珍妃容貌秀麗，性格開朗，博學多才，有膽有識，很受皇帝寵愛。光緒二十年，姐妹倆同時晉封爲妃。當時，朝廷中的慈禧太后爲一方的「后黨」，與以光緒皇帝爲一方的「帝黨」鬥爭激烈，在「對日戰爭是戰還是和」、「國家是維新還是守舊」問題上兩黨水火不相容。傳說珍妃亦介入其中，支援光緒推行新政，引起慈禧太后對她的極大怨恨，必予除之以後快。

光緒二十四年戊戌政變失敗，光緒被慈禧太后囚於瀛台，珍妃則被削去封號，幽禁在景運門外的三階。此後，慈禧太后設法想要廢掉光緒，另立新君，甚至想謀害他，珍妃又挺身而出，冒死「抗辯」。慈禧太后對她恨之入骨。光緒二十六年，八國聯軍進攻北京，正當朝廷上下一片混亂準備出逃之時，珍妃竟死于甯壽宮外井中。

這位芳齡二十五歲的皇妃究竟因何而死，歷來其說不一。《清列朝后妃傳稿》二卷中記：「妃有寵於帝，光緒二十六年各國師入京師，帝西狩，妃倉猝不能從，于宮中殉焉。」即是說她是

就是這口井，吞噬了年僅二十五歲的珍妃，兇手自然是惡名累累的慈禧太后。

因來不及隨光緒西行而殉難的。這個說法很籠統又含糊，不足以說明珍妃死之眞相。《清末民初雲煙錄》上篇記載，八國聯軍進攻北京時，城外炮聲不斷，宮中大亂。慈禧太后傳話處死珍妃，左右太監面面相覷，只有太監崔玉貴願往。只見他凶神般地來到囚禁珍妃的處所，把珍妃拽到井口。珍妃跪地想求見慈禧太后一面，崔玉貴不容分說，一腳把她踢入井內，並投入石塊。然後他得意洋洋地向慈禧太后覆命去了。當時慈禧與光緒均不在場。

許指嚴《十葉野聞》記載，正當慈禧太后將光緒及嬪妃齊集準備出逃之時，珍妃挺身而出說：「皇帝一國之主，宜以社稷爲重，太后可避難，皇帝不可不留京。」慈禧太后當即大怒，厲聲命令太監將珍妃投入井中。光緒哀痛已極，連忙下跪爲珍妃求情，慈禧太后卻怒不可遏，說：「速起勿言，此時尚暇講情理乎？彼必求死，不死反覆彼。天下不孝之人當知所戒，不見夫鴟鴞乎，養得羽毛豐滿即啄其母之眼，不殺何待？」這段話其實是針對光緒的戊戌變法而言，斥責光緒，另有深意。她無時無刻不在緊握朝柄，惟恐還政於光緒。據說，戊戌政變後，她力圖廢黜光緒，甚至想謀害他，因外國列強施加壓力，才使她未能如願。義和團興起後，她又想借此抗洋，不料，義和團並非刀槍不入，反倒鬧出個八國聯軍進北京。試想，此時將光緒留京，有外國列強做靠山，她慈禧不成了「禍首」而受懲處？事關她的地位和生死，珍妃豈有不死之理！

《故宮周刊》載，八國聯軍入京，宮中驚恐萬狀。慈禧太后赴頤和軒，令太監護衛，說：「如有人窺視，槍擊勿恤。」不一會兒，珍妃被召來，慈禧說：「現在還成什麼話？義和拳搗亂，洋人進京，怎麼辦呢？」又說：「我們娘兒們跳井吧！」珍妃哭著請求恩典，並說：「未犯重大罪名。」慈禧不允，說：「不管有無罪名，難道留我們遭洋人毒手嗎？你先下去，我也下去。」珍妃再次懇求免死，太后令崔玉貴下手，崔玉貴對珍妃說：「請主兒遵旨吧。」珍妃哀號說：「汝何以逼我耶？」崔玉貴說：「主兒下去，我還下去呢。」珍妃怒斥他：「汝不配！」此時，慈禧太后厲聲喊道：「把她扔下去吧！」結果，珍妃被崔玉貴扔下井去。其後，慈禧太后領眾人揚長而去。

爲什麼只令珍妃跳井呢？看來，保全貞節只是慈禧太后虐殺珍妃的藉口罷了。無論怎麼說，珍妃之死都是慈禧太后加害的結果，她和珍妃的宿怨則來自於與光緒帝的權力之爭，有深刻的政治背景。她處死珍妃的眞正意圖恐怕還是爲了震懾、壓迫和折磨光緒。

49 慈禧太后「對外宣戰」之謎

慈禧太后當政期間，腐敗昏聵，勾結帝國主義殘酷鎮壓人民，多次簽訂喪權辱國的不平等條約，是個十足的懼外媚外的歷史罪人。然而，在八國聯軍進北京之前，她竟下了一道「對外宣戰」的詔書，難道她當時眞的生出了一點愛國之心嗎？事情還得從義和團說起。

光緒二十五年（1899），山東一帶湧現了義和團組織。信奉白蓮教的貧苦農民和無業遊民紛紛加入義和團。他們利用畫符、念咒、請神的「法術」，自稱能練成「神拳」，刀槍不傷肉身。到處設立「拳廠」，開壇授徒。好像燎原之火一樣，它的組織很快發展起來，數月之間，就蔓延到山東、河北全省所有的州縣了。連北京城內外，拳民都不下十數萬。自兵民以至王公府第，處處皆是。他們焚教堂、殺洋人，與洋教爲仇，聲勢越來越大。光緒二十六年五月十七日，義和團連續在右安門內、崇文門內、宣武門內和正陽門外，燒毀外國人的教堂，火勢蔓延，大火連續燒了三天，燒掉房屋幾千幢。洋教堂、外國使館嚇得關了門，朱門大戶也躲在家裏不敢出屋。從城外打著義和團旗號湧進城來的群眾日以千計，城內的貧民也紛紛自行組成義和團隊伍。他們頭上包著紅布，手持大刀長矛，成群結隊地在內外城自由行動。他們進入王公府第，就在裏面設壇住下來。滿城幾乎家家都貼上了表示信奉義和團的紅紙條。甚至進入紫禁城也無人敢干涉。一些信洋教的達官貴人的家被洗劫一空。鬧得清廷一籌莫展，慈禧太后焦頭

慈禧太后接見外國公使夫人。

爛額。

帝國主義列強看到清朝政府已經控制不了局勢，決定出動兵力直接出面鎮壓中國人民的反帝鬥爭。他們把兵船開進大沽口，並不斷向清廷施加壓力，還藉口「保護使館」調兵入京，英、俄、法、美、意、日、德、奧等國軍隊也由天津開到北京。面對著內患外侮，慈禧太后如坐針氈。當時，在對待義和團的剿撫問題上，尤其是對外國武裝干涉的戰和問題上，清廷內部存在著嚴重的分歧。慈禧太后三次召開禦前會議，最後採納了極端守舊派的主張，對侵略中國的各國宣戰。

二十五日，慈禧太后以皇帝的名義發出了一個詔書，一個形式上的對外宣戰書，曰：「朕今涕泣以告先廟，慷慨以誓師徒，與其苟且圖存，貽羞萬古，孰若大張撻伐，一決雌雄。連日召見大小臣工，詢謀僉同。還畿及山東等省義兵，同日不期而集者不下數十萬人，下至五尺童子，亦能執干戈以衛社稷。」這裏能說的「義民」，就是指的義和團。由此看來，似乎慈禧太后是要與義和團一同向外國侵略者開戰了。

其實，這道詔書是很荒唐的。其一，詔書的字裏行間沒宣佈究竟是向哪一國或哪幾國宣戰，其二，清廷未以任何形式將這道詔書送達任何外國政府。實際上，這是一紙對內發佈的詔書。那麼，慈禧太后下此詔書目的何在呢？一是保住皇權不落在光緒手中。雖然經過戊戌政變，實際上已剝奪了光緒皇帝的權力，慈禧太后還想在形式上也廢除光緒的皇帝地位，而帝國主義列強則支援光緒，使她不敢馬上實行預謀的廢立。當她聽說洋人要她把權力交還給光緒的傳言時，內心十分惶恐，她擔心八國聯軍進了北京會動搖她的地位，因此「對外宣戰」，其實她並不想與洋人眞正決裂。

威風出行的慈禧太后在外國列強面前，爲何是一付奴才嘴臉呢？

一是利用帝國主義的力量消滅義和團。慈禧太后並不像一些朝臣那樣迷信義和團的「法術」多麼靈驗，她後來承認了義和團，義和團也把行動口號由「反清滅洋」改爲了「保清滅洋」。這樣就把手持刀矛的義和團推到洋人的槍口面前，既使自己躲過了義和團的鋒芒，又防止義和團打勝這場「戰爭」，把人民反帝鬥爭的情緒和精力化爲烏有。最終利用帝國主義的力量消滅義和團。顯然，這道詔書是一個徹頭徹尾虛僞的宣戰詔書，是慈禧太后導演的一場鬧劇。結果，在八國聯軍的洋槍洋炮面前，不堪一擊的清軍節節敗退。北京陷落，慈禧太后倉惶出逃。後來簽訂了屈辱的賣國條約——《辛丑合約》，中國陷入了半封建半殖民地社會。義和團被鎮壓下去了，大清帝國也面臨崩潰的邊緣。

50 曾國藩爲何又稱「曾剃頭」

曾國藩爲何被稱爲「曾剃頭」呢？

咸豐年間，洪秀全在天京（今南京）建立了太平天國，成爲威脅清廷的大患，時任兩江總督，並任爲欽差大臣的曾國藩，指揮三路大軍向太平天國進行圍剿，一路是其弟曾國荃率領的湘軍主力，一路是左宗棠率領的另一部分湘軍，還有一路是李鴻章率領的淮軍及英國人戈登指揮的常勝軍。由於太平天國內部發生天京變亂，石達開出走，洪秀全束手無策，致使李秀成的天京保衛戰遭到失敗。曾國荃率領的湘軍大舉攻入天京，製造了一場空前的浩劫，忠實地執行了曾國藩制訂的兩個基本方法：

一是實行屠殺政策，把人煙稠密的蘇南一帶變成無民之境；一是實行焦土政策，把沃野千里變成不耕之鄉。雙手沾滿了人民鮮血的曾國藩被人們稱之爲「曾剃頭」，實不爲過。且看曾國藩湘軍的「豐功偉績」：湘軍攻入天京後，就開始了瘋狂的燒、殺、掠、淫，無惡不作，其罪行令人髮指。湘軍把「燒」作爲進攻的武器，又作爲滅跡的手段。他們一進城就到處放火，以火爲武器開路，他們攻到哪裡，大火就延燒到哪裡。無論王府民宅，大肆搶掠一番後，隨即付之一炬，一走了事。他們天天搶劫，日日放火，大火一連燒了十餘日。經過這場浩劫，這座繁華古都幾乎變成一片廢墟，滿園殘牆斷壁，遍地碎磚爛瓦，連一棵樹都很難找到。湘軍一衝入城內，就開始了殘忍的大屠殺。他們殺人的目的並不是爲了佔領城池，而是爲了搶劫財物和姦淫婦女。

湘軍佔領天京後，立即開始肆無忌憚的搶劫，他們先搶王府，再挖地窖，接著就逐戶搜搶居民財物，掘地拆屋，挖墳盜墓，直至全城物品蕩然無存，洗劫一空。當時不僅攻城的將士橫行無忌，四處搶劫，連留在城外看守營寨的老弱兵勇也空營而去，入城大肆搶掠，甚至守衛曾國荃大營的兵勇和各棚長夫廚役人等也都進城搜刮財物，肩挑手提，成群結隊，滿路都是搶劫而歸的兵士。有時搶紅了眼，他們之間還互相搶劫甚至發生火拼。湘軍入城後，肆意蹧蹋婦女，他們隨意闖入民宅，姦淫良家婦女，甚至在光天化日之下，公然於大街上施暴。四十歲以下的婦女大多被湘軍擄走，成爲兵士們姦淫的獵物。

經過一個多月的燒、殺、搶，攻入天京的湘軍將士個個都發了大財。當時長江之中千船百舸，聯檣而上，滿載著搶掠來的財物和婦女，日夜不停地向湘南老家行駛。曾國荃更是大發其財，獲資數千萬，其後他在家鄉大量搶購民田、樹木，廣起宅第，被人稱爲「老饕」。後來李鴻章署理兩江，曾說，天京沒有百年很難恢復。曾國藩的湘軍塗炭生靈，留下了千古惡名。

據《太平天國》一書的統計，僅在江浙一隅之地，不過三四年光景，被屠戮的竟達二百八十七萬人。其屠殺手段極端殘酷野蠻。據親眼目睹此劫的英國軍人記述的清軍屠殺太平軍俘虜的實況，說：「這批俘虜有男有女，有老有少，從剛出世的嬰兒，至八十歲蹣跚而行的老翁；從懷孕的婦人，到十至十八歲的姑娘，無所不有。清軍把這些婦女和姑娘交給一批流氓，強姦、輪暴之後，再拖回來把她們處死。有些少女，被劊子手翻轉過來面朝天，撕去衣服，然後用刀直剖至胸口。這批劊子手做剖腹工作，能不傷五臟，並且伸手進胸膛，把一顆冒著熱氣的心掏出來。被害人直瞪著眼，看他們幹這樣慘無人道的事。還有很多吃奶的嬰兒，也被從母親懷中奪下剖腹。很多力壯的男俘虜，不但被剖腹，而且還要淩遲非刑。劊子手們割下他們一塊一塊的肉，有時塞到他們嘴裏，有時則拋向喧嘩的觀眾之中。」

曾國荃攻陷安慶，不消半日就殺死了一萬多名太平軍俘虜，他怕到陰曹地府受到懲罰，曾寫信給曾國藩流露出後悔之意。曾國藩立即回信說：「你現已帶兵，自然要以殺賊爲志，何從後悔殺人多？」可見，曾國藩殘忍嗜殺的程度，是遠遠超過他的九弟的。時下，有人稱曾國藩爲「聖相」，稱讚其吏治用人、治學修身和創辦洋務方面的德行，不知諸君看了上述文字，作何感想？

51 李鴻章的「賣國賊」之謎

李鴻章像

李鴻章，字少荃，安徽合肥人，李鴻章因鎮壓捻軍、太平軍有功，先後擔任江蘇巡撫，兩江總督。1870年，李鴻章任直隸總督，兼北洋大臣，掌握著清政府的軍事，外交和經濟大權。李鴻章對內血腥鎮壓進步和愛國的群眾運動；對外主張妥協退讓，簽訂了《馬關條約》、《中俄條約》、《中俄密約》和《辛丑合約》等喪權辱國的不平等條約。他是中國近代史上反動與賣國勢力的典型代表。李鴻章作爲清政府的重要權臣，爲何甘願簽訂那些割地賠款的不平等條約呢？

李鴻章所處的晚清時期，內憂外患夾擊著搖搖欲墜的清王朝，爲挽救政治危機，清廷指令各省舉辦團練，鎮壓太平軍。爲維護地主階級利益，李鴻章積極籌建地主團練武裝，編練淮軍，瘋狂鎮壓農民起義軍。在上海，李鴻章雇用英法軍官，購置洋槍洋炮，把淮軍武裝和訓練成蘇南最兇惡的鎮壓太平軍革命的反動武裝。1865年，淮軍擴充到了六七萬人，成爲鎮壓捻軍的主力。李鴻章因鎮壓農民起義「功勳卓著」，受到清廷的青睞，先後升任江蘇巡撫，兩江總督。李鴻章也在鎮壓農民革命運動的過程中，與外國反動武裝結下「深厚的友誼」。臭名昭著的洋槍隊先由美國人華爾統領，後由英國人戈登接任，他們與李鴻章勾結在一起，血腥屠殺太平軍將士，對中國人民犯下滔天罪行。李鴻章在與外國人打交道的過程中，非常崇拜洋人，認爲外國人先進、強大，根本無法抵禦，對外國人只有妥協，退讓；並可以借助他們鎮壓本國人民的反抗運動。

清政府實權人物慈禧太后極力主張對內血腥鎮壓，對外屈膝求和，保住她一手遮天的太后寶座。權臣李鴻章當然明白這其中的奧秘。農民起義成功會推翻清王朝的統治，政權顚覆，皇親貴戚，滿朝文武都要淪爲階下囚，性命難保，而外國人堅船利炮攻打中國，爲的是經濟利益，只要割地賠款就能講和。況且這些損失可以轉嫁到老百姓頭上，清王朝依舊可以維護自己的統治。因此，李鴻章忠實地執行著慈禧的反動政策，深受慈禧賞識，官位越升越高，成爲大清帝國對外媾和的全權代表。

1884年，中法戰爭開始，法軍擊沈福建水師七艘軍艦，佔領邊境重鎮鎮南關。老將馮子材指揮中國軍民在鎮南關殲滅法軍一千多人，乘勝追擊到越南涼山，打得法軍大敗。在中國節節勝利，士氣大振的時候，李鴻章卻上書慈禧「乘勝即收，乘勝議和，免得法國增兵，坐失求和良機」。於是，中法簽訂《天津條約》，條約承認越南爲法國保護國；允許法國進入雲南、廣西貿易，減輕稅收；中國若修鐵路得須法國同意。中國打了勝仗，卻簽訂了一個喪權辱國的條約，舉國譁然！

李鴻章晚年舊照。

1894年，中日甲午戰爭爆發，海軍提督丁汝昌率領北洋艦隊返航旅順途中，遭遇日艦突襲，中國海軍將士浴血奮戰。旗艦「定遠」號受創後，「致遠」號管帶鄧世昌擔負起指揮北洋艦隊的重任，「致遠」擊中日旗艦「吉野」號後緊追不捨，不幸被魚雷擊中，全艦官兵壯烈殉國。「揚威」號被方伯謙的「濟遠」號撞傷後，被日寇擊沈。黃海海戰，北洋艦隊受到重創，但主力猶存。李鴻章強令北洋艦隊大小兵艦十五艘，魚雷艇十三艘縮藏在威海衛軍港，不准出海迎敵，叫做「避戰自保」。日寇出動二十五艘軍艦，兩萬多人，在成山角登陸，抄襲威海衛炮臺，封鎖住北洋艦隊出海口。中國水師困斃劉公島，全軍覆沒，提督丁汝昌、管帶劉步蟾自殺殉國。李鴻章的消極避戰導致了北洋艦隊的全軍覆沒。

李鴻章趕緊向日方屈膝求和，赴馬關春帆樓談判。日本首相伊藤博文步步緊逼，李鴻章在日方的淫威下妥協退讓，在條件十分苛刻的《馬關條約》上簽字。答應割讓遼東半島、臺灣、澎湖列島，賠償軍費兩億兩，開放沙市，重慶等四個通商口岸，允許日本人在各口岸自由開工廠……李鴻章的奴顏婢膝，忍辱求和，使得列強吞食中國的野心一再膨脹，中華民族在半殖民地的深淵中掙扎。

李鴻章遠赴東洋，與日本首相伊藤博文開始屈辱的談判。

1901年，李鴻章又代表清政府與八國聯軍頭子瓦德西及十一國公使簽訂了鴉片戰爭以來最不平等的條約——《辛丑條約》：戰爭賠款四億五千萬兩，北京至山海關共十二城鎮允

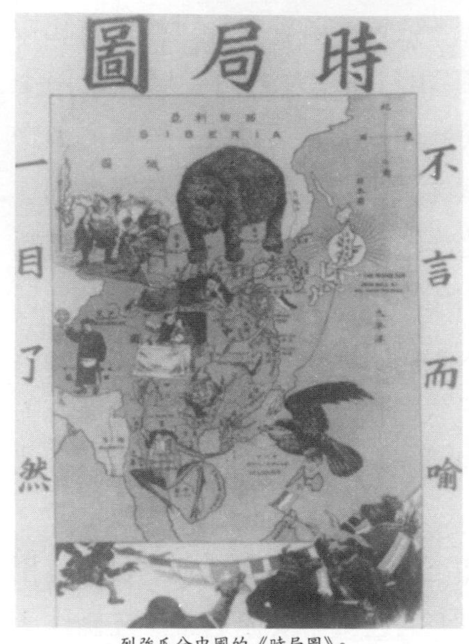

列強瓜分中國的《時局圖》。

許外國駐兵，設立東交民巷爲使館區……爲了個人權益，慈禧、李鴻章甘當外國人的走狗，置國家民族於不顧，簽署了愧對祖宗，愧對子孫的亡國條約！

李鴻章對洋人奴顏婢膝的另一個原因，就是依靠外國支援，興辦他的「洋務」，發他的「洋財」！李鴻章對外國人妥協退讓，使外國人非常滿意，支援他作官、發財。在侵略者的幫助下，李鴻章先後興辦了江南製造總局、金陵製造局等軍事工業；興辦了輪船招商局、開平煤礦、上海機器織布局、天津電報局等民用企業，李鴻章的軍事、經濟實力大增，成爲舉足輕重的人物。李鴻章簽訂了不少喪權辱國的條約，受到國人唾罵。後來，李鴻章終於背負著「賣國賊」爲名，氣怒而死。

52 鄧世昌死因之謎

鄧世昌像。

鄧世昌，近代傑出愛國海軍將領，在黃海海戰中，奮勇抗擊日艦進攻，壯烈殉國。鄧世昌是廣東番禺人，以優異成績畢業於福建船政學堂。他精於駕駛和海測，歷任「東雲」、「振威」、「飛霆」、「鎮南」炮艦管帶。他辦事勤勉，治軍嚴明，具有強烈的愛國思想。1894年鄧世昌督率「致遠號」與日軍英勇作戰。役中，他指揮「致遠」號巡洋艦積極投入戰鬥。在艦傷彈盡即將沈沒之時，他毅然決定撞向日軍主力艦「吉野」號；「致遠」號不幸被魚雷擊中，鄧世昌與全艦官兵壯烈犧牲。那麼，鄧世昌是如何犧牲的呢？

鄧世昌是近代中國自己培養出來的第一批優秀海軍軍官。他「執事惟謹」，「治事精勤」；刻苦鑽研海軍戰略戰術理論，注重實際指揮操練，全面提高海軍實戰能力。1881年和1887年，鄧世昌分別到英國紐斯卡爾港和朴利茅斯港接「揚威」號和「致遠」號巡洋艦，他抓緊機會學習西方海軍的先進技術和經驗，應用到中國海軍訓練課目中。在接駕「致遠」號返航途中，他安排全艦官兵盡快適應新艦，「終日間變陣必數次」，「時或操火險，或操水險，或作備攻狀，或作攻敵計」，時時演練，將「致遠」艦訓練成一隻戰術精湛的主力戰艦。

《中日甲午海戰圖》。

鄧世昌治軍嚴明，率先垂範，深受官兵愛戴。由於船上生活枯燥艱苦，許多北洋海軍軍官搬到岸上居住，船上水兵也登岸放鬆嬉戲。鄧世昌則堅守在巡洋艦上，與廣大官兵同甘共苦，日日訓練不輟，積極備戰。鄧世昌身正言正，鼓舞將士堅守軍人節操，爲國盡忠。他常常「在軍激揚風義，甄拔士卒，遇忠烈事，極口表揚，慷慨使人零涕」。因爲平時有鄧世昌的愛國主義教育，在黃海海戰中，才會發生全艦官兵同仇敵愾，視死如歸，英勇殉國的壯烈之舉。

1894年9月17日，北洋艦隊護送中國陸軍赴朝鮮登陸，返航途經黃海北部大鹿島西南海域時，與日本聯合艦隊主力遭遇，爆發了世界近代海戰史上規模罕見的黃海大海戰。開戰前，北洋艦隊十艘軍艦由五疊雁行小隊陣倉促改列爲不太整齊的橫雁陣列迎敵。交戰初始，北洋艦隊提督丁汝昌受傷，旗艦「定遠」號信號裝置被擊毀，北洋艦隊失去統一指揮，各自奮戰，十分被動。

在這危急時刻，鄧世昌在「致遠」號升起大旗變作旗艦，成爲日艦攻擊主要目標。鄧世昌命令「濟遠」號和「經遠」號向自己靠攏，又發信號，讓各艦集中火力攻擊日本旗艦「松島」和裝備精良的「吉野」號。「濟遠」號拒不執行命令，退出戰鬥。鄧世昌率「致遠」、「經遠」兩艦向日艦「吉野」衝擊，打折日艦「西京」號舵機，「西京」狼狽逃竄。「吉野」號是日寇主力艦，擊沈它就會打亂日艦陣腳。「致遠」緊緊咬住「吉野」，發炮擊中「吉野」。而「致遠」號因升為旗艦，受到日艦腹背夾擊，亦多處中彈受傷，艦體傾斜，既將沈沒。鄧世昌指揮的「致遠」艦共發炮一百餘發，重擊日艦，將彈藥用盡。「吉野」號發現「致遠」彈盡傷重，就氣勢洶洶地逼近了「致遠」。鄧世昌深知「吉野」號是日本海軍號稱「帝國精銳」的頭號主力戰艦，對北洋艦隊構成極大威脅，決定拼死撞沈「吉野」號。他激勵全艦官兵道：「吾輩從軍衛國，早置生死於度外，今日之事，有死而已！」「然雖死，而海軍聲威沸替，是即所以報國也。」全艦將士熱血沸騰，決心與敵同歸於盡，以死報國。「吉野」發現「致遠」要撞沈自己，就邊逃跑邊放射魚雷。一枚魚雷擊中「致遠」艦身，鍋爐爆炸了，艦艇一片火海。全船二百五十名官兵齊立甲板之上，遙望祖國，隨艦而沒。

「致遠號」官兵合影。「致遠號」是北洋海軍的主力戰艦，由李鴻章從德國訂購。

鄧世昌墜落海中後，他的隨從劉忠游近他，送來救生圈。鄧世昌擺手道：「事已至此，誓不獨生，必與艦共亡。」隨即閉目自沈海中。他有一條愛犬「太陽犬」，從不離開他左右。這時，太陽犬鳧水過來，叼住他的髮辮，要把他拖出水面。鄧世昌猛力掙脫，怎奈愛犬死不鬆口，鄧世昌咬咬牙將愛犬的頭按進水中，義犬亦隨他殉國。英勇不屈的中國海軍將領就這樣沈入黃海怒濤中。

鄧世昌在黃海海戰中壯烈殉國的消息傳來後，全國上下一片悲憤，各界群眾自發組織祭奠，敬獻匾額二百九十二塊，挽幛二百二十九幅。光緒帝被鄧世昌的忠烈氣節所感動，口諭「此日漫揮天下淚，有公足壯海軍威」的挽聯，還特爲鄧世昌寫下祭文、碑文各一篇，將他與西漢李廣，三國周瑜、唐代哥舒翰相提並論，高度評價鄧世昌的忠貞愛國行爲。清廷對鄧世昌破格撫恤，追贈太子少保、賜祭葬，入祀京師昭忠祠。鄧世昌因其忠烈愛國的浩然正氣，受到全國人民的世代懷念和敬仰。

53 誰害死了袁世凱？

年輕時的袁世凱。

袁世凱，北洋軍閥首領，中華民國臨時大總統。他專制獨裁，復辟帝制,成為為名千古的「竊國大盜」。袁世凱是河南項城人，早年投靠淮軍將領吳長慶，督辦山東防務；因鎮壓朝鮮兵變有功，被李鴻章保薦為「駐紮朝鮮總理交涉通商事宜」的全權代表。甲午戰爭期間，袁世凱到天津小站督練新軍，奠定了他一生事業的基礎。戊戌變法期間，向慈禧出賣維新派有功被寵信，又血腥鎮壓義和團運動，升任直隸總督兼北洋大臣。建立了龐大的北洋軍閥政治集團。武昌起義後，重掌實權，勾結帝國主義絞殺辛亥革命，竊取了中華民國臨時大總統職位。袁世凱建立專制獨裁政權，解散國會，篡改約法，接受了日本滅亡中國的「二十一條」以換取日寇的支援，復辟帝制，改元「洪憲」。袁世凱的倒行逆施遭到全國人民的憤怒聲討，他不得不宣佈撤消帝制。兩個多月後，袁世凱死去。據說，袁世凱死前只是喃喃重複：「他害死了我，他害死了我！」這是怎麼回事？袁世凱到底因何而死？

一種說法是認為袁世凱是因帝制失敗，眾叛親離，氣鬱成疾而死。《袁氏盜國記》認為他「盜國殃民，喪權亂法，在中國為第一元兇，在人類是特別禍首，其致死固宜。益以年老神昏，兵亡將變、人心怨懟、體面無存，袁氏心非木石，顧前思後，能不自疚？此即袁氏病死之眞因。」袁世凱的子女也認為袁世凱因「內外交攻，氣惱成病而死」。袁世凱是被誰氣死的呢？

通常認為是四川督軍陳宧背叛，宣佈「代表川人，與項城告絕，自今日始，四川省與袁氏個人斷絕關係」的通電，令袁世凱「疾益劇，至是殂。六月六日，憤疾而死」。陳宧是袁世凱的親信，也是帝制擁戴者，頗有軍事實力。袁世凱派陳宧帶兵入川前，陳宧前來辭行即行三拜九叩之大禮。《曹汝霖一生之回憶》敘述道：袁世凱十分驚異陳宧的舉動，陳宧解釋說恐怕不能出席袁世凱的登基大典了，因而先行恭賀。袁世凱假裝糊塗說，既然改變國體，就要廢掉跪拜之禮。陳宧又跪下，伏在袁世凱腳邊，連嗅袁世凱足靴三次，極其恭順虔誠，令袁世凱十分寵信，視為心腹。因此，當陳宧五月二十二日反戈宣佈獨立時，袁世凱彷彿挨了當頭一棒，心窩好似被刺一刀，受到致命打擊。此後，袁世凱的另外兩個親信：陳樹藩和湯薌銘於五月二十六日和二十九日分別宣佈陝西獨立、湖南獨立。親信的背叛令袁世凱惱恨至極，生生被氣死。也有人認為袁世凱是怨恨楊度，氣惱而死。

袁世凱戎裝像。

楊度一直宣揚君主立憲，反對共和，他揣摩袁世凱心意，炮製《君憲救國論》，為袁世凱復辟帝制大造輿論。楊度又發起「籌安會」，策劃復辟帝制。讓袁世凱以為民心可欺，皇帝夢可成，結果，讓袁世凱鋌而走險，騎虎難下，作了八十三天皇帝就被轟下臺。袁世凱思前想後，悔恨交加，因此，「匿避天津之楊度回京，比至，項城已不能語，但怒目視楊，似以自恨爲楊所誤者。……越六時而項城死。」楊度心有所感，他爲袁世凱所寫挽聯透露心中疑慮道：「共和誤中國？中國誤共和？百世而後，再平是獄；君憲負明公？明公負君憲？九泉之下，三複斯言！」

也有人認爲是袁克定力慫恿袁世凱復辟稱帝，自己好作「太子」，帝制失敗後，袁世凱追悔莫及，惱恨袁克定而死。袁克定是袁世凱的大公子，腿有殘疾，才能平平，卻對權力十分著迷。如果袁世凱的大總統到期卸任，憑袁克定的各方面條件沒什麼希望當選新任總統。但是，如果袁世凱稱帝，天下就是袁氏的，袁大公子就是當然的「太子」，皇帝的班兒自然由他克定來接。因此，袁克定絞盡腦汁要把袁世凱推向帝位。袁克定先是哀求袁世凱最寵愛的六姨太大吹枕邊風，說動奸詐多疑的袁世凱抓住時機稱帝，之後，袁克定又積極以「籌安會」、「請願團」爲復辟帝制大造聲勢，作好準備，爲袁世凱稱帝推波助瀾。袁克定還隱瞞國內反對帝制的眞實情況，假造《順天時報》欺騙袁世凱，讓袁世凱錯以爲萬民擁戴，心安理得地登基稱帝。袁世凱每日裏讀著歌功頌德的報紙，不禁心花怒放。直到有一天，大臣趙爾巽來訪，發現報紙的異樣，把實際的報紙與袁世凱的特製報紙相對照，袁世凱才知反袁怒火已經席捲全國了，袁世凱又驚又怕，無奈退位。袁世凱羞憤交加，氣怒而亡。

袁世凱在垂釣，他心裏在想著什麼呢？

但也有人說袁世凱是病死的。《袁氏盜國記》敘述道：「五月二十七日，經中醫劉竺笙、肖龍友百方診治，均未奏效；延至六月四日病勢加劇，即請駐京法國公使館醫官博士卜西京氏診視病狀，乃知為尿毒症，加以神經衰弱病入膏肓，殆無轉機之望。」《張謇評傳》也說「袁世凱患尿毒症，前列腺腫脹，如及時採取外科手術治療，絕無生命之虞，可是在醫療方案上，大兒子袁克定相信西醫，主張動手術；二兒子袁克文則竭力反對，相持上下，貽誤時機，終致不治。」袁世凱因治療不及時而斃命。

還有一個傳說，是袁世凱不吃藥導致病情加重而亡。據說，袁世凱在老家養病時，曾有術士算定他的壽命不超過五十八歲。袁世凱詢問破解之法，術士只說極難，非得龍袍加身不可。袁世凱表面沒說什麼，卻在術士的酒中下毒，殺人滅口。以後，袁世凱心懷異志，覬覦皇位，還眞的復辟帝制，龍袍加身了。無奈的是，全國人民反對，各省獨立，帝位不保，總統之位也佔據不住，憂懼成疾，性命難保。袁世凱昏謎之間就見術士前來索命，醫生給他服藥，他越看越像毒死術士的毒酒，說什麼也不喝。身邊之人知道隱情，但誰敢張揚？醫生沒辦法改用針灸，始終無效，袁世凱病重而亡。

其實，袁世凱稱帝違背民心，倒行逆施，舉國共憤，一片討伐之聲。帝國主義列強考慮在華利益，也對他施加壓力；袁世凱的親信部下馮國璋、段祺瑞也逼他交出權位；各省紛紛獨立……袁世凱在內外交迫，眾叛親離的境地裏，憂憤成疾，氣恨而死。死時五十七歲，到底沒有活過術士所說的五十八歲。不過，造成袁世凱死亡的直接原因是什麼，人們一直辯論不休，這個謎留待史學家們去破解吧。

54 末代皇帝溥儀的婚戀之謎

幼年時的溥儀。

清朝宣統皇帝愛新覺羅·溥儀的婚戀經歷，在中國歷代帝王中可說最爲奇特、最具戲劇性。他一生中有五個女人與其有感情瓜葛，即皇后婉容、淑妃文繡、貴人譚玉齡、福貴人李玉琴、妻子李淑賢。這期間，他從皇帝到公民，經歷了人世滄桑，也飽嘗了婚姻的酸甜苦辣。光緒三十四年（1908），慈禧太后與光緒皇帝相繼去世，年僅三歲的溥儀登基，成爲清朝最末一代皇帝，年號「宣統」。

宣統三年，在袁世凱的威逼下，溥儀退位，清朝二百六十八年的統治宣告結束。遜帝溥儀仍舊住在紫禁城的內廷，按清帝的規格享受著各種待遇，做著歸國舊主的美夢。1921年，溥儀十五歲，到了談婚論娶的年齡了，可是，這個小小少年並沒有什麼擇偶標準，也沒有娶妻的欲望，就隨便在下人送來的四張少女照片上畫個圈，結果就定下了自己的終身大事：納滿洲正白旗郭布羅氏榮源的女兒婉容爲后，滿洲額爾德特氏端恭的女兒文繡爲妃。

皇后婉容生得端莊秀麗，窈窕多姿，一雙水靈靈的大眼睛顧盼生輝，本來應得到溥儀的喜愛。可是，等到隆重熱烈的婚禮一結束，對婚姻沒有一點興趣的溥儀卻扔下皇后回到自己的養心殿去琢磨怎樣「親政」去了。新婚第一夜，竟讓婉容在坤甯宮的喜房中獨坐到天亮。此後，溥儀和婉容根本就沒夫妻生活，很少在婉容這裏過夜，即使來了，也是稍待一會兒就走。婉容常常在沐浴後打量自己美麗的體形和白嫩的肌膚，顧影自憐。幸好「名分」和「尊嚴」，使她心理得到了平衡。爲了保住自己的「皇后」位子，她想方設法排擠、壓制文繡。後來文繡與溥儀離婚，婉容得到的竟是溥儀更大的反感。於是，婉容開始吸毒，並與人私通，直到有了私生子，被溥儀軟禁在內廷。後來經過「滿洲國」，「八一五光復」及國內戰爭等變遷，婉容流落到吉林省敦化。年僅四十歲的她，已瘦得皮包骨頭，兩眼目光呆滯，臉色青白，一口黃牙，不像人樣了。1946年病死，屍葬何處無人知曉。

文繡比婉容更加痛苦。她不僅遭受溥儀的冷落，忍受婉容的欺淩，還得受各種宮規的束縛，過著名爲皇妃，實爲囚徒的生活。她常以消極抵觸的情緒對溥儀表示不滿。溥儀去她那兒，太監傳報了，她不出來迎駕；溥儀想同她開個玩笑，到她窗下敲窗

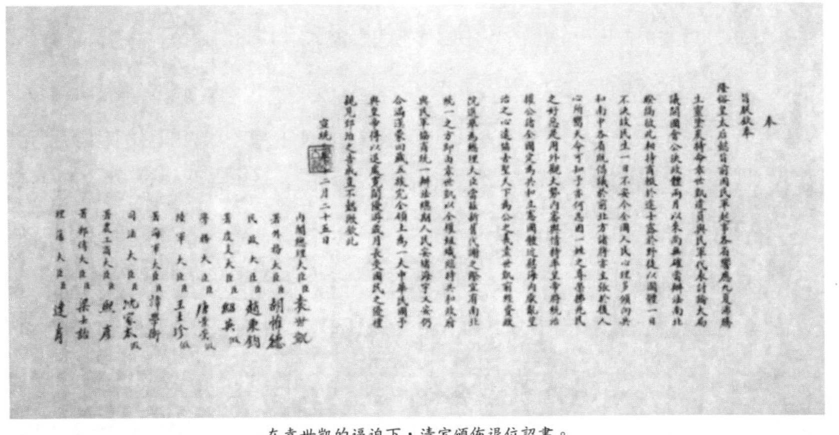

朕欽奉
隆裕皇太后懿旨前因民軍起事各省響應九夏沸騰
生靈塗炭特命袁世凱遣員與民軍代表討論大局
議開國會公決政體兩月以來尚無確當辦法南北
暌隔彼此相持商輟於途士露於野徒以國體一日
不決故民生一日不安今全國人民心理多傾向共
和南中各省既倡議於前北方諸將亦主張於後人
心所嚮天命可知予亦何忍因一姓之尊榮拂兆民
之好惡是用外觀大勢內審輿情特率皇帝將統治
權公諸全國定為共和立憲國體近慰海內厭亂望
治之心遠協古聖天下為公之義袁世凱前經資政
院選舉為總理大臣當茲新舊代謝之際宜有南北
統一之方即由袁世凱以全權組織臨時共和政府
與民軍協商統一辦法總期人民安堵海宇乂安仍
合滿漢蒙回藏五族完全領土為一大中華民國予
與皇帝得以退處寬閒優游歲月長受國民之優禮
親見郅治之告成豈不懿歟欽此
宣統 二月二十五日
內閣總理大臣臣袁世凱
署外務大臣臣胡惟德
民政大臣臣趙秉鈞
署度支大臣臣紹英假
學務大臣臣唐景崇假
陸軍大臣臣王士珍假
署海軍大臣臣譚學衡
司法大臣臣沈家本假
署農工商大臣臣熙彥
署郵傳大臣臣梁士詒
理藩大臣臣達壽

在袁世凱的逼迫下，清室頒佈退位詔書。

戶，她連頭也不抬；溥儀從她那走時，她裝著寫字，站也不想站起來。1931年，其時溥儀早已被馮玉祥的國民軍逐出了紫禁城，住進了天津租界。文繡接觸了外界的新思想，頂住了來自各方面的壓力，終於與溥儀離了婚，逃出了這個「活棺材」，得到了自由。後來，她在天津當了一名小學教師，直到1950年逝世。

譚玉齡是滿族人，原姓他他拉氏，進入「宮廷」時才十七歲，是個初中學生。她是在文繡離婚出走後，婉容又因私情被軟禁時，爲了使「皇帝」身邊有個「後妃」作爲擺設，被選中的。當時溥儀已成爲僞滿日本軍國主義者手中的玩偶，日本人要爲他找個日本女人，以生下一個具有日本血統的「龍子」，爲永久霸佔中國的東北奠定基礎。溥儀恐懼這個可怕的結果，怕日本老婆成爲他身邊的定時炸彈，於是急急忙忙找了譚玉齡，並封其爲「貴人」。結果，貴人譚玉齡在溥儀身邊仍然像一隻籠中的鳥兒，沒有恩愛，沒有感情，不出五年，竟不明不白地「病死」了。一個二十二歲的姑娘竟成了犧牲品。

李玉琴是在譚玉齡死後不久，來到溥儀身邊的。被封爲「福貴人」。這場婚姻的出籠，簡直與譚玉齡的如出一轍，也是溥儀不願娶日本老婆，自找個女學生充數，而入選的李玉琴比譚玉齡年齡更小（才十五歲），文化程度更低。李玉琴來了不到兩年，日本戰敗，滿洲國垮臺，李玉琴卻被溥儀拋下不管，與骨瘦如柴的婉容及溥傑的日本妻子嵯峨浩等人在中朝邊境流浪。後來被八路軍俘獲，由臨江到通化、長春、延吉、再轉回通化，顛沛流離，苦不堪言。最後，李玉琴背著僞滿「皇妃」的黑鍋，回到自己的娘家了。

爲什麼溥儀對自己的皇后、皇妃，貴人們這樣冷淡？這四個女人的感情生活爲什麼如此孤寂淒涼？據說，這和溥儀的性格有直接的關係。在溥儀剛剛步入成熟期的少年時代，他身邊的太監經常讓一些宮女作「替班」侍候他，同他共寢。這些宮女年齡都比他大，正是春心蕩漾，饑渴難耐的時期，見了這個童子皇帝如同久旱逢甘霖，個個施展床上功夫，「輪番攻擊」，終於使溥儀招架不了，精虧體弱。他身邊的皇后、皇妃們只是當作擺設，根本談不到什麼床第之歡，而這些如花少女得不到他的雨露滋潤，自然就枯萎、衰敗了。

後來，幾經波折，溥儀被關押在撫順戰犯管理所，接受人民政府的改造，1959年獲特赦，成爲一個普通公民。經過五十多年的人世滄桑，特別是十年的關押改造，他才感到建立一個以感情爲基礎的平常家庭是多麼需要。在諸多有意於他的新女性中，他選擇了一位只有高小文化程度，每月只拿五十多元工資的女護士爲妻，這就是李淑賢。李淑賢是個普通得不能再普通的女人，可是溥儀卻眞心實意地愛上了她。在1962年舉行的婚禮上，溥儀說：「我們今天能建立起一個幸福的新家庭，我感到非常興奮。」他表示今後要和李淑賢互相勉勵，互相幫助，共同進步。婚後，夫妻倆感情融洽，互相體貼，一起度過了五年的快樂時光。臨死前，他深情地拉著妻子的手，哭著，久久說不出話來，他在哀歎這夫妻恩愛的美好時光太短暫了。當他眞正懂得愛情的價值的時候，爲時已晚了。

55 蔡鍔出逃之謎

蔡鍔在名妓小鳳仙的掩護下，逃出北京。

蔡鍔，近代愛國軍事將領，護國討袁先鋒，率先雲南起義，點燃推翻帝制烈火，使中國由專制重回共和。蔡鍔是湖南邵陽人，字松坡，他深受梁啓超民主共和思想的薰陶，傾向革命，進步行動。蔡鍔軍事指揮才能卓越，治軍嚴明，享有極高聲望。武昌起義後，蔡鍔在昆明積極回應，建立軍政府，任都督。貴州獨立後，他派唐繼堯出兵貴陽，支援貴州立憲派。袁世凱陰謀稱帝，害怕蔡鍔起兵反對，就把蔡鍔全家調到北京。表面上委任蔡鍔作高等軍事顧問、政治會議委員、陸海軍統率處辦事員、全國經界局督辦、參政院參政，實際是駕空蔡鍔，並派人時時監視，形同軟禁。1915年12月13日，袁世凱公然復辟帝制，激起全國人民的義憤。蔡鍔與梁啓超密謀，起兵討袁。蔡鍔潛出北京，轉道日本、香港，歷經險阻返回昆明。「定策於惡網四布之中，冒險於海天萬里之外。」蔡鍔率領雲南護國軍，高舉護國反袁大旗，掀起了轟轟烈烈的護國運動。袁世凱在強大的壓力下，宣佈取消帝制恢復共和。那麼，蔡鍔是如何逃離北京的呢？

多數人認爲是在名妓小鳳仙的掩護下，蔡鍔逃出北京。蔡鍔爲了麻痹袁世凱，與京師名妓小鳳仙整日花天酒地，故意與妻子反目，將家眷趕回湖南老家。1915年11月11日上午，蔡鍔按例到統率辦事處簽到，蔡鍔預先將錶撥快一小時，對值班員說：「唉呀，大概我的手錶不準，害得我起個大早！不過，既然來了，就簽到吧。」蔡鍔匆忙簽過到，直奔北京火車站，與小鳳仙一起搭車躲進天津日租界的同仁醫院。蔡鍔向袁世凱請假治療咽喉疾病。袁世凱對蔡鍔一直嚴加防範。他立即派暗探到天津進行監視，一天深夜，蔡鍔與小鳳仙狂飲，他連聲大叫：「我胃裏難受，我要嘔吐，我忍不住啦！快點扶住我！」暗探們在外面聽得清清楚楚，以爲蔡鍔眞醉了。第二天中午，蔡鍔房中仍無動靜，好似沈醉未醒。午後，小鳳仙濃妝豔抹出門購物，可是眼見天黑也沒看到小鳳仙回來。暗探們慌了，撞開房門，哪有人影？原來，蔡鍔假借去廁所嘔吐逃出後門，身穿日本和服，登上日本商船東渡扶桑。小鳳仙的密切配合，爲蔡鍔爭取了寶貴的出逃時間，掩護了蔡鍔的行蹤，使他順利東渡日本。

但陶菊隱在《北洋軍閥統治時期史話》一書中敘述說：「從十月下旬起，蔡鍔就經常請病假，不久借著一個與小鳳仙乘車出遊的機會，十分機警地溜到了東車站。梁啓超早已安排家人曹福買好兩張三等車票，在車站等候。蔡鍔上車後，曹福把車票悄悄塞給蔡鍔，二人假裝互不相識。火車到天津站後，曹福將蔡鍔護送到意租界會見梁啓超；會談之後，曹福又護送蔡鍔到日租界同仁醫院下榻。按陶菊隱的觀點，蔡鍔出逃除與小鳳仙的掩護有關，還與梁啓超的周密安排分不開。

還有另一種說法，鮮爲人知。曾鯤化的外孫女婿賀舜田根據岳母曾龍珠的回憶，撰文提出：蔡鍔逃離北京是由國民政府交通參事曾鯤化等精心策劃的。按照計劃，蔡鍔與小鳳仙將密探引到中央公園（今中山公園）的來今雨軒，蔡鍔故意將錢袋子和貴重的巴拿馬草帽放到茶桌上，將長衫脫下搭在椅背上。暗探們假充遊客，遠遠瞄著蔡鍔。蔡鍔起身對小鳳仙說：「我去廁所，你看好東西。」暗探們看蔡鍔身穿短衫走向廁所，以爲他不會離開，就沒有跟蹤。蔡鍔繞過廁所，溜出園門，直奔府右街石板房二十號曾鯤化家。曾鯤化的妻子劉燦華爲蔡鍔準備了藍衫黑裙，將蔡鍔男扮女裝，由曾家廚師和馬車夫用轎子抬到崇文門火車站。崇文門火車站未設檢查機構，曾鯤化利用交通參事職務之便，將蔡鍔直接送上去天津的專車。蔡鍔成功逃離北京。

哈漢章在《春耕筆錄》中敘述道，1915年11月10日，哈漢章爲祖母慶賀八十壽辰，在錢糧胡同大辦壽宴。蔡鍔與同僚都應邀出席，他與牌友們通宵玩牌，次日七時才散了牌局。密探們熬了一夜，早已困倦放鬆了警惕。蔡鍔趁機溜出哈府，直入新華門。到達總統辦事處後，侍者問蔡鍔因何早來？蔡鍔故意驚詫道：「咦？我的錶快兩個小時嗎？」他隨即給小鳳仙打電話，約她午後十二點半吃飯。蔡鍔設計瞞過袁世凱的耳目，走出西苑門，乘火車逃到天津。後來，繞道日本返回雲南。蔡鍔逃離北京後，密探們聽說蔡鍔與小鳳仙有個飯局，就盤問小鳳仙。小鳳仙只是裝糊塗，密探們套不出眞話來，就推測是小鳳仙坐騾車去豐台，把蔡鍔藏進車中帶跑了。這之後，北京人就都在傳播俠義名妓小鳳仙掩護蔡鍔逃到豐台的謬傳。到底是誰幫助蔡鍔逃離北京的？是梁啓超、曾鯤化，還是小鳳仙？

56 「辮帥」張勳剪辮子之謎

「辮帥」張勳。

張勳，北洋軍閥統治時期的安徽督軍，以可笑的頭辮和復辟帝制而著名於世。張勳出生於江西小商販之家，從軍之後，由慈禧扈從提升至提督高位，他十分感念清室皇恩，堅持保留長辮以表忠心，他的幾萬軍士也都不剪髮辮，被世人稱作「辮子軍」。1917年6月，「辮帥」張勳以調解北洋政府總統與總理的矛盾爲藉口，率兵入城，解散議會，逼走黎元洪。7月1日，宣佈復辟帝制，十二天後復辟失敗，張勳逃入荷蘭公使館。這時的張勳，頭上的髮辮已經剪掉了，張勳難道忘記了他「頭可斷，辮難剪」的誓言？

張勳是江西奉新人，出身於小商之家，地位低下。他四十歲時投奔袁世凱，鎮壓山東義和團有功，升爲總兵。1900年，八國聯軍進犯北京，慈禧太后挾持光緒皇帝西逃。山東副將張勳率幾千人，日夜兼程趕來護王。張勳跟在慈禧大轎後面護駕，累犯了痔瘡，血水淌到地上，他仍堅持步行跟從。慈禧發現了一瘸一拐的張勳，派太監詢問原因，太監稟明情況，令慈禧十分感動，特許張勳騎馬護駕。張勳跪倒謝恩，堅持步行，不離慈禧左右。張勳由此受到西太后誇讚，並被提拔爲禁衛軍統領；他感激涕零，發誓盡忠報效清廷。1902年以後，張勳多次爲西太后扈從護駕，因忠心耿耿，被提拔爲提督。革命黨武昌起義後，張勳大肆捕殺革命志士，鎮壓革命運動。

袁士凱死後，張勳在徐州成立七省聯盟，繼而擴大到十三省同盟，陰謀復辟清室。爲表忠心，張勳頑固地保留著清朝遺老的標誌——大長頭辮，命令手下官兵也都蓄留髮辮，成爲社會逆流。袁世凱死後，北洋軍閥分裂爲「皖、直、奉」三系。皖系軍閥段祺瑞控制著北京政權，行使國務院總理職權，常與總統黎元洪發生衝突。段祺瑞爲武力統一中國，竭力主張對德宣戰，以便向日本借款擴大皖系軍備。黎元洪和國會堅決反對段祺瑞的主張，段祺瑞就組成「督軍團」逼總統就範，還要求解散議會。黎元洪乾脆下令免去段祺瑞總理之職。段祺瑞回到天津後，成立一個總參謀部，策劃利用張勳奪回總統之權。

張勳率領五千辮子軍開進北京城，表面上是爲調解糾紛而來，實質上要乘機復辟。張勳謁見完黎元洪，匆忙換上頂戴花翎參拜退位的宣統皇帝。看到昔日威風凜凜的大清皇帝困居皇宮之中，張勳不禁眼含熱淚，他把恢復帝制的密謀詳細地稟告了溥儀。廢帝溥儀從不甘心退出歷史舞臺，總是忘不掉祖宗基業，忘不掉神聖的皇權。聽了張勳的計劃，溥儀彷彿被注射了一針強心劑，他緊緊握住張勳的手說：「若能成就復辟大業，卿等是我大清一等功臣，望爾莫負朕望！」張勳積極聯絡康有爲，商討恢復帝制事宜。康有爲執筆擬就宣統皇帝重定詔書以及重建大清的各項典章制度。

1917年7月1日，北京城內大清龍旗迎風招展，紫禁城內一片高呼「萬歲」之聲，張勳、康有爲擁戴十二歲的溥儀重定，宣告大清復辟的盛典隆重出演了。張勳自封議政大臣兼直隸總督、北洋大臣，大過官癮。京中文武官員，剪斷辮子的趕緊買個假辮戴上，翻出朝服官帽，熱熱鬧鬧地叩拜宣統皇帝。此時的民國六年也改爲「宣統九年」，一切事情彷彿又回到從前，好像歷史在重演。腐朽、沒落的封建氣息瀰漫京城。張勳的倒行逆施，激起全國人民的憤慨。段祺瑞一看時機已到，7月12日高舉討逆大旗，兵分三路進攻北京。辮子軍被打得大敗。張勳眼見大勢已去，匆匆逃進荷蘭公使館。爲時十二天的復辟鬧劇破滅。段祺瑞頭戴「再造共和」的桂冠，重返政壇。張勳躲在荷蘭使館內，聽說國人要將他「懸首國門」示眾，嚇得魂不附體。張勳請求荷蘭公使幫他一把。荷蘭公使讓他剪掉辮子出國逃生。這會兒辮帥張勳再也顧不得他「頭可斷，辮難剪」的誓言，乖乖地讓荷蘭公使幫他剪掉長辮子，套上不合身的西服，一溜煙兒跑出中國。辮帥的髮辮情結結束了。

57 秋瑾被害之謎

被人們尊稱爲「鑒湖女俠」的秋瑾是被誰殺害的？

秋瑾字璿卿，號競雄，又稱鑒湖女俠。她是激進的資產階級革命黨人的傑出代表，中國民主革命的先驅之一。1907年，秋瑾，與徐錫麟策劃浙皖兩地反清起義，徐錫麟在安慶倉促舉事失敗，被捕遇害。秋瑾所在紹興大通學堂被包圍，女俠秋瑾被捕後，堅貞不屈，視死如歸，在紹興軒亭口英勇就義。「已拚俠骨成孤注，贏得英名震萬方」，革命志士秋瑾的壯烈犧牲，讓更多的國人覺醒，他們追隨革命者的步伐，投身到民主革命的洪流中。那麼，秋瑾是如何落入反動政府之手，又是怎樣被殺害的呢？

秋瑾出生於浙江山陰，她幼時就讀家塾，聰穎好學，她十幾歲便熟知經史，長於詩詞，又能騎馬擊劍，雖爲女流，卻有救國濟民的遠大志向。秋瑾目睹了滿清政府腐敗無能，喪權辱國的醜惡嘴臉，面對著掙扎在水深火熱之中的同胞，她的熱血在沸騰，她忍痛拋下一雙小兒女，隻身遠涉重洋來到日本，尋求救國救民的革命眞理。1904年秋她在橫濱加入反清秘密團體「洪門天地會」，創辦《白話報》，撰寫《敬告中國二萬萬女同胞》等文章，宣傳反清復興，男女平等的主張，深受留日學生敬佩。年底，秋瑾回國，加入了蔡元培、章太炎領導的資產階級革命團體光復會，投身到國內反清鬥爭中。

1905年，秋瑾二次東渡日本，她吟詩詠志：「萬里乘風去復來，隻身東海挾春雷，忍看圖畫移顏色，肯使江山付劫灰！濁酒難銷憂國淚，救時應使出群才，拼將十萬頭顱血，須把乾坤力挽回！」詩中回蕩著收復河山、慷慨犧牲的英雄氣概，令人讚歎。秋瑾經黃興介紹，加入了中國第一個資產階級革命政黨——同盟會，把「驅除韃虜，恢復中華，創立民國，平均地權」的革命綱領作爲自己的奮鬥目標，從此踏上革命征程。秋瑾革命態度堅決，積極參加革命活動，被推舉爲同盟會評議部評議員和浙江主盟員。1906年1月，秋瑾回到上海，設立秘密機關，開展革命活動。秋瑾還創辦《中國女報》，喚起女同胞的覺醒，號召婦女姐妹投入到反抗壓迫的革命洪流中來。《中國女報》使幾千年來深受封建桎梏束縛的中國女性猛然警醒，掙脫封建枷鎖，爭取自己的權益和自由。封建衛道士對秋瑾恨之入骨，對她恐嚇謾罵。秋瑾與同志們一起思考著以更激進的革命方式，掀起革命狂潮，實踐孫中山先生所倡導的「驅除韃虜，建立民國」的革命設想，她早將生死置之度外。

1907年，秋瑾受革命黨人徐錫麟委託，回到紹興主持大通學堂。大通學堂是由革命黨創辦的，學員都傾向革命，成爲開展革命活動和聯絡浙江會黨的中心。秋瑾上任後，加緊聯絡浙江各地會黨，培訓軍事骨幹，積聚革命力量，回應徐錫麟皖浙同時起義的計劃。徐錫麟來到安徽，被任爲巡警會辦兼巡警學堂會辦。徐錫麟利用有利身分，在學堂和新軍中積極進行革命工作，暗中籌劃安徽起事。但是，不幸的是，同盟會內部出現叛徒，革命黨人隨時都會暴露，情況十分危急。徐錫麟倉促之間決定提前起事，在巡警畢業典禮上，殺官起義。然而情況又有變化，典禮又提前兩天召開，外地革命黨人已經來不及趕來，徐錫麟決定單獨起事。他刺殺了安徽巡撫恩銘後，起義軍衝進安慶軍械所，但沒能打開彈藥貯藏室。三十多名革命者被包圍，徐錫麟負傷被俘遇害，起義失敗。秋瑾得知噩耗，她沒被反動勢力的囂張氣焰嚇倒，決定在7月19日，舉行浙江起義。

安徽起義震驚了清政府，革命黨人被大肆逮捕。紹興知府貴福也得到密告：浙江起義總部就在大通學堂，總指揮就是秋瑾。秋瑾發現了反動軍隊在集結，她明白浙江起義計劃已無法實現。秋瑾撤離了大通學堂師生，隱藏好槍彈器械，銷毀文件書信，自己堅守在學堂中，準備與反動政府作最後的鬥爭。7月13日下午，三百名清兵將大通學堂緊緊包圍，秋瑾被捕。貴福連夜審訊秋瑾，秋瑾一口咬定沒有同黨。貴福用酷刑逼迫秋瑾招供，秋瑾說：「知府大人是我的同黨，您給我寫的那幅『競爭世界雄冠全球』的對聯，不正說明您對我革命事業的堅決支援和無限厚望嗎？您與我合影留念，體現了您對同志的關心和友誼。貴大人，您才是我真正的同黨呀！」貴福又氣又怕，他沒想到讓秋瑾反咬一口，沒想到這個女人如此厲害！真讓她抓住了把柄，一旦朝廷知曉審訊內情，定會治罪！貴福越想越怕，他不敢直接審問秋瑾，就派手下嚴刑拷打秋瑾，逼迫她屈服。秋瑾身受重刑，堅貞不屈，怒斥這群清廷爪牙必將被革命怒潮捲走。貴福被秋瑾的凜然正義嚇破了膽，他捏造罪名，匆匆殺害了女英雄。

7月14日深夜，秋瑾與女獄卒商量，解下刑具，給朋友寫一封書信。忽然響起急促的砸門聲，喊著提審人犯。女獄卒開牢門一看，燈光眩目，荷槍實彈的士兵黑壓壓地擠滿門口，女獄卒知道大事不好，嚇得眼淚直流。秋瑾安慰她說：「你別怕，什麼酷刑我不知道？我出去看看。」看到門外情況異常，秋瑾估計她將被暗殺，就要求見執行官，她厲聲問道：「我犯何罪致死？我要見貴福問個清楚！」會稽知縣顫抖著說：「我也知道你死得冤，但這是沒辦法的事，請女俠成全。」秋瑾思索片刻，提出三點要求：一、傳書密友告知死訊；二、臨刑不脫衣帽；三、不斬首示眾。知縣應允了後兩件，秋瑾表示感謝。秋瑾身穿白汗衫，外穿玄色生紗衫褲，足穿皮鞋，身負鐐銬，兩手被反綁，從容走向軒亭口刑場。後面的兵士推著秋瑾，秋瑾怒斥道：「我自己會走，用不著你來催逼！」臨刑前，秋瑾平靜地說：「請等一會，讓我看看有無親人為我送行。」秋瑾兩眼受刑充血，猶如一對血球，她費力地看望空茫漆黑的四周，望著這片生養她的土地，她的熱血將澆灌在這裏，盛開出絢麗的革命鮮花，那時，她就死而無憾了。秋瑾安詳地合上眼睛說：「可以了。」罪惡的槍聲響起，女俠秋瑾從容就義，一腔熱血染紅了黎明前的黑暗土地。

秋瑾遺體幾經輾轉，辛亥革命勝利後，被重新安葬在杭州。孫中山先生題寫的「巾幗英雄」四個大字鑲嵌在秋瑾墓壇上，人們永遠緬懷這位資產階級女革命家，她是中華女性的驕傲，她的崇高革命氣節激勵著一代又一代的中國人，民族的繁榮富強而奮鬥終生！

58 康有爲脫險之謎

在百日維新變法失敗後，康有爲是如何脫險的呢？

康有爲，資產階級維新派主要代表，主張變法改良救國圖強，他是戊戌變法的核心人物。康有爲是廣東南海人，曾受過嚴格的封建教育，後來接受西方資本主義改良思想，提出變法要求。1891年，康有爲在廣州萬木草堂聚徒講學，著書立說，奠定了維新變法的理論基礎。

1895年，《馬關條約》簽訂是時，康有爲發起「公車上書」行動，提出拒和、遷都、練兵、變法的主張，先後在京滬組織強學會，發行《強學報》，倡導維新。1898年，康有爲在北京成立保國會，提出「保國、保種、保教」的口號。光緒帝接受康有爲的變法建議，於1898年6月11日下詔宣佈變法。維新派的變法內容觸動了封建守舊勢力的利益，遭到以慈禧爲首的反動勢力的扼殺，9月21日淩晨，慈禧太后發動宮廷政變，囚禁光緒帝，捕殺維新黨人。

康有爲事先逃離北京，轉道上海，逃亡日本，才免遭毒手。那麼，康有爲是如何脫險的呢？

在慈禧太后淫威下長大的光緒帝，對清廷的腐朽沒落憂慮重重，從變法主張中看到一線生機。他不甘心一輩子作傀儡皇帝，力圖有所作爲，因此，積極支援康有爲、梁啓超的維新變法。

1898年6月11日，光緒帝頒佈《明定國是》詔，拉開維新變法序幕。在一百零三天的變法期間內，光緒帝共發佈改革諭旨一百八十條左右，最多的一天竟發佈十一條諭旨。改革內容涉及國家生活的各個重要方面，直接觸及到頑固分子的切身利益。慈禧太后名義上還政光緒，但在正式變法的第四天，就逼迫光緒帝下旨將協辦大學士、戶部尚書翁同和革職、任命榮祿爲直隸總督，規定授任二品以上官員須向西太后謝恩。西太后借此牢固控制住官吏任免大權，加強頑固守舊力量，削弱光緒的權力和支援力量。光緒帝依靠康有爲等維新派與頑固派艱難地鬥爭著。光緒帝向封建官僚體制開刀，裁撤臃腫機構與冗員；提拔楊銳、劉光第、林旭、譚嗣同等維新人才，加強變法力量。康有爲被任命爲「總理衙門行走」，提出設制度局、廢八股、修鐵路、譯書、遊學等主張發展。西太后害怕光緒帝借變法之機發展勢力，威脅她的權力，暗中布署發動兵變，準備10月19日乘光緒天津閱兵之機，廢掉皇上，奪回權位。

光緒帝深感形勢危急，接受康有爲的建議，拉攏榮祿手下重要將領袁世凱反戈，保護維新事業。經康有爲聯絡，9月16日、17日光緒帝兩次召見袁世凱，加官進爵，讚譽勉勵；袁世凱表示要效忠皇上。慈禧太后一直在光緒身旁安插耳目，監視他的一舉一動。慈禧對袁世凱受封格外警覺，命令榮祿調動嫡系部隊進駐京津。光緒帝也預感會發生不測，9月17日給康有爲一道密詔，命他立即離京，日後再圖大業。9月18日，譚嗣同夜訪袁世凱，要他「錮後殺祿」，挽救皇上。袁世凱假意答應。9月20日，光緒帝在袁世凱離京之前召見他，千叮萬囑，命他保衛聖躬。傍晚，袁世凱回到天津，立即向榮祿告密，榮祿連夜趕往頤和園報告西太后。9

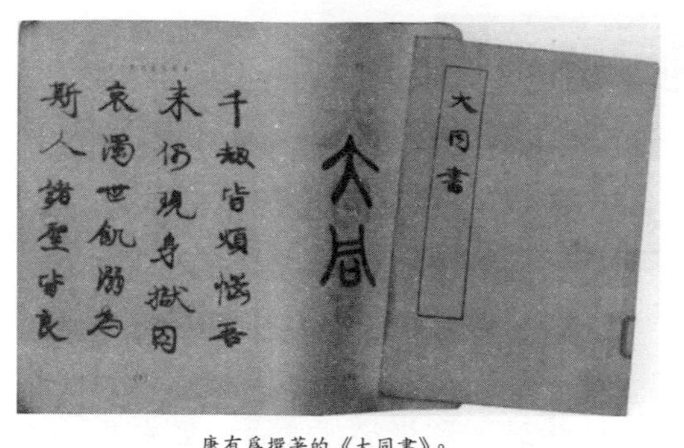

康有爲撰著的《大同書》。

月21日淩晨，慈禧率衛隊衝進紫禁城，發動政變，囚禁光緒帝於瀛台，下令捉拿維新黨人。康有爲提前離京，譚嗣同、林旭、劉光第、楊銳、康廣仁、楊深受「六君子」因變法而慷慨就義。那麼康有爲是怎樣逃出虎口的呢？

康有爲接到光緒密詔後，9月20日晨化裝離開北京，傍晚抵達天津塘沽。9月21日晨乘船去上海。因此，戊戌政變後，清兵包圍康有爲的南海會館時撲了空兒，只抓住了康有爲的弟弟康廣仁。康有爲此時不知北京發生事變，一路上心情輕鬆，船過煙臺時，還登岸觀景。上海道蔡鈞接到密電，緊急布署抓捕方案，他還向駐滬英領事求援。英國領事白利南早就聽說過維新派精英人物康有爲，欽佩他的才學和改良勇氣，決定幫助他逃走。白利南派人持蔡鈞提供的照片，提前登上重慶輪，找到康有爲，說明緊急情況，將康有爲轉到英國渡輪「琶理」號。重慶輪駛進吳淞口，蔡鈞派人衝上輪船抓捕康有爲時，得知康有爲已被英國人轉移到「琶理」號英國船上。蔡鈞十分惱火，他要求英國人交出康有爲，被嚴辭拒絕於是康有爲得以在海外著書，繼續宣傳變法。

59 張作霖死因之謎

張作霖像。

張作霖，奉系軍閥首領。他因鎮壓革命進步力量有功而獨攬奉天軍政大權，後來又兼任蒙疆經略使，還一度建立北京安國軍政府，成為北方最有勢力的強權人物。張作霖勢力的迅速擴張與日本政府的「苦心扶植」分不開，日本人先後幫助張作霖完全控制東三省；挑起第二次直奉戰爭，打敗吳佩孚，攻佔蘇、皖、滬；殺掉郭松齡，平定奉系內亂……張作霖用犧牲滿蒙權益報答了日本人的「厚愛」，他們的合作一直是非常「愉快」。可是，1928年6月，日本關東軍卻在張作霖退回東北返回奉天的時候，在皇姑屯安放炸藥，炸死了張作霖。日本人為何翻臉，對張作霖痛下毒手呢？

張作霖是奉天海城人，出身貧苦農家。身逢亂世，張作霖投身綠林，糾集數十人組織團練，號稱保險隊，在黑山南趙家廟一帶劫掠。1902年經官府收編，任新民府遊擊馬隊管帶，仍不改土匪惡習，經常外出劫掠。1917年武昌起義後，被東三省總督趙爾巽任命為「奉天國民保安會」軍事部副部長，兼中路巡防統領，協同打擊革命力量。張作霖鎮壓革命有功，受到袁世凱的賞識，被提拔重用。張作霖一面討好袁世凱，一面勾結日本人，不斷擴大自身勢力。通過出賣國家權益換來日本出兵幫助，張作霖成為北方勢力最強大的軍閥。日本人扶植張作霖，目的是培養滅亡東三省、進而滅亡中國的傀儡。張作霖對於日本人無止境的索取逐漸警覺，加上國內反日浪朝的掀起，使他轉變了對日政策，對日本人的獅子大開口無法滿足，令日本人十分不滿。張作霖把合作的目光轉向了美國，日本人知道後，增加了對他的仇恨。

當初，張作霖部下郭松齡反戈，佔領了錦州、新民等地，瀋陽告急。張作霖向日本求救，以犧牲南滿、東蒙的權益換取了日本的出兵干涉，坐穩了東北頭把交椅。日本人雖得到許多權益，但他們得寸進尺。1927年，日本政府要求在滿蒙享有各種特權，還透露出不答覆條件，就換掉張作霖，或者武力殲滅奉軍。張作霖絕不妥協，因此他與日本人的矛盾更加激化了。

1928年初，蔣介石統率馮玉祥、閻錫山、李宗仁各路軍北上，討伐奉軍。奉軍戰局不利，退守黃河以北。有一天，張作霖打牌解悶兒，日本公使芳澤緊急來訪，提出中日合資修築吉會鐵路的如意打算，張作霖沒有答覆這個無理要求。芳澤又加上日軍出兵阻止北伐軍越過黃河這個政治籌碼。張作霖不動聲色地說：「家中之事，不勞鄰居費心，即使被北伐軍趕出關內，也還可以在關外自己家中歇口氣兒。」芳澤見張作霖沒有上當，就氣勢洶洶地說：「奉軍張宗昌的手下在濟南殺害日本僑民，你要對此負責！」張作霖再也忍不住怒火，「啪」地一拍桌子，把手中的翡翠旱煙袋摔作兩段，怒氣沖沖地說：「這種事情無憑無據，叫我從何查起？豈有此理！我負不起這個責任！我寧可不要這個臭皮囊，也不能讓人指著鼻子罵我的子孫後代！」芳澤趕緊向日本政府報告張作霖的強硬態度。日本人看到一手扶植起來的奉系軍閥，不再聽從指使，不禁惱羞成怒，下定決心要暗殺張作霖。

日本關東軍高級參謀河本大作奉命策劃暗殺行動。河本知道張作霖要從北京坐火車回奉天，就謀劃炸掉張作霖的專車。爆炸地點選在瀋陽郊區皇姑屯附近的京奉、南滿鐵路的交叉點，炸藥的引爆裝置設在遠離爆炸點二百米的隱蔽之處。特設了起爆按鈕和備用電鈕，確保引爆無誤。河本還臨時組織了一支突擊隊，假如張作霖沒被炸死，就由突擊隊衝上火車殺死張作霖。爲掩蓋日本主謀眞相，河本找到三個吸毒的中國人，由他們充當替死鬼。日本人的暗殺準備一切就序，只等北京的消息。張作霖之死是日本人精心策劃的一場政治謀殺。

日本人密切注意張作霖的行蹤。1928年6月3日，張作霖坐上返回瀋陽的火車。列車剛一啓動，日本特務就將張所在車廂節數報告給河本。沿途的日本特務將專車運行時間詳細電告河本，供爆炸參考。6月4日晨，專車駛近皇姑屯，關東軍東宮大尉按下起爆按鈕卻沒能引爆，神田中尉趕緊啓動備用按鈕，一聲巨響，張作霖的車廂被炸飛，張作霖被炸成重傷。東宮確認張作霖必死無疑，下令撤退。他收好引線，把引爆現場恢復正常，不留一絲痕跡，悄悄退去。關東軍隨後又去大帥府探聽消息，還四處傳揚是南方便衣隊謀害張大帥。張作霖被炸成重傷，抬回帥府不久就去世了。日本人加緊活動，欲扶植親日派奉系軍閥。奉軍元老們看穿了關東軍的陰謀，擁戴張作霖的兒子張學良爲奉軍統帥，接任東三省保安總司令之職。張學良頂住日本人的重重壓力，宣佈東北易幟，服從南京國民政府領導，挫敗了日本分裂中國的陰謀。

20世紀80年代，在日本發現了張作霖皇姑屯被炸現場照片三十多幅，這些照片是由原侵華日軍陸軍特務佐欠間德帶回日本的。這些照片證實了張作霖被炸身亡確實是由日本關東軍精心策劃的一場政治陰謀。

60 梅蘭芳是怎樣成名的

年輕時的梅蘭芳。

梅蘭芳，著名京劇藝術大師，梅派創始人，曾任中國京劇院院長，中國戲曲研究院院長等職。梅蘭芳原名梅瀾，祖籍江蘇泰川，出身梨園世家。梅蘭芳聰慧勤勉，八歲學戲，十歲登臺，十四歲便成名。他刻苦鑽研，精益求精，具有極高的京劇藝術造詣，獨創梅派風格。梅蘭芳還多次出國訪問演出，爲中國京劇走向世界做出積極貢獻。那麼，梅蘭芳是怎樣成名的呢？

這要從吉林富商牛子厚說起。牛子厚是當時資財雄厚的大商人，他酷愛京劇，對京劇這個行當很有研究，歡樂宴飲時，常請戲班子演戲助興。1901年，牛子厚爲母親祝壽，特地請來北京的「四喜班」獻演。牛子厚與戲班子文武老生葉春善交談，打算出資辦「科班」，由葉春善在北京招徒組班，在北京、吉林兩地輪番演戲，活躍吉林地區文化活動。葉春善十分贊成，回京後就張羅組建戲班子，並從牛子厚三個兒子喜貴、連貴、成貴名字中各取一字，把戲班子合名爲「喜連成」班。

葉春善演技高超，眾人正派，他精心培育弟子，使得「喜連成」戲班很快享譽京華。少年梅蘭芳也在戲班子學戲，他那時叫梅喜群。他祖父梅巧玲是著名的「同光十三絕」之一，梅蘭芳自小受到藝術薰陶，幼年時便具有表演天賦，八歲學戲，十歲便能登臺演出。梅蘭芳來到名角濟濟的「喜連成」班，虛心請教，刻苦練功，深得葉春善喜愛。1908年，葉春善率「喜連成」班到吉林演出，牛子厚注意到旦角梅蘭芳，看他功底深厚，氣宇軒昂，料定日後必成大器。牛子厚向葉春善詢問梅蘭芳的來歷，知他藝人世家出身，帶藝入班，牛子厚囑咐葉春善要加意培養，幫他早日走紅。葉春善有意安排十四歲的梅蘭芳飾演《白蛇傳》中的重要配角——青蛇，梅蘭芳演得極爲成功，令牛子厚十分高興。牛子厚認爲梅喜群這個藝名不夠豁亮，爲之改名「梅蘭芳」，並大作宣傳工作，令「梅蘭芳」這個名字一炮打響，在戲迷中廣爲傳揚。「喜連成」班在由吉林返回北京途中，梅蘭芳受到熱烈歡迎，人們爭相一睹當紅名旦的風采。回到北京時，梅蘭芳已成爲紅極一時的京劇名角兒。牛子厚便是造就名角兒的伯樂。

梅蘭芳主演的《貴妃醉酒》已成京劇的經典曲目。

梅蘭芳成名後，嚴格要求自己，虛心好學，刻苦鑽研京劇藝術，不斷創造發展旦角演技，形成風格獨特的「梅派」藝術。梅蘭芳演出上追求精益求精，使京劇藝術日臻完美，爲京劇藝術走向世界作出了積極貢獻。1915年秋，梅蘭芳被推薦參加外交部宴會廳舉行的聯歡會，爲美國駐華大使芮恩斯及教職員演出《嫦娥奔月》。頭一次看到京劇的美國人深深地被梅蘭芳高超的演技所折服，他們不禁讚歎中國竟有如此精彩迷人的藝術劇種，令人大開眼界。聯歡會後，梅蘭芳的大名在外國人中間傳頌，美國駐菲律賓總督和英國安南總督專門觀賞了梅劇，讚不絕口。印度大詩人泰戈爾對梅蘭芳的京劇藝術也極爲讚歎。

1930年，梅蘭芳應邀去美國友好演出。當時的美國正被全球性的經濟危機困擾，經濟惡化，市場低迷，一片蕭條。梅蘭芳也是心有顧慮，害怕演出不理想。出乎意料，他在美國紐約百老匯的演出極其成功，美國人民被他精湛的藝術表演所傾倒，由此對東方藝術文化產生強烈的好奇心，深深歎服中國京劇藝術的博大精深。戲票銷售一空，黑市票價被炒至十六美元。梅蘭芳還被美國南加利福尼亞大學和波摩拿學院授予文學博士學位。此後，梅蘭芳還應邀去日本、法國、德國、英國、義大利、蘇聯等國演出，轟動一時。梅蘭芳在蘇聯演出時，蘇聯元首史達林率國家要員到場觀看，大文豪高爾基、托爾斯泰對梅蘭芳的表演藝術高度評價，整個莫斯科都在談論中國藝術大師梅蘭芳。梅蘭芳作爲中國京劇界的驕傲爲東西方文化交流、促進京劇藝術走向世界作出積極貢獻，他也成爲享譽中外的京劇藝術大師。

國家圖書館出版品預行編目資料

中國名人懸案大破解／王長安編著；
初版. ——臺中市　：好讀, 2003[民92]
面：　公分，——（人物誌；08）

ISBN 957-455-494-5（平裝）

782.1　　92011876

人物誌08

中國名人懸案大破解

編　　著／王長安
總編輯／鄧茵茵
文字編輯／游雅筑、王淑華
美術編輯／賴怡君
發行所／好讀出版有限公司
台中市407西屯區何厝里19鄰大有街13號
TEL:04-23157795　FAX:04-23144188
http://howdo.morningstar.com.tw
e-mail:howdo@morningstar.com.tw
法律顧問／甘龍強律師
印製／知文企業（股）公司　TEL:04-23581803
初版／西元2003年8月31日
初版二刷／西元2005年11月20日

總經銷／知己圖書股份有限公司
http://www.morningstar.com.tw
e-mail:service@morningstar.com.tw
郵政劃撥：15060393
台北公司：台北市106羅斯福路二段95號4樓之3
TEL:02-23672044　FAX:02-23635741
台中公司：台中市407工業區30路1號
TEL:04-23595820　FAX:04-23597123

定價：380元
特價：199元

Published by How Do Publishing Co.LTD.
2003 Printed in Taiwan
ISBN 957-455-494-5

請填妥後對折裝訂，直接投郵即可，免貼郵票。

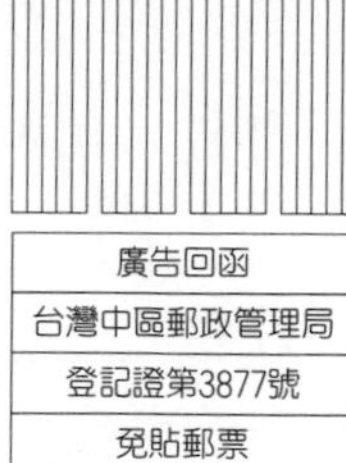

好讀出版社　編輯部收

407 台中市西屯區何厝里大有街13號1樓
電話：04-23157795　傳眞：04-23144188
E-mail:howdo@morningstar.com.tw

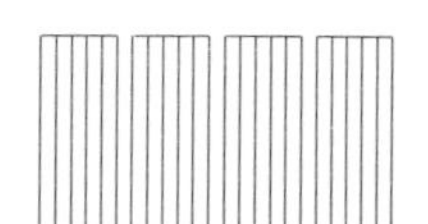

新讀書主義—輕鬆好讀，品味經典

請沿虛線摺下裝訂，謝謝！

更方便的購書方式：

(1) 網站：http://www.morningstar.com.tw

(2) 郵政劃撥　帳號：15060393

戶名：知己圖書股份有限公司

請於通信欄中註明欲購買之書名及數量

(3) 電話訂購：如爲大量團購可直接撥客服專線洽詢

◎ 如需詳細書目可上網查詢或來電索取。

◎ 客服專線：04-23595819#232　傳眞：04-23597123

◎ 客戶信箱：service@morningstar.com.tw

讀者迴響

書名：中國名人懸案大破解

1. 姓名：＿＿＿＿＿＿ □♀ □♂ 出生：＿年＿月＿日
2. 我的專線：（H）＿＿＿＿＿＿ （O）＿＿＿＿＿＿
   FAX ＿＿＿＿＿＿ E-mail ＿＿＿＿＿＿
3. 住址：□□□＿＿＿＿＿＿＿＿＿＿
4. 職業：
   □學生 □資訊業 □製造業 □服務業 □金融業 □老師
   □ SOHO族 □自由業 □家庭主婦 □文化傳播業 □其他＿＿＿
5. 何處發現這本書：
   □書局 □報章雜誌 □廣播 □書展 □朋友介紹 □其他＿＿＿
6. 我喜歡它的：
   □內容 □封面 □題材 □價格 □其他＿＿＿＿
7. 我的閱讀嗜好：
   □哲學 □心理學 □宗教 □自然生態 □流行趨勢 □醫療保健
   □財經管理 □史地 □傳記 □文學 □散文 □小說 □原住民
   □童書 □休閒旅遊 □其他
8. 我怎麼愛上這一本書：
   ＿＿＿＿＿＿＿＿＿＿＿＿＿＿＿＿
   ＿＿＿＿＿＿＿＿＿＿＿＿＿＿＿＿
   ＿＿＿＿＿＿＿＿＿＿＿＿＿＿＿＿

★寄回本回函卡，

將可收到晨星出版集團最新書訊（電子報）及相關優惠活動訊息。

『輕鬆好讀，智慧經典』

有各位的支持，我們才能走出這條偉大的道路。

好讀出版有限公司編輯部　謝謝您！